TCP/IP

Joe Casad et Bob Willsey

CAMPUSPRESS

F R A N C E

CampusPress France a apporté le plus grand soin à la réalisation de ce livre afin de vous fournir une information complète et fiable. Cependant, CampusPress France n'assume de responsabilités, ni pour son utilisation, ni pour les contrefaçons de brevets ou atteintes aux droits de tierces personnes qui pourraient résulter de cette utilisation.

Les exemples ou les programmes présents dans cet ouvrage sont fournis pour illustrer les descriptions théoriques. Ils ne sont en aucun cas destinés à une utilisation commerciale ou professionnelle.

CampusPress France ne pourra en aucun cas être tenu pour responsable des préjudices ou dommages de quelque nature que ce soit pouvant résulter de l'utilisation de ces exemples ou programmes.

Tous les noms de produits ou autres marques cités dans ce livre sont des marques déposées par leurs propriétaires respectifs.

Publié par CampusPress France
19, rue Michel Le Comte
75003 PARIS
Tél : 01 44 54 51 10
Mise en pages : Andassa
ISBN : 2-7440-0601-7
Copyright © 1999
CampusPress France

Tous droits réservés

Titre original : *Sams Teach Yourself*
TCP/IP in 24 hours
Traduit de l'américain par Bernard Loubières

ISBN original : 0-672-31248-4
Copyright © 1999 by Sams
Publishing
Tous droits réservés
Sams Publishing est une marque
de Macmillan Computer
Publishing USA
201 West 103rd Street
Indianapolis, Indiana 46290. USA

Table des matières

Partie II. Le système de protocoles TCP/IP

Partie VI. Exploitation évoluée de TCPIP

Introduction

Bienvenue dans cette formation TCP/IP. Ce livre s'adresse aux débutants ou utilisateurs qui désirent en savoir un peu plus sur TCP/IP.

Comment tirer parti de cet ouvrage ?

Ce livre de la collection *Tout en Poche* est conçu sous forme de sessions facilement accessibles. Il se compose de six parties qui vous permettront d'acquérir, étape par étape, la compétence nécessaire pour maîtriser un environnement TCP/IP :

- Partie I, "Les bases de TCP/IP" : une introduction à TCP/IP et à ses piles de protocoles.

- Partie II, "Le système de protocoles TCP/IP" : un examen attentif de chacune des couches du protocole TCP/IP : accès réseau, Internet, Transport et Application, l'adressage et la gestion des sous-réseau sous protocole Internet, la maintenance des réseaux physiques et des applications, l'utilisation des protocoles de chacune des couches de TCP/IP.

- Partie III, "Les utilitaires TCP/IP" : une présentation des divers utilitaires qui permettent de configurer, gérer et dépanner les réseaux sous TCP/IP. Vous saurez tout également sur Ping, Netstat, FTP, Telnet et quelques autres utilitaires.

- Partie IV, "Résolution de nom" : une description des services et des protocoles qui assurent la résolution des adresses sur les réseaux TCP/IP, une présentation des fichiers hôtes et de DNS

(*Domain Name Resolution*, résolution des noms de domaines), la résolution d'adresse NetBIOS au moyen de LHMOSTS, WINS, les méthodes de résolution d'adresse en multidiffusion.

- Partie V, "TCP/IP dans les environnements Network" : comment configurer et utiliser TCP/IP sous plusieurs systèmes d'exploitation machine et réseaux, en particulier Windows, Macintosh, NetWare et UNIX.

- Partie VI, "Exploitation évoluée de TCP/IP" : assignation dynamique d'adresses IP, protocoles de gestion de réseau RMON et SNMP, présentation de IP version 6 et du protocole PPTP (*Point To Point Tunneling Protocol*). Une étude de cas sur l'implication des composantes de TCP/IP dans un environnement opérationnel clôt cette partie.

Cet ouvrage ne privilégie aucun système d'exploitation, même si de nombreux exemples font référence à Windows NT 4.0, et cela pour plusieurs raisons. D'une part, la plupart des ouvrages sur TCP/IP supposant l'utilisation d'UNIX, nous avons voulu nous démarquer de ce choix. (Windows NT est en fait un système d'exploitation TCP/IP. Il s'agit d'un protocole réseau par défaut et l'on trouve de nombreuses caractéristiques de TCP/IP dans NT.) D'autre part, Windows NT est très répandu ; la plupart des utilisateurs qui n'ont pas accès à un système UNIX comportant toutes ses fonctions peuvent accéder à Windows NT. Ce livre ne sous-entend - tout comme TCP/IP — aucun système d'exploitation et ne fait référence qu'aux standards définis par les RFC (*Requests For Comments*) des IEEE.

Organisation de l'ouvrage

Chaque chapitre comporte une courte introduction, suivie des objectifs à atteindre. La composition des chapitres est la suivante :

Texte courant

Chacun des chapitres expose de façon simple et précise les aspects fondamentaux de ce qu'il faut savoir. Des figures et des tableaux donnent des exemples qui concrétisent l'exposé. Des symboles particuliers attirent votre attention sur des informations complémentaires, des conseils, des cas difficiles, ceci pour cerner et comprendre au mieux le sujet.

Le texte de l'encadré "Info" explicite un concept exposé précédemment, fournit des informations complémentaires ou des exemples, mais n'est pas essentiel à la compréhension de base. Si vous êtes pressé, si vous désirez ne retenir que l'essentiel, vous pouvez ignorer les encadrés "Info".

Il s'agit là de définitions qui précisent un mot à retenir, ou un concept, qui ne peut être décrit en détail dans le corps du texte, ou qui ne lui est pas directement lié.

L'encadré "Astuce" est un raccourci qui permet de gagner du temps.

Questions-réponses

Chaque fin de chapitre comporte un ensemble de questions dont le but est de tester votre compréhension de l'exposé qui vient d'être vu. Les réponses à ces questions sont ensuite données.

Atelier

Les chapitres qui exposent des cas concrets se terminent par un atelier — un exercice — qui permet d'appréhender les particularités d'une situation donnée Même si vous ne possédez ni matériel ni logiciel pour participer à ces ateliers, la lecture de ces études de cas n'en demeure pas moins profitable pour travailler en environnement TCP/IP.

Mots clés

Chaque fin de chapitre comprend une liste alphabétique des mots nouveaux rencontrés dans l'exposé.

Partie I

Les bases
de TCP/IP

Chapitre 1

Qu'est-ce que TCP/IP ?

Au sommaire de ce chapitre

- Définition d'un réseau

- Qu'est-ce qu'un ensemble de protocoles ?

- Qu'est-ce que TCP/IP ?

- Historique de TCP/IP

- Caractéristiques essentielles de TCP/IP

- Enumération des organisations qui veillent sur TCP/IP et Internet

- Réseaux et protocoles

TCP/IP est un système — une collection — de protocoles pour l'exploitation des réseaux de communication. La question "qu'est-ce qu'un protocole ?" en appelle immédiatement une autre : "qu'est-ce qu'un réseau ?"

Nous allons donc voir ici ce qu'est un réseau et pourquoi des protocoles sont nécessaires pour l'exploiter. Ce chapitre décrit aussi TCP/IP et rappelle ses origines.

Un *réseau* est un ensemble d'ordinateurs ou de machines informatiques qui communiquent grâce à une technique commune de transmission (voir Figure 1.1).

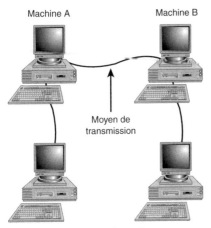

Figure 1.1 : Structure d'un réseau.

Des données et des appels de données sont ainsi échangés entre les machines sur un câble dédié, ou plus simplement sur une ligne téléphonique. Dans le cas de la Figure 1.1, la machine A doit pouvoir envoyer un message ou une requête vers B, qui, à son tour, doit *comprendre* le message de A afin de lui répondre.

Un ordinateur interagit avec le monde extérieur en exécutant une ou plusieurs applications informatiques, en effectuant des tâches et en gérant des entrées-sorties. Lorsqu'il travaille en réseau, ses applications doivent dialoguer avec les applications d'autres machines du réseau grâce à une *suite de protocoles* — un ensemble de règles reconnues par toutes les machines du réseau pour effectuer sur celui-ci des opérations de transfert complexes. Les données transitent de l'application en cours sur la machine A vers l'application "demanderesse" de la machine B *via* la carte réseau de A, la liaison physique réseau et la carte réseau de B (voir Figure 1.2)

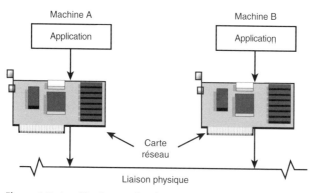

Figure 1.2 : Le rôle d'une suite de protocoles réseau.

Les protocoles de TCP/IP définissent les modalités de communication sur le réseau et, en particulier, le format des données ainsi que les éléments d'information à leur adjoindre pour que le destinataire puisse interpréter convenablement le message. TCP/IP et ses protocoles associés forment un système complet qui définit la manière de traiter, de transmettre et d'exploiter les informations transmises sur un réseau (qui fonctionne sous TCP/IP). Un système de protocoles liés les uns aux autres, comme TCP/IP, est appelé *suite de protocoles.*

La tâche concrète consistant à formater et à traiter les transmissions TCP/IP est effectuée par un logiciel qui est une *implémentation fournisseur* de TCP/IP. Par exemple, Microsoft TCP/IP est un logiciel qui permet à Windows NT de traiter les données au format TCP/IP, et donc d'exploiter tout réseau à la norme TCP/IP. Tout au long de cet ouvrage, nous ferons la distinction suivante :

- **Standard TCP/IP.** Ensemble de règles qui gèrent les communications sur réseau TCP/IP.

- **Implémentation TCP/IP.** Logiciel effectuant les opérations qui permettent à une machine donnée de se connecter à un réseau TCP/IP.

La distinction importante entre *standard* et *implémentation* disparaît parfois du discours des professionnels, ce qui peut être déroutant pour le lecteur. Les auteurs d'ouvrages spécialisés parlent souvent de couches du modèle TCP/IP offrant des services aux autres couches. En fait, le modèle TCP/IP n'offre aucun service, mais définit les services qui doivent être offerts. Les implémentations logicielles TCP/IP du fournisseur offrent effectivement ces services.

Le but des standards TCP/IP est d'assurer la compatibilité entre toutes les implémentations TCP/IP, quels que soient les fournisseurs ou les implémentations.

Le développement de TCP/IP

Les réseaux TCP/IP sont issus de la synthèse de deux développements commencés en 1970, et qui ont, depuis, révolutionné le monde de l'informatique :

- Internet ;

- les réseaux locaux (LAN).

Internet

La forme actuelle de TCP/IP résulte du rôle historique que ce système de protocoles a joué dans le parachèvement de ce qui allait devenir Internet. A l'instar des nombreux développements high-tech de ces dernières années, Internet est issu des recherches lancées aux Etats-Unis par le Department Of Defense. A la fin des années 60, les officiels du DOD s'aperçoivent que les militaires possèdent une grande quantité de machines informatiques très diverses, dont certaines travaillent isolément et d'autres en réseaux fermés de dimension modeste, dont les protocoles d'exploitation, de caractère propriétaire, sont incompatibles.

Le mot *propriétaire*, ici, signifie que la technologie mise en œuvre reste sous contrôle privé. Il s'agit en général d'une société commerciale, qui peut ne pas avoir intérêt à divulguer les informations qui permettent aux utilisateurs de se connecter à d'autres réseaux travaillant sous protocoles concurrents.

Les autorités militaires se sont alors demandé s'il était possible, pour ces machines aux profils très différents, de traiter des informations mises en commun. Habitués comme ils le sont aux problèmes de sécurité, les responsables de la Défense ont immédiatement réalisé qu'un réseau de grande ampleur deviendrait une cible idéale en cas de conflit. La caractéristique essentielle de ce réseau, s'il devait exister, était donc d'être un réseau "non centralisé". Ses fonctions vitales ne devaient en aucun cas se trouver concentrées sur quelques sites vulnérables. Etant donné qu'à l'ère des missiles, tout point de la planète est accessible, ce réseau ne devait présenter aucun point vulnérable. Par exemple, une bombe tombée sur l'un de ces points ne devait pas altérer son fonctionnement d'ensemble. Ces militaires prévoyants mettent ainsi sur pied un réseau baptisé ARPAnet, parce que issu de *l'Advanced Research Projects Agency* du DOD. Le système de protocoles permettant d'exploiter ce réseau interconnecté et décentralisé est à l'origine de ce qui existe aujourd'hui sous le nom de TCP/IP.

Quelques années plus tard, lorsque la National Science Foundation exprime le besoin de créer un réseau dédié aux institutions de recherche, elle adopte le protocole d'ARPAnet, à partir duquel elle développe ce que l'on connaît sous le nom d'Internet. Nous le verrons plus loin, le principe de décentralisation à l'origine d'ARPAnet persiste dans la conception actuelle du système de protocoles TCP/IP, ce qui explique son succès, tout comme celui d'Internet.

Les deux principes essentiels de TCP/IP sur lesquels repose cet environnement de caractère décentralisé sont les suivants :

- **Vérification des nœuds terminaux.** Les deux ordinateurs en train d'échanger des informations (appelés *nœuds terminaux* parce qu'ils sont placés aux deux extrémités de la chaîne qui achemine le message) ont pour obligation d'accuser réception de la transmission et d'en vérifier le contenu. Tous les ordinateurs fonctionnent de façon banalisée, car aucun site centralisé ne surveille les échanges.

- **Routage dynamique.** Les nœuds du réseau peuvent être connectés par de multiples itinéraires, dont la configuration dépend des opportunités du moment. Nous verrons plus loin ce qu'il faut savoir sur les routeurs et l'acheminement des messages.

Les LAN, réseaux locaux

Tandis que l'Internet se propage dans les universités et les organismes de recherche, un autre concept prend forme, celui de réseau local, le *Local Area Network* (LAN). Les LAN se développent au fur et à mesure de l'évolution de la technologie informatique, comme réponse aux besoins de partage des ressources informatiques du secteur tertiaire.

Les protocoles LAN ne donnent alors pas tous accès à Internet, car ils sont issus de protocoles de caractère propriétaire. Certains ne tolèrent aucun type de routage. Les entreprises, qui rêvent d'un protocole qui leur permettrait d'interconnecter leurs LAN incompatibles et disjoints, tournent ainsi leurs regards vers TCP/IP. Internet devenant de plus en plus populaire, les utilisateurs de LAN désirent à leur tour accéder à ce réseau, ce qui fait apparaître une multitude de solutions pour raccorder les possesseurs de LAN. Des passerelles spécialisées leur offrent les conversions de protocoles indispensables pour accéder à l'Internet.

Le terme *passerelle* est utilisé de façon impropre dans un contexte TCP/IP. Une passerelle est tantôt un routeur ordinaire (voir l'exposé sur les routeurs, un peu plus loin), tantôt un logiciel de routage qui effectue une conversion de protocole.

Les fournisseurs de logiciels pour les LAN se mettent donc progressivement à fournir de meilleurs supports de TCP/IP. Des versions récentes de NetWare, MacOS et Windows sont allées très loin dans l'intégration de TCP/IP à l'exploitation des réseaux locaux.

Nous le verrons au Chapitre 3, "La couche accès réseau ", la nécessité de prendre en compte les réseaux locaux a suscité des innovations extrêmement intéressantes lors de la mise en place des protocoles autoadaptables au matériel qui sont à la base de TCP/IP.

Caractéristiques de TCP/IP

Vous allez découvrir tout au long de cet ouvrage les nombreuses caractéristiques de TCP/IP. La façon dont les points suivants sont traités sous TCP/IP est fondamentale :

- l'adressage logique ;
- le routage ;
- les noms et adresses ;
- le contrôle des erreurs et des flots de données (débit) ;
- le support application.

Il s'agit de traits essentiels de TCP/IP, que nous abordons ici de façon succincte et qui sont détaillés plus loin dans cet ouvrage.

Adressage logique

Une carte réseau possède une adresse physique unique et permanente. L'*adresse physique* est un nombre attribué à cette carte lors de sa fabrication. Sur un réseau local, les protocoles de bas niveau, liés au matériel, acheminent des données sur le réseau en utilisant cette adresse physique. Il existe des réseaux de genres très divers et, bien sûr, chacun achemine les données à sa façon. Dans le cas d'une liaison Ethernet, par exemple, l'ordinateur expédie ses messages directement sur la liaison. La carte réseau de chaque ordinateur examine la totalité du trafic sur le réseau local afin d'en extraire les messages qui concernent sa propre adresse.

Dans le cas des grands réseaux, il est évident que la carte réseau d'une machine ne peut examiner la totalité du trafic (imaginez votre ordinateur en train de scruter tout ce qui passe sur Internet...). Etant donné la croissance du nombre de machines qui "biberonnent" sur Internet, une telle situation serait intenable.

Les administrateurs de réseaux segmentent souvent leurs réseaux, par exemple au moyen de routeurs, afin de maîtriser le trafic sur le réseau. Il faut alors subdiviser le réseau en plusieurs *sous-réseaux* (*subnets*), hiérarchisés de manière à ce qu'un message soit acheminé de façon optimale vers sa destination. TCP/IP offre cette possibilité de subdivision grâce à l'*adressage logique*. Cette adresse est élaborée par le logiciel de communication. Sous TCP/IP, l'adresse logique d'un ordinateur est une *adresse IP*. Comme nous le verrons aux Chapitres 4, "La couche Internet", et 5, "La couche Internet : gestion des sous-réseaux", une adresse IP peut inclure :

- un numéro d'identification de votre réseau ;

- un numéro d'identification de sous-réseau du réseau ;

- un numéro d'hôte, identifiant la machine sur le réseau.

 Si votre réseau n'accède pas à Internet, vous pouvez utiliser une adresse IP quelconque (pourvu qu'elle suive les principes de définition d'une telle adresse). Si vous faites partie d'Internet, l'*Internet Assigned Number Authority*, IANA, service d'affectation des identifications, attribuera un numéro d'identification à votre réseau, devenant ainsi le premier élément de votre adresse IP.

Routage

Un *routeur* est un dispositif particulier qui lit des adresses logiques et oriente les données à transmettre sur le réseau vers leur destinataire.

Au niveau le plus bas, un routeur isole un sous-réseau local d'un grand réseau (voir Figure 1.3). Les données destinées au réseau local ne franchissent pas le routeur et n'encombrent donc pas les lignes de communication du grand réseau. Les données destinées à une machine extérieure au réseau local seront prises en charge par le routeur qui les expédiera à destination. Nous l'avons vu plus haut, les grands réseaux comportent de nombreux routeurs qui fournissent des voies d'acheminement multiples entre origine et destination (voir Figure 1.4).

TCP/IP possède des protocoles de conditionnement du routage au sein du réseau. Ce sujet sera traité en détail au Chapitre 9, "Les passerelles : ponts, routeurs et B-routeurs".

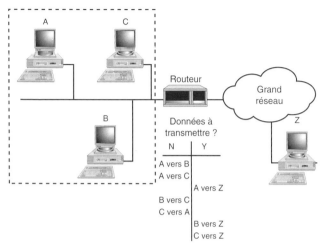

Figure 1.3 : Connexion d'un LAN à un grand réseau.

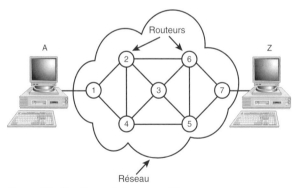

Figure 1.4 : Un réseau interconnecté au moyen de routeurs.

 Un dispositif appelé *pont* permet de filtrer et de réduire le trafic sur le réseau. Ce pont exploitant plutôt des adresses physiques que des adresses logiques, il ne peut exécuter les fonctions de routage évoluées de la Figure 1.4.

Résolution d'adresses

Bien que l'adresse numérique IP soit sans doute plus "conviviale" que l'adresse physique prédéfinie par le constructeur de la carte réseau, elle n'en reste pas moins attachée à la machine plutôt qu'à son utilisateur. Il peut être difficile de se rappeler que l'adresse d'une machine est 111.121.131.146 ou 111.121.131.156. TCP/IP offre par conséquent une structure d'adressage en langage de tous les jours qui gère des noms de domaines : DNS, *Domain Names Service*, service de noms de domaines. La correspondance entre adresse physique IP et nom de domaine est appelée *résolution de noms de domaines*, ou plus simplement *résolution d'adresses*. Des machines dédiées, appelées *serveurs d'adresses*, conservent les tables de correspondances entre nom de domaine et adresse physique.

Les adresses des machines qui fréquentent le courrier électronique (e-mail) ou le World Wide Web sont structurées suivant la procédure DNS (par exemple, **www.microsoft.com, falkon.ukans.edu, idir.net**). Le service DNS de TCP/IP offre une hiérarchie de serveurs d'adresses qui fournissent une correspondance entre nom de domaine et adresse physique IP pour les machines du réseau enregistrées par DNS. Ainsi l'utilisateur n'a pas à connaître ou à déchiffrer les adresses physiques.

Nous examinerons plus en détail dans la quatrième partie la résolution des noms de domaines sous TCP/IP.

Contrôle d'erreurs et des flots de données

La suite de protocoles TCP/IP assure la fiabilité des données transmises sur réseau en contrôlant les erreurs de transmission éventuelles et en émettant des accusés de réception qui confirment le succès de l'opération. C'est la couche Transport de TCP/IP (voir Chapitre 6, "La couche transport") qui gère la plupart de ces contrôles, les flots de données et les accusés de réception au sein du réseau interconnecté sous protocoles TCP. Des protocoles de plus bas niveau de la couche accès réseau jouent aussi un rôle dans le processus global de contrôle d'erreur.

Support Application

La suite de protocoles doit fournir une interface pour que les applications qui "tournent" sur la machine aient accès au réseau. Le transit s'effectue sur des voies logiques appelées *ports*. Chaque port possède une adresse d'identification. Ces ports sont comme autant d'autoroutes sur lesquelles transitent les données fournies au protocole ou en provenance de celui-ci (voir Figure 1.5).

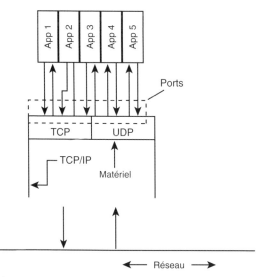

Figure 1.5 : Les adresses de ports : les points de passage des applications entre machine et réseau.

Au Chapitre 6, nous étudierons les ports TCP et UDP de la couche transport de TCP/IP. Au Chapitre 8, nous nous intéresserons à la couche application de TCP/IP.

La suite TCP/IP offre une quantité d'applications de caractère utilitaire destinées à administrer un réseau. Le Tableau 1.1 énumère quelques-uns de ces utilitaires qui seront détaillés en troisième partie, "Utilitaires TCP/IP".

Organismes de standardisation et RFC

Tableau 1.1 : Utilitaires TCP/IP types

Utilitaire	Fonction
ftp	transfert de fichiers
lpr	impression
ping	configuration-dépannage
route	configuration-dépannage
telnet	accès à distance
traceroute	configuration-dépannage

Plusieurs organisations ont participé au développement de TCP/IP et d'Internet. TCP/IP trahit son origine militaire par l'abondance et l'obscurité de ses acronymes. Voici les noms de quelques organismes qui ont travaillé ou travaillent sur TCP/IP :

- **IAB** (*Internet Advisory Board*). Autorité gouvernementale qui établit la "politique" Internet et veille au développement de ses futurs standards.

- **IETF** (*Internet Engineering Task Force*). Section de l'IAB chargée d'étudier et de réguler les aspects "ingénierie" d'Internet. L'IETF se divise en un certain nombre de groupes de travail qui consacrent leurs efforts à divers aspects de TCP/IP concernant les applications, le routage, l'administration des réseaux, etc.

- **IRTF** (*Internet Research Task Force*). Branche de l'IAB qui finance la recherche à long terme.

- **IANA** (*Internet Assigned Numbers Authority*). Agence qui définit certaines valeurs comme les adresses physiques IP d'Internet ou les numéros de ports TCP et UDP.

- **InterNIC.** Service d'information d'Internet, où l'on peut faire enregistrer des noms de domaines Internet *via* InterNIC. Joindre pour cela InterNIC sur le Web à l'adresse **http://internic.net**.

La plupart de la documentation officielle sur TCP/IP est disponible sous la forme d'une série de *Requests For Comments* (RFC). Il est possible de consulter dans la bibliothèque des RFC les standards Internet ainsi que les rapports des groupes de travail. Les spécifications officielles des IETF sont publiées sous forme de RFC. Nombre de ces requêtes ont pour but d'éclaircir certains aspects de TCP/IP ou d'Internet. Tout le monde peut proposer une RFC à l'IETF, ou plus simplement la transmettre au responsable IETF par e-mail à l'adresse **rfc.editor@rfc.editor.org**.

Les RFC sont d'une richesse inestimable pour qui désire approfondir ses connaissances sur TCP/IP. Ces RFC comprennent une multitude d'exposés techniques sur les protocoles, les utilitaires et les services.

Vous pouvez accéder aux RFC sur plusieurs sites Internet, dont **www.rfc.editor.org**. Un échantillon de ces RFC apparaît dans le Tableau 1.2.

Tableau 1.2 : Exemples représentatifs des deux mille (et plus) RFC d'Internet

Numéro	Titre
791	Protocole Internet
792	Protocole de contrôle des transmissions
793	Protocole simplifié de courrier électronique
794	Protocole de transfert de fichiers
968	C'était la veille du démarrage
1180	Enseignement TCP/IP
1188	Proposition de standard pour la transmission de datagrammes sur réseaux FDDI

Tableau 1.2 : Exemples représentatifs des deux mille (et plus) RFC d'Internet

Numéro	Titre
1597	Allocation des adresses pour les intranets
2000	Standard officiel du protocole Internet, 2/24/97
2001	Protocole de contrôle des trames PPP NetBIOS

Résumé

Nous avons vu dans ce chapitre ce que sont les réseaux et pourquoi des protocoles sont nécessaires pour les administrer. Vous avez appris que TCP/IP a vu le jour lors de la mise en place d'ARPAnet par le Department of Defense des Etats-Unis, pour assurer une gestion de réseau décentralisée en environnement diversifié.

Nous avons aussi découvert des caractéristiques importantes de TCP/IP, comme l'adressage logique, la résolution des adresses et le support d'applications, ainsi que les principales organisations qui veillent sur TCP/IP. Enfin, nous avons vu que les RFC sont une source de documentation officielle sur TCP/IP et sur Internet.

Questions-réponses

Q Quelle est la différence entre un standard de protocole et un protocole propriétaire ?

R Un standard de protocole est un ensemble de règles. Un protocole propriétaire applique ces règles de façon à doter les matériels d'un fournisseur de facultés d'accès aux réseaux.

Q Pourquoi les concepteurs d'ARPAnet désiraient-ils un réseau non centralisé ?

R Leur but était de mettre en place un réseau à usage militaire dont on ne pourrait altérer le bon fonctionnement en cas de conflit.

Q Pourquoi les contrôles aux nœuds de départ et d'arrivée sont-ils si importants ?

R La conception des réseaux n'impliquant aucune centralisation de leur gestion, les ordinateurs émetteur et récepteur doivent prendre en charge la vérification de leurs échanges.

Q Pourquoi les grands réseaux fonctionnent-ils avec un système de résolution d'adresses ?

R Les adresses physiques (IP) ne peuvent être mémorisées par un utilisateur. Les adresses de style DNS qui leur correspondent sont commodes à utiliser, car rédigées en langage courant.

Mots clés

- **ARPAnet.** Réseau expérimental qui a engendré TCP/IP.

- **Nom de domaine.** Adresse alphanumérique associée à une adresse physique par le service DNS de TCP/IP.

- **Passerelle.** Routeur qui connecte un LAN à un grand réseau. Ce terme est utilisé parfois pour désigner un routeur qui effectue des conversions de protocoles.

- **Adresse IP.** Adresse logique qui permet de localiser un ordinateur sur réseau TCP/IP.

- **Adresse logique.** Adresse réseau telle qu'elle est définie par le logiciel du protocole.

- **Résolution de noms.** Service de TCP/IP qui associe une adresse alphanumérique en clair aux adresses réseau.

- **Adresse physique.** Adresse permanente inscrite en usine dans une ROM de la carte réseau.

- **Port.** Adresse interne qui offre une interface entre les applications et la couche transport de TCP/IP.

- **Système de protocoles.** Ensemble de standards et de procédures qui permet à une machine informatique de communiquer avec le monde extérieur.

- **RFC** (*Request For Comment*). Document officiel d'information sur Internet et les autres réseaux mondiaux.

Chapitre 2

Le fonctionnement de TCP/IP

Au sommaire de ce chapitre

- Description des couches du système de protocoles TCP/IP et définir leur rôle

- Description des couches du modèle de protocole OSI et expliquer les liens entre couches OSI et TCP/IP

- Analyse des en-têtes de protocoles TCP/IP et expliquer l'encapsulation de données dans l'en-tête au franchissement de chacune des couches de la pile de protocole

- Donner le nom des paquets de données au niveau de chacune des couches de la pile de protocoles

- Les protocoles importants, comme TCP, UDP et IP, ainsi que de leurs articulations, qui concourent aux fonctions de TCP/IP

TCP/IP est un système — une suite — de protocoles. Un protocole est un ensemble de règles et de procédures. La plupart des matériels et logiciels utilisés sur les réseaux appliquent les règles de communication TCP/IP. Si l'utilisateur n'a pas à se soucier des détails de ces règles, il n'en reste pas moins vrai qu'il doit parfaitement connaître TCP/IP s'il veut maîtriser la configuration et la maintenance des réseaux qui fonctionnent dans un tel environnement.

Ce chapitre décrit le système de protocoles TCP/IP et explique comment ses divers constituants coopèrent pour émettre et recevoir des informations sur un réseau.

Le système de protocoles TCP/IP

Avant de parler des composantes de TCP/IP, passons en revue les fonctionnalités d'un système de protocoles.

Un système de protocoles de la dimension de TCP/IP doit assurer les fonctions suivantes :

- fractionnement des messages en segments faciles à mettre sur la ligne de communication ;

- interface avec la carte réseau ;

- adressage : l'émetteur doit envoyer ses messages à la bonne adresse. Le récepteur doit savoir d'où viennent les messages qui le concernent ;

- routage : le système doit acheminer les données sur le sous-réseau auquel appartient le destinataire, même si ses caractéristiques physiques sont différentes de celles du réseau auquel appartient l'émetteur ;

- contrôle d'erreur : contrôle des flots de données et accusés de réception, la fiabilité de la liaison impose que les partenaires soient capables de gérer en totalité la transmission des données ;

- transfert de données d'une application au réseau.

Pour accomplir toutes ces fonctions, les créateurs de TCP/IP ont adopté une approche *modulaire*. Le système de protocoles TCP/IP se décompose en modules qui, en théorie, fonctionnent en toute indépendance. Chaque module est chargé d'une tâche précise dans le fonctionnement du réseau de communication.

L'avantage de cette modularité permet aux fournisseurs d'adapter les logiciels du protocole aux machines qu'ils proposent ainsi qu'aux systèmes d'exploitation qui les font tourner. Par exemple, la couche accès réseau (comme nous le verrons au Chapitre 3) comporte des fonctions spécifiques aux architectures de réseaux locaux (LAN, *Local Area Network*) telles que les anneaux à jeton ou Ethernet. La modularité de TCP/IP permet à un fournisseur comme Microsoft de ne pas avoir à créer un logiciel totalement différent pour les réseaux TCP/IP en anneaux à jeton (par opposition à Ethernet TCP/IP). Les couches supérieures ne sont pas affectées, seule la couche accès réseau change. Le système de protocoles TCP/IP est organisé en couches stratifiées dont chacune effectue des tâches spécifiques (voir Figure 2.1). Ce modèle, ou *pile*, qui date des débuts de TCP/IP, est parfois appelé le *modèle TCP/IP*.

 Le modèle à quatre couches de la Figure 2.1 est communément utilisé pour décrire les réseaux TCP/IP, mais il n'est pas le seul. Le modèle ARPAnet, par exemple, décrit dans la RFC 871, possède trois couches : la couche interface réseau, la couche hôte à hôte et la couche Traitement/Applications. D'autres descriptions de TCP/IP reposent sur un modèle à cinq couches, avec des couches Physique et Liaison Données en lieu et place de la couche accès réseau (en accord avec OSI). D'autres modèles existent, qui ne possèdent pas de couche accès réseau, ni de couche Application, de caractère moins "net" que les couches intermédiaires et donc plus délicat à définir. Le nom des couches varie d'un protocole à l'autre. Les noms de couches ARPAnet apparaissent quelques fois dans les discussions sur TCP/IP, tandis que la couche Internet est parfois appelée *couche Inter-réseaux* ou *couche Réseau*. Cet ouvrage utilise le modèle à quatre couches de la Figure 2.1.

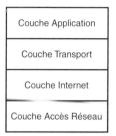

Figure 2.1 : Les couches du modèle de protocole TCP/IP.

Les couches du modèle officiel de protocole TCP/IP ont des rôles multiples. Si nous comparons ce descriptif avec l'énumération des rôles vus précédemment, nous observons que les finalités du système de protocoles sont partagées entre plusieurs couches :

- **Couche accès réseau.** Assure l'interface physique avec le réseau. Elle formate les données aux normes du réseau et élabore les adresses de sous-réseaux en tenant compte des adresses physiques des machines destinataires. Elle effectue les contrôles d'erreur au niveau des données mises sur le réseau physique.

- **Couche Internet.** Fournit un adressage logique, indépendant du matériel, de façon à faire transiter des données sur des réseaux dont les architectures physiques sont très diverses. Cette couche met en place des routages qui tempèrent le trafic et permettent l'acheminement de messages vers des réseaux interconnectés (*internetworks*). Le terme *réseaux interconnectés* désigne un ensemble de réseaux locaux (LAN) connectés entre eux, comme on peut en trouver dans les grandes sociétés ou sur Internet. La couche Internet établit la correspondance entre adresse physique (gérée par la couche accès réseau) et adresse logique.

- **Couche transport.** Assure le contrôle des flots de données, les contrôles d'erreur et les accusés de réception sur les réseaux interconnectés. Elle sert aussi d'interface pour les applications réseau.

- **Couche application.** Offre des applications pour le dépannage réseau, le transfert de fichiers et les besoins d'Internet. Elle supporte aussi les API réseau (*Network Application Programming Interfaces*) qui autorisent l'accès au réseau à des programmes écrits sous un système d'exploitation particulier.

Les Chapitres 3 à 8 développent largement les activités de chacune des couches du système de protocoles TCP/IP.

 Le terme *couche* est utilisé en informatique pour désigner les divers niveaux d'un protocole, à l'image de la Figure 2.1. Un en-tête est ajouté aux données lorsque celles-ci traversent une couche de la pile de protocoles. Lorsqu'on s'intéresse de plus près aux composants du protocole, le terme couche devient quelque peu métaphorique. Les diagrammes comme celui de la Figure 2.1 montrent que les données traversent une série d'interfaces qui assurent l'indépendance des traitements appliqués aux données dans chacune des couches. On peut aussi considérer le schéma de la Figure 2.1 comme une chaîne de fabrication : les données s'arrêtent (très momentanément) à chaque étape de la production et, s'il n'y a pas d'anomalie, chaque poste de travail effectue ses opérations de façon autonome.

Lorsque le système de protocoles TCP/IP traite un élément de donnée pour l'expédier sur le réseau, chaque couche de la machine expéditrice ajoute une *couche d'information* à cet élément à l'attention de la couche correspondante de la machine réceptrice. Par exemple, la couche Internet de l'ordinateur qui expédie des données ajoute un en-tête contenant de l'information, laquelle sera exploitée au niveau de la couche Internet de la machine réceptrice.

TCP/IP et le modèle OSI

Le marché des réseaux utilise un modèle standard à sept couches appelé *modèle OSI* (*Open Systems Interconnections*). Le modèle OSI est l'aboutissement des efforts accomplis par l'ISO (*International Standards Organization*) pour normaliser la conception des

systèmes de protocoles pour les réseaux, faciliter leur interconnexion et donner aux développeurs de logiciels le plus large accès
possible aux protocoles standards.

L'architecture OSI est apparue alors que le développement de
TCP/IP était en cours, et on ne peut vraiment pas dire que TCP/IP
était conforme au modèle OSI. Ces deux modèles avaient cependant
les mêmes objectifs et les concepteurs des deux bords coopéraient
suffisamment pour aboutir à leur compatibilité. Le modèle OSI a
fortement influencé le développement des implémentations de protocoles, au point que la terminologie OSI apparaît couramment
lorsqu'on parle de TCP/IP.

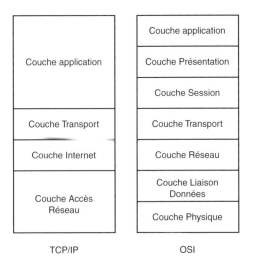

TCP/IP   OSI

Figure 2.2 : Le modèle à sept couches d'OSI.

La Figure 2.2 présente les correspondances entre les couches du
"quatre couches" TCP/IP et du "sept couches" OSI. A noter que ce
dernier modèle répartit les tâches de la couche Application en trois
couches (sous-couches...) : Application, Présentation et Session.
OSI scinde la couche Interface Réseau de TCP/IP en deux couches :

la couche Liaison Données et la couche Physique. Cette organisation complique quelque peu les choses, mais les développeurs y gagnent en facilité d'adaptation de chacune de ces couches à leurs besoins spécifiques.

Les sept couches du modèle OSI ont les rôles suivants :

- **Couche physique.** Convertit les données en signaux numériques propres à transiter sur le moyen de communication et gère leur transmission.

- **Couche liaison données.** Assure l'interface avec la carte réseau, entretient les liens logiques sur le sous-réseau.

- **Couche réseau.** Gère l'adressage logique et le routage.

- **Couche transport.** Contrôle le flot des données et gère les erreurs.

- **Couche session.** Ouvre les sessions reliant les applications qui tournent sur les machines interconnectées.

- **Couche présentation.** Met les données au format standard, gère le cryptage et la compression.

- **Couche application.** Assure l'interface entre applications, gère les transferts de fichiers, les communications, etc.

Il convient insister sur le fait que OSI et TCP/IP sont des standards, et non des implémentations de standards. Les logiciels mis sur le marché ne respectent pas à la lettre les organisations des Figures 2.1 et 2.2. D'autre part, la correspondance établie à la Figure 2.2 donne lieu à de nombreuses discussions entre fournisseurs.

On notera que les deux modèles sont semblables au niveau des couches Transport et Internet (Réseau chez OSI), lesquelles sont importantes. Ces couches sont les plus riches en éléments identifiables et isolables, et ce n'est donc pas une coïncidence si les systèmes de protocoles sont nommés d'après les protocoles de leurs couches Transport et Réseau. Comme vous le verrez plus loin, la suite de protocoles TCP/IP tire son nom d'un protocole de la couche Transport (TCP) et d'un protocole de la couche Internet/Réseau (IP).

Paquetages des données

Il est important de mémoriser, en ce qui concerne la pile de protocoles TCP/IP, que chaque couche joue un rôle dans le processus de communication, en offrant les services requis à son niveau. Lorsqu'une transmission est établie, descendant l'empilement des couches du modèle, chacune des couches rajoute aux données un ensemble d'informations spécifiques appelé *en-tête*. L'entité qui se compose des données et d'un en-tête devient un ensemble de données qui est "repaqueté" par la couche immédiatement inférieure, avec adjonction d'un nouvel en-tête. La Figure 2.3 illustre ce processus. Bien entendu, l'opération inverse est effectuée lors de l'arrivée du message sur la machine réceptrice. Chaque couche "déshabille" ce qu'elle reçoit, jusqu'à restitution à l'état originel des informations qui ont été expédiées.

 La technologie des réseaux est un terrain aussi fertile en analogies qu'en acronymes. Si le principe des poupées russes peut s'appliquer au processus que l'on vient de voir, la comparaison s'arrête là. Sur un réseau physique, comme Internet, les données sont fractionnées au niveau de la couche accès réseau, selon une procédure qui n'a rien à voir avec la simplicité de l'emboîtement de poupées... et l'on se méfiera donc, dans ce domaine, des analogies simplificatrices.

Alors que les données "descendent" la pile, elles subissent un processus "poupées russes croissant" suivi d'un processus "poupées russes décroissant" lorsqu'elles remontent la pile. A destination, la couche Internet exploite l'en-tête qui la concerne puis l'élimine, la couche Transport fait de même, et ainsi de suite. Une fois le dernier niveau franchi, seule subsiste l'information dans son état originel. Les activités de chaque couche étant très différenciées, la forme de l'en-tête est très variable d'une couche à l'autre.

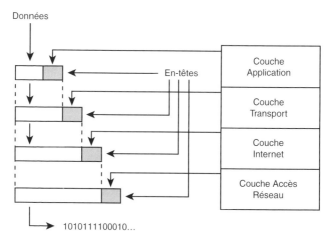

Figure 2.3 : Chaque couche ajoute son en-tête aux données incidentes.

Le paquetage des données change donc radicalement d'aspect à chaque traversée de couche, d'où des changements de noms... Voici la liste de ces appellations, suivant les couches traversées :

- Au niveau de la couche application, on parle de message.

- Dans la couche Transport, le message est encapsulé sous forme d'un segment s'il s'agit de données transmises sous protocole TCP, d'un datagramme si l'on est sous protocole UDP.

- La couche Internet encapsule les segments de la couche Transport sous forme de datagrammes.

- L'encapsulation, et parfois la fragmentation, des datagrammes au niveau de la couche accès réseau produit des trames. Une trame devient un train de bits dans la sous-couche de plus bas niveau de la couche accès réseau.

Nous étudierons plus en détail le paquetage des données dans les Chapitres 3 à 8.

Un rapide survol de la gestion de réseau sous TCP/IP

La description des systèmes de protocoles au moyen du concept de *couche* est devenue une habitude. Ce formalisme permet une analyse rationnelle, qu'il serait sinon impossible de mener à bien dans le cas de TCP/IP. Cette conception stratifiée présente cependant quelques inconvénients.

Tout d'abord, parler des *couches d'un protocole* plutôt que de *protocole* introduit une... couche supplémentaire d'abstraction dans les exposés, lesquels sont déjà furieusement abstraits ! Ensuite, la décomposition des protocoles en "sous-paragraphes" d'une couche de protocole conduit à les placer tous sur le même rang. En fait, bien que chaque protocole joue un rôle indispensable, la plupart des fonctions de TCP/IP peuvent être décrites grâce à quelques-uns de ses plus importants protocoles. Il ne faut pas perdre de vue ces protocoles de premier plan, ni se perdre dans le système stratifié que l'on vient de décrire.

La Figure 2.4 illustre le protocole de gestion de réseau de TCP/IP. Il existe bien d'autres protocoles et services dans le logiciel, mais nous nous en tiendrons ici aux généralités.

Le scénario de base est le suivant :

1. Les données passent d'une application TCP/IP issue d'une interface API *via* un port TCP ou UDP vers l'un ou l'autre des protocoles Transport TCP ou UDP. Les programmes peuvent accéder au réseau sous TCP ou UDP, selon les nécessités du programme.

   – TCP est un protocole orienté connexion. Comme nous le verrons au Chapitre 6 "La couche transport", les protocoles orientés connexion offrent un contrôle d'erreur et de flot de données plus sophistiqué que les autres. TCP dépense beaucoup d'énergie pour garantir la livraison des données. Plus fiable qu'UDP, TCP est cependant plus lent.

– UDP est un protocole non orienté connexion. Plus rapide que
TCP, il est moins fiable. Il se décharge des tâches de contrôle
d'erreur sur les applications.

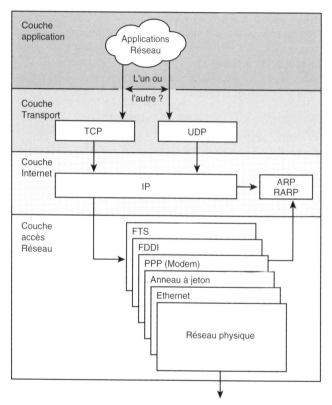

Figure 2.4 : Survol de la gestion de réseau sous TCP/IP.

2. Le segment de données passe dans la couche Internet, où le protocole IP ajoute des informations d'adressage local et emballe le
tout dans un *datagramme*.

3. Le datagramme IP entre dans la couche accès réseau, pour y être traité par les logiciels d'interface avec le réseau physique. La couche accès réseau crée une ou plusieurs trames digestibles par la ligne de transmission. Dans le cas d'un LAN sur Ethernet, la trame peut comporter des informations relatives à des adresses physiques extraites de tables de correspondances mises à jour sous protocoles ARP et RARP au niveau de la couche Internet. ARP (*Address Resolution Protocol*) traduit les adresses IP en adresses physiques, tandis que RARP (*Reverse Address Resolution Protocol*) fait l'inverse.

4. La trame de données est convertie en une chaîne de bits confiée au réseau.

Nous pourrions nous interroger à l'infini sur la façon dont chaque protocole effectue son travail : comment TCP régule-t-il les flots de données ? Comment ARP et RARP relient-ils adresse physique et adresse IP ? Comment est-ce que le protocole IP sait où envoyer un datagramme destiné à un autre sous-réseau ? Les chapitres suivants fournissent les réponses, ainsi qu'une description détaillée de ces protocoles.

Résumé

Nous avons découvert dans ce chapitre les couches de la pile de protocoles TCP/IP, leur rôle et leur interdépendance. Nous avons comparé les architectures de TCP/IP et d'OSI. Vous avez pu être surpris par les repaquetages successifs des données au niveau de chacune des couches de protocole de la machine émettrice, à l'intention des mêmes couches de la machine réceptrice qui les déballeront. Vous avez compris le principe d'encapsulation des données utiles, qui changent de nom lors de la traversée d'une couche. Nous avons ensuite survolé très rapidement TCP/IP ainsi que ses protocoles les plus importants : TCP, UDP, IP, ARP et RARP.

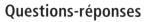

Questions-réponses

Q Quel avantage majeur apporte la modularité de TCP/IP ?

R Cette modularité permet à la pile de protocoles de TCP/IP de s'adapter aux environnements particuliers des matériels et des systèmes d'exploitation.

Q Quelles sont les fonctions de la couche accès réseau ?

R La couche accès réseau assure l'interface avec le réseau en tenant compte de ses spécificités.

Q Quelle est la couche OSI qui correspond à la couche Internet de TCP/IP ?

R La couche Réseau de OSI a pour équivalent la couche Internet de TCP/IP.

Q Pourquoi chaque couche de la pile de protocoles TCP/IP ajoute-t-elle un en-tête aux données descendant la pile ?

R Pour renseigner la machine réceptrice dans laquelle les données vont remonter la pile de protocole TCP/IP, dont chaque couche prélèvera les informations qui lui sont destinées.

Mots clés

- **Couche application.** Couche de la pile de protocole TCP/IP qui supporte les applications réseau et fournit une interface pour l'environnement d'exploitation local.

- **Datagramme.** Paquet de données qui transite de la couche Internet à la couche accès réseau, ou un paquet de données qui passe de UDP, couche Transport, à la couche Internet.

- **Trame.** Paquet de données créé par la couche accès réseau en fonction des spécifications physiques du réseau.

- **En-tête.** Ensemble d'informations à destination du protocole adjointes aux données en transit par les couches de la pile de protocoles.

- **Couche Internet.** Couche de la pile de protocoles qui assure l'adressage et le routage des données.

- **IP.** Protocole de la couche Internet qui se charge de l'adressage logique.

- **Message.** Appellation sous TCP/IP du paquet de données qui passe de la couche Application à la couche Transport. Le terme est aussi utilisé, de façon générale, pour désigner tout ce qui circule sur le réseau.

- **Modularité.** Conception reposant sur une architecture fractionnée en éléments clairement isolables dans leurs fonctions.

- **Couche accès réseau.** Couche de la pile TCP/IP qui assure l'interface avec le réseau physique.

- **Segment.** Paquet de données en transit sous TCP, passant de la couche Transport à la couche Internet.

- **TCP** (*Transmission Control Protocol*). Protocole de contrôle de transmission et de gestion de réseau orienté connexion.

- **Couche transport.** Couche TCP/IP qui assure les contrôles d'erreur, les accusés de réception et sert d'interface aux applications réseau.

- **UDP** (*User Datagram Protocol*). Protocole de gestion des datagrammes utilisateur, une couche Transport non orientée connexion.

Partie II

Le système de protocoles TCP/IP

Chapitre 3

La couche accès réseau

Au sommaire de ce chapitre

- Définir et décrire la couche accès réseau

- Replacer la couche accès réseau dans le contexte du modèle de gestion de réseau OSI

- Expliquer une architecture de réseau

- Détailler le contenu d'une trame Internet

- Décrire les méthodes de contrôle d'accès réseau utilisées par Ethernet, les anneaux à jeton et FDDI

La base de la pile de protocoles TCP/IP est la couche accès réseau, c'est-à-dire l'ensemble des spécifications et services qui fournit et gère l'accès au réseau physique. Dans ce chapitre, nous allons étudier cette couche dans le contexte du modèle OSI, de même que les technologies réseau courantes mises en œuvre au niveau de cette couche.

Protocoles et matériel

La couche accès réseau, la plus mystérieuse et la moins homogène des couches TCP/IP, offre toutes les fonctions nécessaires pour placer des données sur le réseau physique. En particulier :

- interface avec la carte réseau ;

- coordination de la transmission des données selon les règles d'accès en vigueur ;

- formatage des données sous forme de *trames* et conversion en signaux analogiques ou numériques pour acheminement sur le réseau ;

- contrôle d'erreur des trames à l'arrivée ;

- ajout d'informations aux trames en partance pour que le contrôle d'erreur puisse être fait à l'arrivée ;

- accusé de réception des trames et nouvelle expédition des trames si le destinataire n'en a pas accusé de réception.

Il est évident que toute tâche de formatage effectuée à l'expédition doit être effectuée dans le sens inverse à la réception.

La couche accès réseau applique les procédures d'interface avec le matériel réseau et d'accès à la liaison physique. Sous la surface de la couche accès réseau de TCP/IP, on trouve un joyeux mélange de spécifications relatives au matériel, aux logiciels et à la liaison physique. Hélas (et cela ne favorise pas la clarté de l'exposé), il existe de nombreuses configurations physiques de réseaux, qui ont toutes leurs propres conventions, dont la couche accès réseau doit tenir compte. Citons entre autres :

- les anneaux à jeton ;

- Ethernet ;

- FDDI ;

- PPP (*Point-to-Point Protocol*), protocole de liaison point à point, *via* un modem téléphonique.

Les ordinateurs raccordés à un réseau ne sont pas tous sur LAN, *Local Area Network* **(réseau local). Le logiciel d'accès réseau peut avoir à supporter d'autres choses qu'une carte réseau et un câble LAN. La solution la plus idoine, dans ce cas, est une connexion par modem (modulateur démodulateur), comme celle que vous établissez lorsque vous vous connectez à un serveur Internet** *(Internet Service Provider,* **ISP). Les standards de protocoles Internet comme SLIP (***Serial Line Internet Protocol***) et PPP (***Point-to-Point Protocol***) offrent un accès réseau à la pile de protocoles TCP/IP sur modem. Nous en verrons les détails au Chapitre 10, "Connexion au réseau téléphonique".**

La bonne nouvelle est que la couche accès réseau est totalement transparente pour l'utilisateur. Le driver de la carte réseau, associé aux éléments de bas niveau du système d'exploitation et des logiciels du protocolc, gère la plupart des tâches assignées à la couche accès réseau. L'utilisateur n'a donc que quelques actions de configuration à effectuer. Ces opérations sont devenues très simples grâce aux menus de configurations disponibles sur les machines actuelles.

N'oubliez pas que la fonction d'adressage logique de style IP dont nous parlons aux Chapitres 1, 2, 4 et 5 existe dans le logiciel. Le système de protocoles impose, en plus, la faculté de transmettre des donnécs sur un LAN spécifique jusqu'à la carte réseau de la machine destinataire. La couche accès réseau assure ce service.

Il faut mentionner le fait que la diversité, la complexité et la discrétion de la couche accès réseau ont conduit certains auteurs à l'éliminer des discussions sur TCP/IP, affirmant que la pile repose sur les logiciels de pilotage (drivers) de LAN situés "sous" la couche Internet. Ce point de vue est acceptable, mais la couche accès réseau fait effectivement partie de TCP/IP, et l'on ne peut la passer sous silence si l'on veut être exhaustif sur le sujet.

Couche accès réseau et modèle OSI

Nous l'avons vu au Chapitre 2, "Comment fonctionne TCP/IP", ce système de protocoles n'a officiellement rien à voir avec le modèle à sept couches de gestion de réseau OSI. Ce modèle est pourtant utilisé, de façon généralement admise, comme contexte de présentation des systèmes de protocoles. La terminologie et les concepts OSI apparaissent souvent lorsqu'on parle de couche accès réseau parce que le modèle OSI couvre la multiplicité des accès réseau pratiqués aujourd'hui, ce qui nous amène à examiner ce qui se passe dans cette couche. Le modèle OSI a influencé les fabricants de machines informatiques à aller vers des standards multiprotocoles comme NDIS et ODI (voir plus loin) a nécessité une terminologie commune, justement apportée par OSI pour décrire les services des sous-niveaux d'une couche.

Comme le montre la Figure 3.1, la couche accès réseau de TCP/IP correspond, en gros, au groupe des deux couches physique et liaison données du modèle OSI.

La couche Physique OSI convertit les trames en flots de bits pour acheminement sur la "ligne". Autrement dit, cette couche gère et synchronise les signaux analogiques ou numériques qui circulent sur la ligne. A l'inverse, en réception, cette couche reconstitue les trames.

La couche OSI Liaison Données effectue des tâches disjointes qui justifient sa division en deux sous-couches :

- **MAC** (*Media Access Control*). Contrôle accès média : effectue l'interface avec la carte réseau. Le pilote (*driver*) de cette carte est en fait appelé *driver MAC*.

- **LLC** (*Logical Link Control*). Contrôle liaison logique : effectue le contrôle d'erreur des trames mises sur le sous-réseau et gère les liaisons entre les machines qui dialoguent sur le réseau.

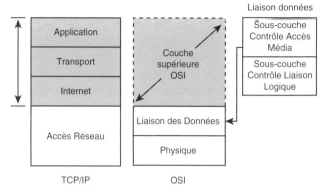

Figure 3.1 : OSI et couche accès réseau.

 Sur les implémentations de protocoles réseau commercialisées, la distinction entre les couches OSI et celles de TCP/IP s'est compliquée avec le développement des *Network Driver Interface Specifications* (NDIS), spécifications d'interfaces drivers réseau, et des *Open Data-link Interfaces* (ODI), interfaces pour liaisons données ouvertes. NDIS (un produit Microsoft) et ODI (développé par 3Com. Corp.) sont conçus pour permettre à un même système de protocoles (comme TCP/IP) de gérer une multiplicité de drivers réseau, tout comme à un même driver réseau de se satisfaire d'une multiplicité de protocoles au niveau des couches supérieures. Ces derniers peuvent ainsi "flotter" de façon indépendante vis-à-vis du système d'accès au réseau, ce qui confère à ce dernier une grande versatilité. Dès lors, il devient difficile de parler de façon simple de l'interaction des logiciels au niveau de la couche accès réseau.

Architecture des réseaux

Lorsqu'on s'intéresse aux réseaux locaux, on ne parle pas de protocoles, mais d'*architecture LAN* ou d'*architecture réseau* (on parle parfois de *type de LAN* ou de *technologie LAN* à propos d'architecture réseau). L'architecture réseau d'Internet, par exemple, offre un bouquet de spécifications relatives à l'accès ligne, l'adressage physique et le dialogue des ordinateurs avec la ligne. Lorsque vous choisissez une architecture réseau, vous choisissez en réalité une configuration de la couche accès réseau.

Le terme architecture réseau recouvre le type physique du réseau et les spécifications de communication sur ce réseau. Les procédures de communication sont étroitement liées aux caractéristiques physiques du réseau. Elles constituent un *package* complet. Ces spécifications concernent en particulier :

- **La méthode d'accès.** Ensemble de règles qui dictent aux machines un partage de ligne convivial. Il s'agit en effet d'éviter les "collisions de données" sur le réseau.

- **Le format des trames de données.** Le datagramme de type IP de la couche Internet est encapsulé dans une trame de données dont l'en-tête contient l'information nécessaire à la mise sur réseau des données.

- **La ligne de communication.** Le type de câble utilisé impose certaines contraintes au flot de bits émis par la carte réseau.

- **Les limitations ligne.** Les protocoles, types de câble et paramètres électriques de la transmission influent sur les longueurs de câble mini-maxi autorisées et sur la connectique.

Les logiciels de la couche accès réseau sont donc conçus par les développeurs en fonction des caractéristiques physiques des réseaux susceptibles d'être utilisés.

Adressage physique

Nous l'avons vu dans la première partie, "Les bases de TCP/IP", la couche accès réseau a pour rôle de relier l'adresse logique IP, configurée suivant le protocole, à l'adresse physique de la carte réseau, fixée une fois pour toutes en usine. C'est ce type d'adresse que les trames de données émises sur le LAN utilisent pour identifier l'expéditeur et le destinataire. Cette adresse est constituée d'une longue chaîne de bits (48 dans le cas d'Internet) peu pratique à manipuler. D'autre part, le codage de l'adresse aux niveaux supérieurs du protocole compromet la flexibilité de l'architecture modulaire de TCP/IP, qui exige que ces couches restent indépendantes des caractéristiques physiques du réseau. TCP/IP utilise les protocoles ARP (*Address Resolution Protocol*, protocole de résolution d'adresses) et RARP (*Reverse Address Resolution Protocol*, protocole de résolution inverse d'adresses) pour établir le lien entre adresses IP, connues des utilisateurs, et adresses physiques, invisibles pour les utilisateurs, des cartes réseau du LAN.

Nous étudierons ARP et RARP au Chapitre 4, "La couche Internet".

Anatomie d'une trame

La couche accès réseau reçoit un datagramme en provenance de la couche Internet, et elle le convertit selon les spécifications du réseau (voir Figure 3.2). On rencontre donc autant de formats que de types de réseaux ; il ne serait ni commode ni utile de les décrire tous.

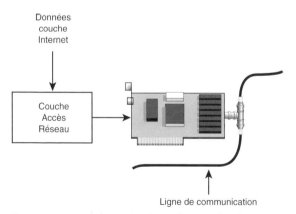

Figure 3.2 : La couche accès réseau formate les données mises sur le réseau.

Prenons comme exemple le réseau Ethernet, une architecture très répandue pour les LAN. Lorsque le logiciel Ethernet reçoit un datagramme de la couche Internet, il effectue les opérations suivantes :

1. Fragmentation des données couche IP, si nécessaire, avant expédition sous forme de trame Ethernet. La dimension d'une trame Ethernet doit être comprise entre 64 et 1 518 octets, préambule non compris.

2. Mise en trames des fragments de données. Chaque trame est pourvue d'informations relatives à son traitement à l'intention des cartes réseau. Une trame Ethernet IEEE 802.3 se compose des éléments suivants :

   – **Préambule.** Suite de bits indiquant le début de la trame. Il y a 8 octets, dont le dernier est le délimiteur de trame.

   – **Adresse destinataire.** Adresse physique sur 6 octets (48 bits) de la carte réseau destinataire des données.

   – **Adresse source.** Adresse physique sur 6 octets (48 bits) de l'expéditeur.

   – **Longueur.** Champ sur 2 octets (16 bits) indiquant la longueur du message.

   – **Données.** Contenu du message.

   – **Somme de contrôle.** Valeur sur 4 octets (32 bits) de contrôle de la trame, moyen commode de vérifier la transmission. La carte réseau source calcule une valeur et la place dans la trame. A l'arrivée, la carte réseau recalcule la somme de contrôle et la compare à la valeur transmise. S'il y a une différence, c'est que le message a été altéré au cours du transit.

3. Livraison de la trame à la sous-couche de bas niveau, correspondant au niveau Physique d'OSI, qui convertit la trame en un flot de bits pour mise sur la ligne.

Les autres cartes réseau sur Ethernet reçoivent la trame et décodent l'adresse. Si une carte réseau reconnaît son adresse, son logiciel traite la trame et fournit le message aux couches supérieures de la pile de protocoles.

 IEEE 802.3 n'est pas le seul standard Ethernet : le standard Ethernet II, proposé par quelques fournisseurs, spécifie une trame de format légèrement différent.

Technologies des LAN

Les architectures les plus communes dans le monde des LAN sont les suivantes.

- Ethernet, ainsi que ses variantes :

  - **10Base-2.** Un standard de liaison sur coaxial de faible diamètre.

  - **10Base-5.** Un standard de liaison sur gros câble coaxial.

  - **10Base-T.** Un standard de liaison sur paire torsadée pour réseau en étoile.

  - **100Base-TX.** Un standard analogue à 10Base-T, à vitesse de transmission plus rapide (100 Mb/s).

- Anneau à jeton.

Nous allons maintenant étudier en détail Internet et les anneaux à jeton, ainsi qu'une technologie émergente dans le monde des LAN : FDDI (*Fiber Distributed Data Interface*).

 L'*Institute of Electrical and Electronic Engineers* (IEEE) a rédigé un ensemble de standards pour les architectures de LAN. Bien que les anneaux à jeton et Ethernet soient apparus avant ces standards, les spécifications IEEE 802.3 (Ethernet) et 802.2 (anneaux à jeton) proposent des standards commercialement neutres pour ces deux technologies de réseau.

Ethernet

Ethernet et son tout nouveau dérivé Fast Ethernet sont aujourd'hui très répandus. Ethernet doit son succès à son faible coût ; son câble est bon marché, et il s'installe rapidement. Les cartes réseau et les composants Ethernet, eux aussi, sont peu onéreux.

Les machines d'un réseau Ethernet sont réunies par une seule et même ligne de communication. L'accès à Ethernet se fait au moyen d'un protocole appelé *Carrier Sense Multiple Access with Collision Detect*, CSMA/CD. Il s'agit d'un protocole d'accès multiple avec détection de collision, où chaque machine vérifie si la ligne est libre avant de transmettre un message. Si deux machines tentent de transmettre au même instant, une collision se produit. Elles s'interrompent alors immédiatement, attendant chacune un délai de valeur aléatoire avant de renouveler leur tentative.

Tout se passe comme dans une réception où un invité veut intervenir dans une conversation. Il attend que les gens cessent de parler (*Carier Sense*, surveillance de porteuse), puis commence à parler alors que son voisin entame une phrase... (*Collision Detect*, détection de collision). Tous deux s'arrêtent, pour reprendre l'un après l'autre, un instant plus tard.

Ethernet fonctionne correctement à faible trafic, mais souffre, à fort trafic, de nombreuses collisions qui ralentissent son débit.

Ethernet peut emprunter une grande variété d'acheminements, à des vitesses qui vont de 10 à 100 Mbits par seconde. Le Tableau 3.1 présente un assortiment des versions, types de câbles, vitesses et portées maximales d'Ethernet.

Tableau 3.1 : Technologie Ethernet

Technologie	Ligne	Vitesse	Portée
10Base-2	coaxial léger	10 Mbps	185 mètres
10Base-5	coaxial lourd	10 Mbps	500 mètres
10Base-T	CAT3 ou CAT5 UTP	10 Mbps	100 mètres

Tableau 3.1 : Technologie Ethernet

Technologie	Ligne	Vitesse	Portée
10Base-F	Fibre optique	10 Mbps	2 000 mètres
100Base-TX	CAT5 UTP ou STP	100 Mbps	100 mètres
100Base-FX	Fibre optique	100 Mbps	2 000 mètres

Anneau à jeton (token ring)

L'anneau à jeton est le résultat d'une philosophie d'accès au réseau très différente, qui repose sur le principe du relais, bien connu en athlétisme. Le relais est un jeton, (*token*, en anglais) : seul court celui qui a le relais en main.

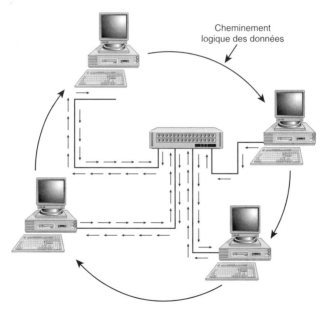

Figure 3.3 : Anneau à jeton.

Les machines sont connectées en anneau : un message passe ainsi de façon circulaire d'une machine à la suivante (voir Figure 3.3). Elles sont raccordées à un répartiteur central (qui ne ressemble pas vraiment à un anneau...) de façon que chaque machine reçoive, à son tour, le jeton (un jeu d'octets) qui lui permette d'émettre un message sur le réseau.

L'anneau à jeton est plus sophistiqué qu'Ethernet ; il est capable d'effectuer des diagnostics et de corriger les erreurs réseau. Comme le trafic reste ordonné, l'anneau à jeton est relativement insensible à l'intensité du trafic sur la ligne. Dans cette technologie, tout est comparativement plus cher qu'avec Ethernet : le câble, les cartes réseau et les composants qui vont avec.

Les anneaux à jeton fonctionnent à la vitesse de 4 Mbps à 16 Mbps. IBM vient d'annoncer un anneau à jeton à 100 Mbps.

FDDI

La fibre optique permet de réaliser des réseaux économiques de grande capacité. La technologie LAN FDDI (*Fiber Distributed Data Interface*) utilise une paire d'anneaux, dits *primaire* et *secondaire*, ce dernier assurant la redondance en cas d'anomalie sur le premier. FDDI est un anneau à jeton, à détection et correction d'erreurs. Le jeton circule à très grande vitesse entre les machines du réseau. S'il n'arrive pas dans le délai correspondant au plus grand parcours, c'est qu'un problème est intervenu (une rupture de câble, par exemple).

Les fibres optiques d'un réseau FDDI peuvent acheminer 100 Mbps sur des distances d'une centaine de kilomètres.

Résumé

Nous avons vu dans ce chapitre la couche accès réseau, la plus complexe de la pile TCP/IP. Cette couche définit les interfaces avec le matériel et la ligne physique du réseau. Il existe de nombreuses architectures de réseau local (LAN), ce qui explique la diversité des implémentations de la couche accès réseau. Nous avons aussi examiné Ethernet, la structure de ses trames, les anneaux à jeton et FDDI.

Questions-réponses

Q Quels sont les services proposés au niveau de la couche accès réseau ?

R La couche accès réseau définit les services et les spécifications nécessaires pour gérer l'accès au réseau physique.

Q Quelle est la couche OSI qui correspond à la couche accès réseau de TCP/IP ?

R La couche accès réseau de TCP/IP correspond, en gros, à l'ensemble constitué de la couche Liaison Données et de la couche Physique d'OSI.

Q Quelles sont les deux architectures de LAN les plus communément rencontrées ?

R Il s'agit d'Ethernet (et ses nombreuses variantes) et des anneaux à jeton.

Q Qu'est-ce que CSMA/CD ?

R CSMA/CD est un accès multiple au réseau avec veille sur la porteuse et détection de collision, un protocole répandu sur Ethernet. Sous ce protocole, chaque machine attend le silence réseau pour transmettre, s'interrompt si une autre machine entame une transmission au même instant, et fait une nouvelle tentative au bout d'un délai de durée aléatoire.

Q Comment fonctionne un anneau à jeton ?

R Un réseau de ce type fonctionne grâce à la circulation d'un jeton entre toutes les machines du réseau. Seule a le droit de communiquer celle qui possède le jeton, qu'elle passe à la machine suivante lorsqu'elle a terminé.

Mots clés

- **Méthode d'accès.** Procédure d'accès régulé au réseau.

- **CRC.** Vérification d'une somme de contrôle pour assurer l'intégrité d'une trame de données.

- **Trame de données.** Forme physique des données transmises sur un réseau Ethernet.

- **Couche Liaison Données.** La deuxième couche du modèle OSI.

- **Ethernet.** Architecture de réseau local très répandue.

- **FDDI.** Réseau à fibre optique fonctionnant en anneau à jeton.

- **Sous-couche de contrôle Liaison Logique.** Sous-couche de la couche Liaison Données de OSI chargée de contrôler les erreurs et de gérer la liaison entre abonnés du réseau.

- **Sous-couche de contrôle accès média.** Sous-couche de la couche Liaison Données de OSI chargée de l'interface avec la carte réseau.

- **Architecture réseau.** Spécification d'ensemble du réseau physique, des méthodes d'accès et du formatage des données et du câblage réseau.

- **Adresse physique.** Adresse numérique stockée en ROM sur la carte réseau, qui l'identifie de façon définitive.

- **Couche Physique.** Première couche OSI qui effectue la conversion des trames en signaux binaires pour acheminement sur la ligne de communication.

- **Préambule.** Série de bits annonçant le début d'une trame.

- **Jeton.** Témoin (ensemble d'octets) transmis d'une machine à l'autre d'un réseau en anneau à jeton, autorisant la machine qui le détient à communiquer.

- **Anneau à jeton.** Architecture de réseau où un jeton passe de machine en machine ; la détention exclusive de ce jeton les autorise à communiquer.

Chapitre 4

La couche Internet

Au sommaire de ce chapitre

- Fonctions de IP, ARP et ICMP

- Définition de l'ID d'un réseau ou d'un hôte

- Qu'est-ce qu'un octet ?

- Conversion d'un nombre décimal en binaire

- Conversion d'un nombre binaire sur 32 bits en tranches décimales

- Description de la structure d'un en-tête IP

- Les raisons de l'adressage IP

- Enumération des caractéristiques des adresses de classes A, B, C, D et E

- Les champs d'adresse ID hôte et réseau pour les adresses de classes A, B et C

C'est dans la couche Internet que résident les trois protocoles fondamentaux de TCP/IP : IP, ARP et ICMP, chacun ayant une mission très précise. Deux protocoles de moindre importance habitent aussi cette couche : RARP et IGMP. Sur l'ensemble des cinq protocoles qui œuvrent au sein de la couche Internet, IP et ARP sont les plus sollicités.

Dans ce chapitre, nous allons examiner IP, ARP et ICMP, décrire leur vocation et leur méthode de travail. Nous évoquerons, bien sûr, RARP et IGMP, et parlerons d'adressage IP et de classes d'adresses, développements sur les conversions décimal-binaire/binaire-décimal et découpage d'un nombre binaire sur 32 bits en tranches décimales à l'appui.

Protocole Internet (IP)

La pile de protocole TCP/IP tient debout parce que des centaines de millions d'ordinateurs utilisent un mode d'adressage commun appelé *adressage IP*, grâce auquel le protocole IP achemine ses datagrammes sur la planète Terre sans erreur quant au destinataire. Supposez que vous soyez en Californie en train de lire les pages Web d'un site de Hong Kong. Les datagrammes qui vous parviennent ont cheminé sur une bonne douzaine de réseaux, *via* autant de routeurs et de protocoles d'accès réseau. L'un de ces datagrammes est peut-être parti sur un Ethernet, poursuivant son chemin sur un anneau à jeton, empruntant ensuite un routeur qui l'a placé sur Sonet, avant d'être aiguillé par un autre routeur sur X.25, et ainsi de suite. Toujours est-il que le datagramme arrive bien sur la carte réseau de votre ordinateur personnel pour être traité par le protocole IP qui réside sur cette carte.

Ce transit fonctionne parfaitement pour deux raisons.

La première est que le protocole IP utilise un schéma d'adressage invariable. Les protocoles (Ethernet, anneau à jeton, Sonet...) qui fonctionnent au niveau le plus bas de la pile TCP/IP et se chargent de l'acheminement des datagrammes reposent sur des méthodes d'adressage non compatibles. A chaque changement de réseau, la règle du jeu (d'adressage) change. Pourtant, le schéma d'adressage IP subsiste, ignorant les particularités des technologies réseau qui sont successivement mises en œuvre.

La seconde, c'est que ARP intervient lors de chaque changement de réseau pour effectuer la conversion d'adresse qui fonctionne bien. La coopération de ces deux protocoles et de la couche accès réseau assure le succès de la liaison entre adresse IP source et adresse IP de destination.

Le *protocole Internet* (IP) assure des fonctions multiples. Il préside à l'élaboration et à l'acheminement des datagrammes à expédier, ainsi qu'au traitement des trames qui arrivent. Il exploite pour cela trois champs de 32 bits indispensables :

- **Le champ adresse IP.** L'adresse unique affectée à une machine, plus généralement appelée *nœud du réseau* (voir plus loin).

- **Le champ masque sous-réseau.** Groupe de 32 bits qui permet au protocole Internet (en abrégé IP, rappelons-le) d'identifier dans l'adresse IP la partie adresse réseau et la partie adresse hôte.

- **Le champ passerelle par défaut.** Disponible en option pour l'adresse sur 32 bits d'un routeur. Les datagrammes destinés à un réseau externe sont expédiés à cette adresse pour être distribués comme il convient.

Lors d'un envoi de données, le protocole Internet (IP) de l'émetteur détermine si le destinataire appartient au même réseau (local) ou à un autre réseau (considéré alors comme "distant"). IP compare les adresses pour conclure. Si l'on est en local, IP engage une communication directe. Si l'on communique avec un réseau distant, IP doit invoquer une passerelle (un routeur) qui est, la plupart du temps, le routeur prescrit par défaut. Lorsque l'IP source (contraction de langage...) a mis en forme le datagramme pour le transmettre, il le passe à la couche accès réseau qui le met sur le réseau pour acheminement jusqu'à l'ordinateur destinataire.

Les données en arrivage chez le destinataire sont prises en charge par la couche accès réseau, qui contrôle les trames et les affecte aux bonnes adresses. Si tout s'est bien passé, la couche accès réseau extrait l'information utile de sa trame binaire et la transmet au protocole prescrit par le champ de définition du type de trame. Nous supposerons dans la suite que ce protocole est justement IP.

Cet IP, qui reçoit les données de la couche accès réseau, vérifie tout d'abord, en parfait gestionnaire, que le datagramme est en bon état. Ensuite, il vérifie qu'il est arrivé à la bonne adresse en comparant l'adresse IP contenue dans le message avec l'adresse IP de la carte réseau de la machine réceptrice. Si tout s'est bien déroulé, IP scrute les champs du datagramme à la recherche des indications de service expédiées par l'IP de la source. Ces instructions imposent à l'IP du site destinataire l'exécution de certaines tâches, notamment celle de fournir les données reçues aux protocoles TCP ou UDP de la couche supérieure adjacente de la pile TCP/IP.

Champs des en-têtes IP (Internet Protocol)

La gestion de réseau nécessite l'encapsulation dans les messages de certaines données d'exploitation, indispensables à une couche ou à un protocole. Ces informations sont généralement placées en tête des données, dans une suite... d'en-têtes. IP exploite les en-têtes, comme le font Ethernet et l'anneau à jeton au niveau de la couche accès réseau, ou UDP et TCP au niveau de la couche Transport. Un en-tête se compose d'un certain nombre d'informations réparties dans des *champs*. Un champ peut aussi bien contenir l'adresse d'un destinataire que les instructions de traitement du message lorsqu'il est arrivé à destination.

Les datagrammes sous IP sont donc composés d'un en-tête IP précédant les *données utiles*. Ce dernier terme fait référence au contenu invariable du message qui descend les couches du protocole émetteur puis remonte les couches du protocole récepteur.

L'IP source fabrique les en-têtes. L'IP destinataire examine ces en-têtes pour savoir quoi faire de la charge utile des datagrammes. Les en-têtes IP sont riches d'informations, en particulier les adresses IP de l'hôte source et de l'hôte destinataire. On peut y trouver des instructions à l'intention des routeurs. Chacun des routeurs sur lesquels transite un message, dans son cheminement entre source et destinataire, examine et met à jour, si nécessaire, une partie de l'en-tête du message.

 Consultez la RFC 791 pour plus d'informations sur les en-têtes.

La taille minimale d'un en-tête IP est de 20 octets. La Figure 4.1 en détaille le contenu. Une échelle donne le nombre de bits affectés à chacun de ses champs. L'en-tête IP se compose de champs de 4, 8, 16 ou 32 bits :

- **Champ version.** Indique la version IP utilisée. La version courante est la version 4, de valeur binaire 0100.

- **Champ longueur en-tête Internet** (IHL, *Internet Header Length*). Nombre de mots de 32 bits composant l'en-tête IP. Sa longueur minimale est de cinq mots, d'où une valeur binaire égale à 0101.

- **Champ service.** L'IP source peut envoyer des indications de routage. Les choix courants sont : Acheminement normal ou urgent, Débit normal ou fort, Fiabilité normale ou renforcée. Sept autres options, rarement utilisées, sont également disponibles.

- **Champ longueur totale.** Contient la longueur, en octets, du datagramme sous IP. Il s'agit, bien entendu, de la longueur de l'ensemble données + en-tête.

- **Champ identification.** Numéro d'ordre incrémenté assigné au datagramme par l'IP source.

- **Champ indicateurs (ou drapeaux, ou même flags...).** Ces indicateurs concernent la fragmentation éventuelle des données. Il y a trois indicateurs : le premier est inutilisé ; le deuxième (DF, *Don't Fragment*) précise si les données sont fragmentées ou non ; le troisième (MF, *More Fragments*) annonce que le datagramme est un fragment de données. S'il est à 0, l'indicateur MF prévient qu'il n'y a plus de fragment à attendre, ou que les données n'ont pas fait l'objet d'une fragmentation.

0 1 2 3	4 5 6 7	1 1 8 9 0 1	1 1 1 1 2 3 4 5	1 1 1 1 6 7 8 9	2 2 2 2 0 1 2 3	2 2 2 2 4 5 6 7	2 2 3 3 8 9 0 1
Version	IHL	Type de service	Longueur totale				
Identification				Drapeau	Décalage fragment		
Durée de vie		Protocole		Somme de contrôle en-tête			
Adresse IP source							
Adresse IP destination							
Données IP (file d'octets)							

Figure 4.1 : Les différents champs d'un en-tête IP.

 La fragmentation se produit lorsque l'expéditeur du datagramme TCP/IP fait partie d'un réseau à grosse capacité, tel un anneau à jeton. Par exemple, un datagramme de 4 000 octets doit être fractionné pour passer sur un réseau Ethernet dont la capacité maximale sous IP est de 1 480 octets par trame. Le routeur fragmentera les données de façon à respecter la spécification Ethernet, puis les acheminera sous forme de plusieurs datagrammes, qui seront réassemblés à destination.

- **Champ offset fragment.** Paramètre numérique affecté à chaque fragment pour permettre leur réassemblage ordonné afin de reconstituer les données dans leur continuité.

- **Champ durée de vie.** Indique une durée en secondes ou un nombre de *saut de routeurs* accordé au datagramme avant son abandon. Chaque routeur décrémente de 1 la valeur contenue dans ce champ. Quand on arrive à 0, le datagramme n'est plus acheminé.

On dit qu'un datagramme fait un *saut* lorsqu'il change de routeur. Si un datagramme emprunte cinq routeurs pour atteindre sa destination, on dira que cette destination se trouve à cinq sauts de la source.

- **Champ protocole.** Ce champ contient l'adresse du protocole auquel IP devra livrer le contenu utile des données.

Protocole	Adresse du protocole
ICMP	1
TCP	6
UDP	17

- **Champ somme de contrôle de l'en-tête.** Contient une valeur sur 16 bits calculée à partir du contenu de l'en-tête pour en vérifier l'intégrité lors de la livraison. Cette valeur est recalculée lors du passage sur chaque routeur en fonction de la décrémentation du champ durée de vie.

- **Champ adresse IP source.** Adresse utilisée par l'IP destinataire pour répondre.

- **Champ données IP.** Contient des données destinées aux protocoles TCP ou UDP de la couche Transport, à ICMP ou à IGMP. Le volume de ces données est variable, il peut atteindre un millier d'octets.

Adressage IP

Les adresses IP, tout comme les adresses postales, servent au bon acheminement des messages. Pour ce faire, le préposé a besoin d'un nom de rue et d'un numéro. L'adresse IP est, elle aussi, fractionnée en deux parties : l'ID réseau (le nom de la rue) et l'ID hôte (le numéro). Tous les ordinateurs d'un même réseau ont la même ID réseau et une ID hôte spécifique.

Etant donné qu'on ne dispose que de 32 bits, on imagine que le nombre d'adresses réseau disponibles est d'autant plus grand que le nombre d'adresses hôtes dans un réseau est plus petit, et réciproquement.

ID réseau et ID hôte

En théorie, chaque ordinateur qui travaille sous TCP/IP a une adresse unique sur 32 bits.

 En pratique, les logiciels de gestion de serveurs de proximité permettent d'utiliser des adresses qui n'ont pas 32 bits. C'est un aspect récent de la question dont nous ferons ici abstraction.

L'adresse du réseau correspond à une tranche de bits, la tranche restante à l'adresse de l'hôte. La répartition de l'adresse entre ces deux tranches dépend de la classe d'adresses à laquelle appartient l'ID réseau. Nous étudierons ce point en détail plus loin dans ce chapitre.

Sur un LAN (réseau local), toutes les machines travaillant sous TCP/IP ont la même adresse réseau, plus une adresse individuelle. L'administrateur du réseau local alloue les adresses individuelles lors de l'installation et la configuration de TCP/IP sur les machines. Vous pouvez louer une ID réseau auprès de votre ISP (*Internet Service Provider*, fournisseur de services Internet), ou vous en faire attribuer une par l'*Internet Assigned Number Authority* (IANA), le service Internet d'attribution des adresses.

La combinaison de l'ID hôte et de l'ID réseau, commune à tous les hôtes, produit une adresse complète unique pour chaque hôte (on appelle *hôte* une machine attachée à un réseau). La plupart des machines sont configurées seulement avec leur adresse IP. Les serveurs possèdent de nombreuses cartes réseau et possèdent donc plusieurs adresses IP. On peut même donner plusieurs adresses IP à une même carte réseau. Il n'y a plus de correspondance unique entre une machine et une adresse IP. On parle alors de *nœud*, point d'entrée-sortie, comme une carte NIC (*Network Information Center*), serveur d'informations du réseau. Disons plus globalement que chaque ID hôte correspond à un nœud, et qu'une machine peut avoir de multiples ID hôtes et donc une multiplicité de nœuds.

Les octets

Nous venons de parler de valeurs sur 32 bits, un ensemble de 0 et de 1 qui constitue un nombre binaire. Comme il est difficile de se rappeler une telle valeur, on convient de regrouper les bits par tranches, les *octets*. Chaque octet contient huit bits que l'on convertit en décimal pour des raisons de commodité. Avec huit bits, on peut fabriquer 2^8 nombres, ce qui fait que la valeur d'un octet va de 0 à 255.

Pour travailler avec TCP/IP, il faut être capable de convertir un octet en décimal et réciproquement. Les calculettes le font instantanément, mais un bon technicien en informatique doit savoir le faire avec un crayon et du papier (et peut-être une gomme...).

Nous allons maintenant pratiquer ces conversions et aborder la décomposition d'une valeur sur 32 bits en tranches décimales.

Conversion d'un octet binaire en décimal

Révisons d'abord les puissances de 2 puisque les nombres binaires sont en base 2. La Figure 4.2 répertorie les puissances de 2 à connaître, qui sont au nombre de 8. Il s'agit de 128, 64, 32, 16, 8, 4, 2, 1. C'est tout. Elles sont ordonnées de droite à gauche, car la numération de position place les unités à droite, les puissances croissantes vers la gauche. Cela ressemble au système décimal : 1 000, 100, 10, 1.

Binaire (puissances de 2)	2^7	2^6	2^5	2^4	2^3	2^2	2^1	2^0
Valeur décimale	128	64	32	16	8	4	2	1

Figure 4.2 : Les puissances de 2.

Si vous savez faire des additions, vous savez convertir du binaire en décimal.

Ecrivez en colonne les équivalents décimaux des seuls bits de valeur 1 du nombre binaire à convertir, additionnez, et c'est gagné. Par exemple, le nombre binaire 10000001 vaut 128 + 1 = 129. Essayons

avec le nombre binaire 10010100, cela donne : 128 + 16 + 4 = 148.
Nous écrirons que 10010100 = 148. Nous avons opéré un changement de base de numération.

Conversion d'un nombre binaire de 32 bits en tranches décimales

Nous venons de convertir un nombre binaire de huit bits en décimal.
Rappelons-nous que IP utilise 32 bits, soit quatre fois plus. Pour
représenter de façon "manipulable" une valeur sur 32 bits, on utilise
une conversion en tranches décimales, c'est-à-dire une suite de
nombres décimaux séparés par des points.

 Les valeurs dans chacune des quatre positions étant susceptibles de varier, on les représente au moyen des quatre lettres w, x, y, z. Lorsque des valeurs sont réputées
fixes, on les explicite, ce qui donne des nombres du
genre 172.10.y.z. Vous vous habituerez rapidement à
cette mixité.

Voici un exemple de notation en tranches décimales :
192.59.66.200. Chacune des tranches ne peut prendre que des
valeurs allant de 0 à 255. Pour convertir le nombre binaire
11000000001110110100001011001000 en tranches décimales, réé-
crivons-le en 4 octets, ce qui donne : 11000000 00111011
01000010 11001000

Convertissons maintenant chaque octet en décimal :

11000000 = 128 + 64 = 192

00111011 = 32 + 16 + 8 + 2 + 1 = 59

01000010 = 64 + 2 = 66

11001000 = 128 + 64 + 8 = 200

Nous obtenons : 192.59.66.200

Conversion d'un nombre décimal en octet binaire

Convertir un nombre décimal en octet binaire n'est pas très difficile, bien qu'un peu moins immédiat que ce que nous venons de faire. Nous allons convertir 207 en binaire.

Ecrivons sur le papier la valeur :

207

Comparons le nombre décimal 207 à 128. Comme il est supérieur, on retranche 128 et on écrit un 1 quelque part sur le papier.

1

Si le nombre avait été inférieur, nous aurions écrit un 0.

Il nous reste 79, que l'on compare à 64. 79 étant supérieur à 64, on retranche 64 et on écrit un 1 à droite du précédent.

11

Il nous reste 15, que l'on compare à 32. 15 étant inférieur à 32, on écrit un 0 à la suite du 1 précédent.

110

Il nous reste 15, que l'on compare à 16. 15 étant inférieur à 16, on écrit un 0 à la suite du 0 précédent.

1100

Il nous reste 15, que l'on compare à 8. 15 étant supérieur à 8, on retranche 8 et l'on écrit un 1 à la suite du 0 précédent.

11001

Il nous reste 7, que l'on compare à 4. 7 étant supérieur à 4, on retranche 4 et l'on écrit un 1 à la suite du 1 précédent.

110011

Il nous reste 3, que l'on compare à 2. 3 étant supérieur à 2, on retranche 2 et on inscrit un 1 à la suite du 1 précédent.

1100111

Il nous reste 1, que l'on compare à 1. 1 étant égal à 1, on retranche 1 et on écrit un 1 à la suite du 1 précédent.

Il ne reste rien, nous avons terminé.

11001111

La valeur binaire désirée est sous vos yeux.

Nous pouvons donc écrire que 207 = 11001111. Nous avons effectué un changement de base de numération, inverse du précédent. Il existe des raccourcis, mais appliquez pour l'instant cette excellente méthode pour assimiler la numération binaire.

Classes d'adresses

Lorsque TCP/IP a vu le jour, personne n'imaginait une telle croissance. Imaginez que sur 32 bits, on peut écrire un peu plus de 4 milliards d'adresses... Nous n'en sommes pas encore là, mais le nombre de machines travaillant sous TCP/IP est très important.

Ce lot impressionnant d'adresses potentielles a été fractionné en groupements appelés *classes*. Les plus importantes sont les classes A, B et C. Elles désignent des identifications de réseaux ID de caractères très différents.

- **Classe A.** Adresses qui ont une ID réseau sur 8 bits et qui sont attribuées à des entités (organisations, compagnies, pays) ayant un besoin évident d'une grande quantité d'adresses IP. On ne peut définir que 126 réseaux de classe A.

- **Classe B.** Adresses qui ont une ID réseau sur 16 bits et qui sont attribuées à des entités n'ayant besoin que d'une quantité "raisonnable" d'adresses IP. On identifie environ 16 000 réseaux de classe B.

- **Classe C.** Adresses qui ont une ID réseau sur 24 bits et qui sont attribuées aux demandeurs d'un petit nombre d'adresses IP. Il y a plus de deux millions de réseaux de classe C.

Classe A

Un réseau de classe A possède donc une adresse réseau ID sur 8 bits et une adresse hôte sur 24 bits. Cela veut dire qu'un réseau de classe A peut gérer 2^{24} = 16 777 216 machines. En réalité, le nombre des machines "supportées" n'est pas aussi important.

 Certains arrangements de 0 et de 1 ne sont pas autorisés. Une technique de calcul des adresses interdites est traitée au Chapitre 5, "Gestion des sous-réseaux".

En classe A, le bit de plus fort poids (le plus à gauche) est toujours à zéro. Cela réduit d'un facteur 2 la capacité du système, ce qui donne 8 138 608 machines, nombre maximum que l'on peut écrire avec 31 bits à la valeur 1. Etant donné qu'une adresse IP est conforme au gabarit suivant :

0xxxxxxx xxxxxxxx xxxxxxxx xxxxxxxx

IP utilise un masque, appelé *masque sous-réseau*, pour en séparer la partie haute (premier octet) ou adresse réseau, de la partie basse (les trois octets qui restent) qui représente l'adresse hôte. Ce masque présente l'aspect suivant : 11111111 00000000 00000000 00000000

Sa valeur en tranches décimales est : 255.0.0.0

La partie haute de cette adresse peut prendre une valeur comprise entre 0 et 127. Le Tableau 4.1 donne les valeurs extrêmes autorisées, ainsi que des exemples d'adresses valides.

Tableau 4.1 : Adresses ID de classe A

Octet de tête	Valeur décimale	Commentaire
00000000	0	Réseau où l'on est
00000001	1	Première adresse de classe A
00000010	2	Deuxième adresse de classe A
...		

Tableau 4.1 : Adresses ID de classe A (suite)

Octet de tête	Valeur décimale	Commentaire
00010110	22	Une adresse de classe A
...		
01111110	126	Dernière adresse de classe A
01111111	127	Réservé boucle ou hôte local

La règle veut que les adresses disponibles s'échelonnent de 1 à 126. Sous TCP/IP, l'adresse 127 désigne la machine sur laquelle vous êtes en train de travailler.

Pour résumer les caractéristiques de la classe A :

- L'octet le plus à gauche a une valeur allant de 1 à 126.

- Un réseau de classe A peut supporter environ 16,7 millions de machines.

- Les ID des réseaux de classe A sont affectées aux entités qui supportent un très grand nombre de machines.

Classe B

Les adresses de réseaux, en classe B, s'écrivent sur 16 bits ; les adresses d'hôtes s'écrivent sur les 16 bits restants.

 Certaines adresses ne sont pas attribuées. Une technique d'identification des adresses interdites est traitée au Chapitre 5.

Les réseaux de classe B peuvent supporter 2^{16}, soit 65 536 machines. En classe B, les deux bits les plus à gauche de l'ID sont toujours 1 et 0, les 30 autres bits étant libres.

En classe B, les réseaux sont répertoriés sur les 16 premiers bits, les hôtes sur les 16 derniers. Les adresses se présentent donc sous la forme suivante : 10xxxxxx xxxxxxxx xxxxxxxx xxxxxxxx

Pour identifier les adresses de réseau, IP utilise un masque de sous-réseau qui a la forme suivante :

11111111 11111111 00000000 00000000

Sa conversion en tranches décimales donne la valeur 255.255.0.0.

La conversion de l'octet de tête, avec ses 2 bits de plus fort poids bloqués à 1 et à 0, attribue des valeurs allant de 128 à 191. Le Tableau 4.2 donne une idée de la configuration des adresses de classe B.

Tableau 4.2 : Adresses ID de classe B

Octets de tête	Valeur décimale	Commentaire
100000000 00000000	128.0	Réseau où l'on est
100000000 00000001	128.1	Première ID de classe B
100000000 00000010	128.2	Deuxième ID de classe B
....		
100001101 00010010	137.18	Une adresse ID de classe B
....		
101111111 11111110	191.254	Dernière ID de classe B
101111111 11111111	191.255	Réservé multidiffusion

Pour résumer les caractéristiques de la classe B :

• L'octet de tête a une valeur comprise entre 128 et 191.

• Chaque réseau de classe B supporte jusqu'à 65 534 hôtes.

• Les adresses de classe B sont attribuées à des entités qui supportent un nombre courant de machines.

Classe C

Les adresses de réseaux, en classe C, s'écrivent sur 24 bits, les adresses d'hôtes s'écrivent sur les 8 bits restants.

 Certaines adresses ne sont pas attribuées. Une technique d'identification des adresses interdites est traitée au Chapitre 5.

Les réseaux de classe C peuvent supporter 2^8, soit 256 machines. En classe C, les 3 bits les plus à gauche sont toujours 1,1 et 0, les 29 autres bits étant libres.

En classe C, les réseaux sont répertoriés sur les 24 premiers bits, les hôtes sur les 8 derniers. Les adresses se présentent donc sous la forme suivante : 110xxxxx xxxxxxxx xxxxxxxx xxxxxxxx

Pour identifier les adresses de réseau, IP utilise un masque de sous-réseau qui a la forme suivante :

11111111 11111111 11111111 00000000

Sa conversion en tranches décimales donne la valeur 255.255.255.0.

La conversion de l'octet de tête, avec ses 3 bits de plus fort poids bloqués à 1, 1 et 0, attribue des valeurs allant de 192 à 223. Le Tableau 4.2 donne une idée de la configuration des adresses de classe B.

Tableau 4.3 : Adresses ID de classe C

Octets de tête	décimal	Commentaire
110000000 00000000 00000000	192.0.0	Réseau où l'on est
110000000 00000000 00000001	192.0.1	Première ID de classe C
110000000 00000000 00000010	192.0.2	Deuxième ID de classe C
110001101 00010010 00110011	205.18.51	Une ID de classe C

Tableau 4.3 : Adresses ID de classe C

Octets de tête	décimal	Commentaire
110111111 11111111 11111110	223.255.254	Dernière ID de classe C
110111111 11111111 11111111	223.255.255	Réservé multidiffusion

Pour résumer les caractéristiques de la classe C :

- L'octet de tête a une valeur comprise entre 192 et 223.

- Chaque réseau de classe C supporte jusqu'à 254 hôtes.

- Les adresses de classe C sont attribuées à des entités qui supportent un petit nombre de machines.

Classe D

Les adresses de classe D ne sont pas assignées à des hôtes comme le sont les adresses des classes précédentes. L'IP peut expédier des messages à un correspondant ou a l'ensemble des machines hôtes d'un réseau. Si l'on désire envoyer un message à 100 machines parmi les 254 d'un réseau de classe C, on est obligé de répéter 100 fois les opérations de mise sur le réseau du message avec, chaque fois, une adresse d'hôte différente. La classe D permet un travail moins fastidieux.

Les 4 bits de plus fort poids des adresses de réseau en classe D sont 1, 1, 1, et 0, ce qui correspond aux valeurs décimales allant de 224 à 239.

 Le protocole IGMP, *Internet Group Management Protocol*, protocole de gestion du groupe Internet, est un protocole de la couche Internet qui traite de la multidiffusion grâce aux adresses de classe D.

Les adresses de réseau de classe D sont utilisées pour la multidiffusion. On peut ainsi envoyer un message à un sous-ensemble de machines connectées au même réseau. Dans une zone géographique donnée, les ordinateurs reliés à un système de sécurité incendie ont une adresse commune de classe D. En cas d'alerte, l'envoi d'un message à cette adresse "arrose" la totalité des machines qu'elle désigne. Nous ne nous intéresserons pas plus à la multidiffusion, sujet qui dépasse le propos de cet ouvrage.

Classe E

Il s'agit d'une classe expérimentale, exploitée de façon exceptionnelle.

Les 5 bits de plus fort poids d'une adresse de classe E sont 1, 1, 1, 1 et 0, ce qui donne des valeurs allant de 240 à 247.

ARP, protocole de résolution d'adresses

Il s'agit du deuxième protocole TCP/IP majeur de la couche Internet. ARP a pour mission de trouver l'adresse physique correspondant à une adresse logique IP. ARP interroge donc les machines connectées au réseau pour connaître leur adresse physique. ARP stocke la table de correspondance entre adresse IP et adresse physique dans la mémoire cache qui lui est dévolue.

L'IP d'une machine qui doit communiquer avec une autre machine consulte d'abord la mémoire cache d'ARP, y cherchant l'adresse IP de la machine ou celle du routeur qui permet de l'atteindre. Si c'est le cas, un datagramme est envoyé directement à la carte réseau d'adresse physique répertoriée dans la mémoire cache. Dans le cas contraire, ARP émet un appel général sur le LAN, explicitant l'adresse IP visée. Chaque machine examine cette adresse et, lorsqu'il y a identification, la machine qui a reconnu son adresse émet une réponse pour l'ARP expéditeur, lui communiquant l'adresse physique de sa carte réseau. ARP place alors dans sa mémoire cache le couple adresse IP/adresse physique, puis envoie le message au destinataire désormais identifié.

Pour plus d'efficacité, toutes les machines qui ont reçu une requête ARP inscrivent dans leur mémoire cache ARP le couple adresse IP/adresse physique de la machine à l'origine de la requête.

La plupart des cartes réseau possèdent un emplacement pour insertion d'une PROM, *Programmable Read Only Memory*, une mémoire morte programmable, appelée *Boot Prom*, prom de démarrage, qui contient un protocole (BOOTP) qui s'exécute lorsque la machine est mise sous tension. Ce protocole charge un système d'exploitation issu d'un serveur réseau au lieu de charger celui qui réside sur le disque dur. Le système d'exploitation fourni par le serveur est préconfiguré pour une adresse IP spécifique. L'adresse physique définit la version personnalisée du système d'exploitation qui est à télécharger sur la machine.

Pour joindre cette machine, il n'y a désormais aucun problème d'adressage, l'adresse physique de sa carte réseau étant désormais répertoriée.

- RARP, qui signifie *Reverse ARP*, effectue l'opération inverse de ARP.

- On fait appel à ARP lorsque l'adresse IP est connue, l'adresse physique inconnue.

- On fait appel à RARP lorsque l'adresse physique est connue, l'adresse IP inconnue.

- RARP est utilisé aussi en liaison avec le protocole BOOTP. Ce protocole est couramment invoqué lors du démarrage des stations de travail dépourvues de disque dur.

ICMP, protocole de messages de contrôle Internet

ICMP est le troisième protocole "fondateur" de TCP/IP qui réside dans la couche Internet. Ce sont les routeurs qui l'utilisent le plus. Les données en transit empruntant plusieurs routeurs, ces derniers peuvent avoir des problèmes pour s'acquitter de leurs tâches. Ils font donc appel à ICMP pour avertir l'expéditeur des ennuis rencontrés.

Les messages les plus courants que génère ICMP sont présentés ci-dessous. D'autres messages, rarement émis, ne sont pas répertoriés dans cette liste.

- **Echo demande et écho réponse.** ICMP est souvent utilisé lorsqu'on effectue des tests, par exemple lorsqu'on emploie Ping pour tester la liaison avec une autre machine. La commande ping envoie un datagramme à une adresse IP et demande au destinataire de retourner les données du datagramme. Elle invoque en fait les commandes echo request et echo reply de ICMP.

- **Quench source.** Si une machine puissante expédie un gros volume de données à une machine distante, le routeur peut être saturé. Il peut alors utiliser ICMP pour envoyer un message d'avertissement à l'IP de la source, lui demander de réduire la vitesse de transmission, et réitérer ce message si nécessaire.

- **Destinataire Inaccessible.** Si un routeur reçoit un datagramme qu'il ne peut livrer, ICMP envoie un message Destinataire Inaccessible à l'IP expéditeur. Il s'agit généralement d'une panne réseau au niveau du destinataire.

- •**Temps Dépassé.** ICMP envoie un tel message à l'IP source lorsque la durée de vie du message (TTL, *Time To Live*) est épuisée. C'est le signe qu'il y a trop de sauts à effectuer (*router hop*) pour la durée de vie affichée dans l'en-tête ou, pire, que le message circule en boucle sur le même circuit de routeurs.

Une *boucle de routage* se produit lorsqu'un message tourne en rond sur un circuit de plusieurs routeurs. Ce fait est rare, mais non totalement exclu, d'où l'intérêt du champ Durée de vie de l'en-tête du datagramme, qui stoppe le voyage lorsque TTL arrive à 0.

- **Fragmentation requise.** ICMP envoie une requête de fragmentation lorsqu'un message arrive avec un drapeau de non-fragmentation, et que le routeur courant doit le fragmenter pour le passer au routeur suivant.

Résumé

Au cours de ce chapitre, nous avons vu IP, ARP et ICMP, trois des cinq protocoles fondamentaux de la couche Internet de TCP/IP. L'IP source examine s'il s'agit d'une communication locale ou distante. Il communique directement avec les hôtes locaux, par routeur avec les sites distants. ARP transforme les adresses IP en adresses physiques, et ICMP se charge des messages de service.

Vous savez maintenant effectuer des conversions binaire/décimal et binaire/tranches décimales pour les adresses sur 32 bits.

Enfin, nous avons réparti les adresses en plusieurs classes en fonction des dimensions des réseaux. La classe A pour les réseaux planétaires, la classe B pour les réseaux de taille moyenne, la classe C pour les réseaux modestes. La classe D, quant à elle, concerne la multidiffusion.

Questions-réponses

Q Qui contacter pour obtenir une adresse de classe B pour une société de 100 personnes ?

R Il faut s'adresser à l'ISP. Si vous êtes votre propre ISP, adressez-vous à IANA.

Q À quoi correspondent les 1 du masque de sous-réseau par défaut ?

R Ils correspondent à l'adresse ID réseau.

Q Sous quel format est-il plus facile de lire un nombre de 32 bits ?

R En format tranches décimales.

Q Que restitue ARP lorsqu'on lui donne une adresse IP ?

R ARP restitue une adresse de carte réseau, pour autant qu'il s'agisse d'une adresse IP locale.

Q Que fait un routeur qui ne peut plus acheminer un trafic trop intense ?

R Il envoie une requête de réduction de débit à l'IP source.

Q A quelle classe appartient une adresse dont les trois bits de plus fort poids sont 110 ?

R Il s'agit de la classe C.

Atelier

Convertissez les octets ci-dessous en décimal.

00101011	43
01010010	82
11010110	214
10110111	183
01001010	74
01011101	93
10001101	141
11011110	222

Convertissez les valeurs décimales ci-dessous en binaire.

13	00001101
184	10111000
238	11101110
37	00100101
98	01100010
161	10100001
243	11110011
189	10111101

Convertissez les adresses 32 bits ci-dessous en tranches décimales.

11001111 00001110 00100001 01011100207.14.33.92
00001010 00001101 01011001 0100110110.13.89.77

10111101 10010011 01010101 01100001
189.147.85.97

Mots clés

- **ARP** (*Address Resolution Protocol*), **protocole de résolution d'adresses.** Protocole essentiel de la couche Internet qui extrait une adresse physique d'une adresse IP locale.

- **Classes A, B, C, D et E.** Système de classification des adresses IP pour distinguer les réseaux très grands, moyens, petits, de multidiffusion et expérimentaux.

- **ID hôte.** Partie de l'adresse IP qui définit un nœud du réseau. Chaque nœud d'un réseau doit posséder une adresse IP contenant une seule ID hôte.

- **ICMP** (*Internet Control Message Protocol*), **protocole Internet de contrôle de messages.** Protocole indispensable de la couche Internet, utilisé par les routeurs pour envoyer des indications de service sur le réseau en cas de problème. Invoqué par la commande ping pour connaître l'état des autres hôtes du réseau.

- **IGMP** (*Internet Group Management Protocol*), **protocole Internet de gestion de groupe.** Protocole TCP/IP utilisé pour la multidiffusion et la gestion des adresses de classe D.

- **IP** (*Internet Protocol*), **protocole Internet.** Protocole de la couche Internet qui assure l'adressage, le routage et la livraison des datagrammes.

- **Multidiffusion.** Livraison d'un même message à plusieurs hôtes.

- **ID réseau.** Partie de l'adresse IP qui désigne l'adresse physique du réseau. Tous les hôtes du réseau ont une adresse IP dont la partie ID est la même pour tous.

- **Noeud.** Point adressable du réseau. Toute adresse TCP/IP correspond à un point joignable du réseau. Les serveurs et les routeurs peuvent avoir plusieurs adresses IP, donc plusieurs nœuds.

- **RARP** (*Reverse Address Resolution Protocol*), **protocole de résolution inverse d'adresses.** Protocole TCP/IP qui produit une adresse IP à partir d'une adresse physique. Ce protocole est utilisé par les stations de travail dépourvues de disque dur et dont la carte réseau est munie d'une Boot Prom.

Chapitre 5

La couche Internet : gestion des sous-réseaux

Au sommaire de ce chapitre

- Tout savoir sur les sous-réseaux et les super-réseaux
- Expliquer les avantages des sous-réseaux
- Créer un masque de sous-réseau adapté à vos besoins
- Trier adresses IP valides et adresses IP invalides

Un sous-réseau est le résultat du fractionnement d'un bloc massif d'adresses IP affectées à un réseau de classe A, B ou C en une multiplicité de blocs de dimension réduite. Ces adresses sont ainsi plus faciles à manipuler dans le cadre de la gestion des réseaux.

Nous allons nous intéresser ici aux contraintes et aux avantages de la gestion de sous-réseaux, à la démarche et aux procédures à suivre pour créer un masque de sous-réseau conforme à vos besoins.

Qu'est-ce qu'un sous-réseau ?

Les sociétés ou les organisations possèdent toutes une adresse attribuée par leur ISP. Les ISP d'une certaine dimension disposent de blocs d'adresses de classe C, et peut-être de classe B, octroyés par l'IANA, anciennement Inter NIC. Rappelons que l'IANA signifie *Internet Assigned Number Authority*. Rappelons aussi que l'IANA a pour mission d'allouer des adresses IP de façon rationnelle sur toute la planète. Une compagnie de 100 personnes recevra donc une adresse de classe C, puisque, nous l'avons vu dans le chapitre précédent, une adresse de classe C peut être partagée entre 254 nœuds, ce qui est largement suffisant pour nos 100 personnes. Que se passe-t-il s'il s'agit d'une compagnie structurée en agences de 10 personnes réparties dans 10 villes différentes ? Comment interconnecter ces 100 personnes si distantes les unes des autres au moyen d'une seule adresse ID de réseau ? La fragmentation d'un réseau en sous-réseaux permet de résoudre le problème. Il s'agit d'une technique de division des adresses IP de classe A, B ou C en une multiplicité de blocs d'adresses IP de taille réduite, et donc de gestion plus efficace.

Les avantages d'une gestion par sous-réseaux

Outre la nécessité de faire face à la dispersion des sites, il y a d'autres raisons au découpage en sous-réseaux :

- La réduction de la congestion, lorsqu'on ne peut maintenir un grand nombre d'utilisateurs sur un même réseau. De nombreuses collisions se produisent sur un réseau 10Base-T desservant 254 utilisateurs. En revanche, un réseau du même genre qui ne dessert que 30 utilisateurs fonctionne très bien. La fragmentation en sous-réseaux assure le confort d'exploitation.

 Une méthode alternative pour éviter la congestion consiste à créer un *switched hub*, un centre commutateur, qui ne nécessite ni routeur ni sous-réseau.

- L'accueil de nouvelles technologies. Supposons que votre réseau soit constitué d'un anneau à jeton, d'un Ethernet et d'un

AppleTalk. Comment le développer pour y accueillir les nouvelles technologies ? Le découpage en sous-réseaux vous permet, sous une même adresse ID réseau, d'avoir des nœuds exploitant des technologies diverses.

Une alternative pour panacher des technologies différentes consiste à utiliser des translateurs, des passerelles. Certains fabricants préfèrent utiliser pour cela les *routeurs*, qui acheminent des paquets de données entre réseaux. Nous verrons cela en détail au Chapitre 9 "Les passerelles : ponts, routeurs et B-routeurs".

- Les limitations technologiques de maniabilité : on ne peut placer un nombre illimité de machines sur un même segment de réseau. Ethernet ne va pas au-delà de 1 024 sites par segment. Si vous possédez un réseau de classe B avec 65 534 adresses, la limite des 1 024 machines sera inacceptable.

- La sécurité, les routeurs, par définition, isolent les uns des autres les segments d'un réseau, ce qui favorise la sécurité d'exploitation.

- La réduction de l'impact de la multidiffusion : lorsqu'un site entame une multidiffusion, il prend la priorité sur le fonctionnement des autres machines, lesquelles s'interrompent au même instant pour examiner pendant quelques millisecondes s'il y a lieu de répondre. La segmentation réduit la portée de l'interruption.

- La gestion des grands réseaux. Nous l'avons vu plus haut, tous les sous-réseaux (LAN, *Local Area Network*) d'un grand réseau (WAN, *Wide Area Network*) peuvent se placer sous l'adresse ID d'un réseau.

Mise en place d'une gestion de sous-réseaux

Il ne faut pas prendre à la légère la segmentation d'un réseau en sous-réseaux. Cette tâche requiert de la réflexion, un peu de planification et une réelle précision. Certains trouvent ce sujet décourageant, ennuyeux, voire angoissant. Il n'en est rien : il s'agit d'une démarche logique au cours de laquelle on se doit de respecter quelques règles.

Lorsqu'on partage un gâteau entre plusieurs personnes, la part de chacun est inversement proportionnelle au nombre de personnes. Il en est de même pour nos sous-réseaux. Suivant les besoins, on peut ainsi fractionner un réseau en 4 groupes dotés chacun d'un bon nombre d'adresses, ou en 16 groupes dont chacun n'aura plus droit qu'à quatre fois moins d'adresses.

L'une des règles du jeu est que l'on ne peut utiliser ni la plus basse, ni la plus haute adresse des groupes créés. Il faut en tenir compte lors du partage du gâteau, au cas ou il n'y a que deux personnes à servir...

De même, dans chaque groupe ainsi créé, on ne peut utiliser ni la plus basse, ni la plus haute adresse de site. Rappelons qu'en classe C, on peut écrire 256 adresses, dont 254 seulement sont autorisées. Il est donc fortement déconseillé d'envisager des groupes de 2 sites.

Prenons l'exemple d'un réseau de classe C de dimension 256 (nombre d'adresses binaires mathématiquement possibles) que l'on désire segmenter en 16 groupes. Avec la règle du jeu vue ci-dessus, on ne pourra en réalité avoir sur ce réseau que 14 groupes de 14 machines, ce qui donne une capacité de 196 machines. On a donc un déficit de 60 unités par rapport aux possibilités du système d'adressage binaire.

Les tableaux de conversion qui suivent permettent d'établir les combinaisons d'adresses possibles lors de la segmentation d'un réseau de classe A, B ou C.

L'examen de ces tableaux montre que les dimensions médianes sont souhaitables. Il faut en tenir compte lors de l'aménagement d'un réseau, et ce pour éviter les révisions déchirantes de son architecture après quelques mois d'exploitation, en cas de développement plus rapide que prévu. Retenez donc les principes suivants :

1. Il faut un nombre confortable de segments.

2. Il faut un nombre confortable de sites.

3. Une optimisation du nombre d'adresses est indispensable.

Tableaux de conversion

Les tableaux ci-dessous présentent les possibilités de segmentation des réseaux classes A, B et C. En reprenant l'exemple d'un réseau de classe C avec 10 sites de 10 personnes, on voit qu'une adresse de sous-réseau sur 4 bits autorise 14 sous-réseaux de 14 machines chacun, ce qui permet une extension ultérieure du réseau. Si certains sites vont jusqu'à 20 personnes, un deuxième sous-réseau sera nécessaire sur chacun de ces sites pour absorber cette croissance.

En début et en fin de tableau, les lignes comportant les lettres NV (non valide) concernent des adresses sous-réseau nulles ou qui ne laissent de place que pour 0 nœud dans le sous-réseau. Les adresses utiles s'étagent donc entre les adresses qui permettent deux sous-réseaux (début du tableau) ou deux machines par sous-réseau (bas du tableau).

La segmentation d'un réseau de classe C est décrite dans le Tableau 5.1.

La segmentation d'un réseau de classe B est décrite dans le Tableau 5.2.

La segmentation d'un réseau de classe A est décrite dans le Tableau 5.3.

Tableau 5.1 : Segmentation d'un réseau de classe C

Nombre de bits sous-réseau	Masque de sous-réseaux	Nombre de sous-réseaux	Perte premier et dernier s-réseau	Nombre de bits adresse d'un nœud	Nombre de nœuds utilisables par s-réseau	Perte totale intra s-réseau	Perte consolidée d'adresses IP
0	255.255.255.0	non	0	8	254	NA	2
1	NA	NV	NA	7	NA	NA	NA
2	255.255.255.192	1-2	128	6	62	4	132
3	255.255.255.240	1-6	64	5	30	12	76
4	255.255.255.248	1-14	32	4	14	23	60
5	255.255.255.252	1-30	16	3	6	60	76
6	255.255.255.254	1-62	8	2	2	128	132
7	NA	NV		1	NV	NA	NA
8	NA	NV		0	NV	NA	NA

NA = non autorisé
NV = non valide

Tableau 5.2 : Segmentation d'un réseau de classe B

Nombre de bits sous-réseau	Masque de sous-réseau	Nombre de sous-réseaux	Perte premier et dernier s-réseau	Nombre de bits adresse d'un nœud	Nombre de nœuds utilisables par s-réseau	Perte totale intra s-réseau	Perte consolidée d'adresses IP
0	255.255.0.0	non	0	16	65534	NA	2
1	NA	NV	NA	15	NA	NA	NA
2	255.255.192.0	1-2	32768	14	16382	4	32772
3	255.255.224.0	1-6	16384	13	8190	12	16396
4	255.255.240.0	1-14	8192	12	4094	28	8220
5	255.255.248.0	1-30	4096	11	2046	60	4156
6	255.255.252.0	1-62	2048	10	1022	124	2172
7	255.255.254.0	1-126	1024	9	510	252	1276
8	255.255.255.0	1-254	512	8	254	508	1020
9	255.255.255.128	1-510	256	7	126	1020	1276

Masques de sous-réseaux

Un masque de sous-réseau est un nombre de 32 bits qui sert, au moyen d'un "et" logique, à extraire l'adresse réseau de l'adresse IP d'un hôte du réseau.

 Pour ne pas devenir fou, il est fortement recommandé de construire des masques de sous-réseaux dont les bits de valeur 1 sont justifiés à gauche et les bits de valeur 0 à droite. Croyez-le, vous n'avez aucun intérêt à utiliser un masque qui ne respecte pas cette convention.

Ce masque est utilisé une première fois sur l'adresse IP de la machine expéditrice d'un message, une seconde fois sur l'adresse IP de la machine réceptrice du message. Si les parties adresse réseau ont la même valeur dans les deux cas, c'est que les deux machines appartiennent au même réseau. Une liaison directe est possible. Dans le cas contraire, la machine destinataire appartient à un autre réseau. IP s'empressera alors de déléguer à un routeur la tâche de sortir du sous-réseau ce message destiné à un "étranger".

Chacune des classes que nous venons de voir possède son *masque de sous-réseau par défaut*. Ce dernier est utilisé tant que vous n'avez pas défini de segmentation en sous-réseaux spécifique. Le Tableau 5.4 présente les masques par défaut des trois classes d'adressage A, B et C.

Tableau 5.4 : Masques de sous-réseau par défaut

Classe	Not. Décimale	Valeur binaire
A	255.0.0.0	11111111 00000000 00000000 00000000
B	255.255.0.0	11111111 11111111 00000000 00000000
C	255.255.255.0	11111111 11111111 11111111 00000000

Les Tableaux 5.5 et 5.6 illustrent la façon dont un masque de sous-réseau par défaut de classe C est utilisé.

Tableau 5.5 : Utilisation du masque de classe C

	Notation décimale	Valeur binaire
Source IP		
Source	192.59.66.200	11000000 00111011 01000010 11001000
Destinataire	192.59.66.17	11000000 00111011 01000010 00010001
Masque sous-réseau		
Source	255.255.255.0	11111111 11111111 11111111 00000000
Destinataire	255.255.255.0	11111111 11111111 11111111 00000000
Résultat		
Source	192.59.66.0	11000000 00111011 01000010 00000000
Destinataire	192.59.66.0	11000000 00111011 01000010 00000000

Les résultats obtenus étant identiques pour l'adresse réseau source et l'adresse destinataire, les deux machines appartiennent au même réseau et peuvent ainsi communiquer directement.

Tableau 5.6 : Utilisation du masque de classe C

	Notation décimale	Valeur binaire
Adresse IP		
Source	192.59.66.200	11000000 00111011 01000010 11001000
Destinataire	192.13.130.12	11000000 00001101 10000010 00001100
Masque sous-réseau		
Source	255.255.255.0	11111111 11111111 11111111 00000000

Tableau 5.6 : Utilisation du masque de classe C (suite)

	Notation décimale	Valeur binaire
Destinataire	255.255.255.0	11111111 11111111 11111111 00000000
Résultat		
Source	192.59.66.0	11000000 00111011 01000010 00000000
Destinataire	192.13.130.0	11000000 00001101 10000010 00000000

Les résultats obtenus étant différents pour l'adresse réseau source et l'adresse destinataire, les deux machines ne sont pas sur le même réseau et ont donc besoin d'un routeur pour communiquer.

Dans l'exemple du Tableau 5.7, les deux adresses commencent par 192.59.66. Les machines source et destinataire appartiennent donc au réseau d'adresse 192.59.66.0. Mais on utilise ici un masque de sous-réseau spécifique, qui isole ces deux machines bien qu'elles soient sur le même réseau. La segmentation en sous-réseau est donc modulée par le masque selon les besoins.

Lorsqu'on crée un masque spécifique, on emprunte des bits à l'adresse hôte et on demande à l'IP de les interpréter comme des bits d'adresse réseau. On a créé une segmentation interne du réseau sur lequel on travaille, ce qui permet d'isoler des machines situées dans des bureaux différents ou de regrouper des sites qui partagent une même technologie, comme par exemple Ethernet, sur un groupement et un anneau à jeton sur un autre.

Tableau 5.7 : Utilisation du masque de classe C

	Notation décimale	Valeur binaire
Adresse IP		
Source	192.59.66.200	11000000 00111011 01000010 11001000
Destinataire	192.59.66.13	11000000 00111011 01000010 00001101

Tableau 5.7 : Utilisation du masque de classe C (suite)

	Notation décimale	Valeur binaire
Masque sous-réseau		
Source	255.255.255.240	11111111 11111111 11111111 11110000
Destinataire	255.255.255.240	11111111 11111111 11111111 11110000
Résultat		
Source	192.59.66.192	11000000 00111011 01000010 11000000
Destinataire	192.59.66.0	11000000 00111011 01000010 00000000

Le Tableau 5.8 présente les configurations binaires et en tranches décimales des masques valides de sous-réseaux de classes A, B et C. On comprend, à l'examen de ce tableau, pourquoi il vaut mieux ordonner les 1 et les 0 de plus faible poids du masque. On y trouve aussi le nombre de bits additionnel de valeur 1 par rapport au masque de sous-réseau par défaut. C'est ainsi que le masque par défaut de classe A présente 8 bits à 1. Le nombre 2, dans la ligne "2 bits suppl." signifie donc qu'il y a 8 + 2 = 10 bits à 1 dans le masque de sous-réseau.

Tableau 5.8 : Masques de sous-réseau, valeur décimale/valeur binaire

		Classe A
bits masque	**Décimal**	**Binaire**
Défaut	255.0.0.0	11111111 00000000 00000000 00000000
2 bits	255.192.0.0	11111111 11000000 00000000 00000000
3 bits	255.224.0.0	11111111 11100000 00000000 00000000
4 bits	255.240.0.0	11111111 11110000 00000000 00000000
5 bits	255.248.0.0	11111111 11111000 00000000 00000000

Tableau 5.8 : Masques de sous-réseau, valeur décimale/valeur binaire (suite)

6 bits	255.252.0.0	11111111 11111100 00000000 00000000
7 bits	255.254.0.0	11111111 11111110 00000000 00000000
8 hits	255.255.0.0	11111111 11111111 00000000 00000000
9 bits	255.255.128.0	11111111 11111111 10000000 00000000
10 bits	255.255.192.0	11111111 11111111 11000000 00000000
11 bits	255.255.224.0	11111111 11111111 11100000 00000000
12 bits	255.255.240.0	11111111 11111111 11110000 00000000
13 bits	255.255.248.0	11111111 11111111 11111000 00000000
14 bits	255.255.252.0	11111111 11111111 11111100 00000000
15 bits	255.255.254.0	11111111 11111111 11111110 00000000
16 bits	255.255.255.0	11111111 11111111 11111111 00000000
17 bits	255.255.255.128	11111111 11111111 11111111 10000000
18 bits	255.255.255.192	11111111 11111111 11111111 11000000
19 bits	255.255.255.224	11111111 11111111 11111111 11100000
20 bits	255.255.255.240	11111111 11111111 11111111 11110000
21 bits	255.255.255.248	11111111 11111111 11111111 11111000
22 bits	255.255.255.252	11111111 11111111 11111111 11111100

Classe B		
bits masque	Décimal	Binaire
Défaut	255.255.0.0	11111111 11111111 00000000 00000000
2 bits	255.255.192.0	11111111 11111111 11000000 00000000
3 bits	255.255.224.0	11111111 11111111 11100000 00000000

Tableau 5.8 : Masques de sous-réseau, valeur décimale/valeur binaire

4 bits	255.255.240.0	11111111 11111111 11110000 00000000
5 bits	255.255.248.0	11111111 11111111 11111000 00000000
6 bits	255.255.252.0	11111111 11111111 11111100 00000000
7 bits	255.255.254.0	11111111 11111111 11111110 00000000
8 bits	255.255.255.0	11111111 11111111 11111111 00000000
9 bits	255.255.255.128	11111111 11111111 11111111 10000000
10 bits	255.255.255.192	11111111 11111111 11111111 11000000
11 bits	255.255.255.224	11111111 11111111 11111111 11100000
12 bits	255.255.255.240	11111111 11111111 11111111 11110000
13 bits	255.255.255.248	11111111 11111111 11111111 11111000
14 bits	255.255.255.252	11111111 11111111 11111111 11111100

Classe C		
bits masque	Décimal	Binaire
Défaut	255.255.255.0	11111111 11111111 11111111 00000000
2 bits	255.255.255.192	11111111 11111111 11111111 11000000
3 bits	255.255.255.224	11111111 11111111 11111111 11100000
4 bits	255.255.255.240	11111111 11111111 11111111 11110000
5 bits	255.255.255.252	11111111 11111111 11111111 11111000
6 bits	255.255.255.254	11111111 11111111 11111111 11111100

Validité d'une adresse

Après avoir créé un masque de sous-réseau, il faut vérifier la validité des adresses IP engendrées par ce masque. Elles sont invalides si tous les bits de la partie hôte (la partie basse) du masque de sous-réseau sont, soit à 0, soit à 1. De même, lors d'une segmentation, les bits qui définissent la partie sous-réseau du masque ne peuvent être tous à 0 ou tous à 1.

De plus, et nous l'avons vu précédemment, les adresses de début de fin de série sont illégitimes. Le Tableau 5.9 donne des exemples d'adresses valides et non valides. Considérons les adresses d'un réseau de classe C d'ID 192.59.66.0 et un masque de sous-réseau 255.255.255.240.

Si l'on évalue en décimal le bit à 1 le plus à droite du masque, on obtient la limite entre adresses valides et adresses non valides. Ce bit correspond à la valeur 16. Cela veut dire que les adresses de 0 à 16 sont interdites (rappelons-nous que l'on écarte la première et la dernière adresse d'un segment). Toutes les adresses multiples de 16 seront de même interdites : 16, 32, 48, 64, 80, 96, 112, 128, 144, 160, 176, 192, 208, 224 et 240 indiquent une valeur qui est première de liste, donc non utilisable. Les adresses multiples de 16 et diminuées de 1 sont elles aussi interdites, soit 15, 31, 47, 63, 79, 95, 111, 127, 143, 159, 175, 191, 207, 223 et 239, qui sont des valeurs de fin de liste. Pour terminer, les adresses 240 à 255 ne sont pas autorisées.

Pour résumer, les adresses non valides du Tableau 5.9 sont les suivantes :

- La première série, soit 16 adresses allant de 192.59.66.255 à 192.59.66.240 (tête de liste).

- La dernière série, soit 16 adresses allant de 192.59.66.16 à 192.59.66.0.

- Les valeurs première et dernière des gammes restantes, soit encore un lot de 28 adresses interdites.

Tableau 5.9 : Adresses non valides en classe C du masque 255.255.255.240

Non valide	Début liste	Fin liste	Non valide
192.59.66.255			
jusqu'à			
192.59.66.240			
192.59.66.224	192.59.66.225	192.59.66.238	192.59.66.239
192.59.66.208	192.59.66.209	192.59.66.222	192.59.66.223
192.59.66.192	192.59.66.193	192.59.66.206	192.59.66.207
192.59.66.176	192.59.66.177	192.59.66.190	192.59.66.191
192.59.66.160	192.59.66.161	192.59.66.174	192.59.66.175
192.59.66.144	192.59.66.145	192.59.66.158	192.59.66.159
192.59.66.128	192.59.66.129	192.59.66.142	192.59.66.143
192.59.66.112	192.59.66.113	192.59.66.126	192.59.66.127
192.59.66.96	192.59.66.97	192.59.66.110	192.59.66.111
192.59.66.80	192.59.66.81	192.59.66.94	192.59.66.95
192.59.66.64	192.59.66.65	192.59.66.78	192.59.66.79
192.59.66.48	192.59.66.49	192.59.66.62	192.59.66.63
192.59.66.32	192.59.66.33	192.59.66.46	192.59.66.47
192.59.66.16	192.59.66.17	192.59.66.30	192.59.66.31
jusqu'à			
192.569.66.0			

Super-réseau

La création d'un super-réseau, par opposition à l'opération de segmentation en sous-réseaux, consiste à emprunter des bits de l'adresse réseau pour les attribuer aux adresses hôtes.

Ce procédé permet de disposer d'un réseau d'une taille supérieure à la dimension qu'autorise une adresse ID. Par exemple, une compagnie qui a 800 employés sur un site donné pourrait demander à son ISP les quatre réseaux adjacents de classe C suivants :

207.43.16.0

207.43.17.0

207.43.18.0

207.43.19.0

Pour regrouper ces quatre réseaux en un super-réseau, le masque d'adresse commune des quatre réseaux serait 255.255.252.0 ; on aboutirait ainsi à un total d'adresses disponibles de 1 022.

Résumé

La segmentation en sous-réseaux est une technique optimale de gestion des adresses de classes A, B ou C. Ce procédé permet un certain nombre d'avantages, tels la sécurité, la multidiffusion et le confinement de certains hôtes par rapport à d'autres. Le découpage en sous-réseaux doit être envisagé lorsque l'on doit installer et gérer une multitude d'hôtes sous une même ID.

Question-réponses

Q Quel est le nombre maximal de bits à 1 dans un masque de sous-réseaux en classe B ?

R 14.

Q L'adresse IP 207.13.47.48 est-elle valide avec un masque 255.255.255.248 ?

R Non, elle n'est pas valide.

Q Vous avez une adresse réseau de classe C. Votre société emploie sur 10 sites jusqu'à une douzaine de personnes. Quel masque de sous-réseau vous permet d'attribuer une machine à chacun ?

R 255.255.255.240.

Mots clés

- **Sous-réseau.** Segment de réseau dont une partie du total des adresses est placée sous une même ID réseau.

- **Masque de sous-réseau.** Masque binaire qui sert à différencier la partie hôte de la partie réseau d'une adresse.

- **Super-réseau.** Fédération de réseaux en un réseau de taille supérieure.

Chapitre 6

La couche Transport

Au sommaire de ce chapitre

- Les fonctions de la couche Transport

- Qu'est-ce qu'un protocole orienté connexion ?

- Qu'est-ce qu'un protocole non orienté connexion ?

- Comment les protocoles de la couche transport offrent une interface aux applications réseau grâce aux ports de communication et aux sockets

- Multiplexage et démultiplexage

- Différences entre TCP et UDP

- Comment les murs pare-feu interdisent l'accès aux applications réseau

La couche transport assure l'interface avec les applications réseau, et propose, en option, un contrôle d'erreur, le contrôle des flots de données, ainsi que la vérification des transmissions sur le réseau. Nous allons étudier maintenant le rôle et le fonctionnement de la couche Transport et aborder les protocoles TCP et UDP, que nous verrons plus en détail dans le Chapitre 7 "TCP et UDP".

Présentation de la couche Transport

La couche Internet de TCP/IP, nous l'avons vu dans les Chapitres 4 et 5, regorge de protocoles fondamentaux qui détiennent les informations d'adressage nécessaires au voyage des données sur le réseau. Adressage et routage ne pouvant être les seuls supports de l'opération, les développeurs de TCP/IP ont conçu une couche supplémentaire qui recouvre la couche Internet pour coopérer avec IP (*Internet Protocol*) et ajouter quelques compléments indispensables. Cette couche devait avoir plusieurs fonctions :

- **Interface.** Avec l'application en cours sur la machine d'un réseau, et non pas simplement avec la machine.

- **Multiplexage/démultiplexage.** Ici, *multiplexage* signifie recevoir des données de plusieurs entrées et les acheminer sur une seule sortie. Autrement dit, à la source, la couche transport doit supporter plusieurs applications réseau tout en gérant le flot de données à destination de la couche Internet. A destination, la couche Transport effectue un *démultiplexage* : elle reçoit les données de la couche Internet et les répartit dans plusieurs directions (les applications réseau). Le multiplexage/démultiplexage permet aussi à une application réseau de dialoguer avec plusieurs machines.

- **Contrôle d'erreur, gestion des flots et vérification.** Le système de protocoles a besoin d'un ensemble de procédures qui assurent la transmission correcte des données entre sites.

Ce dernier point demeure le plus ouvert. Les compromis sont parfois difficiles entre assurance qualité et économie de fonctionnement. Garantir une liaison à zéro défaut coûte cher, augmente le trafic et ralentit les échanges sur le réseau. La plupart du temps, il est inutile d'aller jusque-là. La couche transport offre deux accès réseau, chacun effectuant les multiplexages/démultiplexages nécessaires à l'exécution des applications, selon deux schémas d'assurance qualité :

- **TCP** (*Transport Control Protocol*). Protocole de contrôle transport, assure le contrôle intégral des erreurs et des flots de données pour garantir une livraison correcte à destination. TCP est un protocole orienté connexion.

- **UDP** (*User Datagram Protocol*). Protocole datagramme utilisateur, assure un contrôle d'erreur rudimentaire à l'extrême. On fait appel à ce protocole lorsque TCP est superflu. Il s'agit d'un protocole non orienté connexion.

Conception de la couche Transport

Avant d'aller plus loin, arrêtons-nous un instant sur les points suivants :

- protocoles orientés et non orientés connexion ;
- ports de communication et sockets ;
- multiplexage.

Protocoles orientés connexion et non orientés connexion

Pour assurer un niveau approprié de qualité de transmission, les développeurs ont imaginé deux archétypes de protocoles :

- **Un protocole orienté connexion.** Il établit et maintient une connexion entre deux machines et surveille l'état de la liaison pendant la transmission. Autrement dit, le récepteur envoie un accusé de réception des données reçues tandis que l'émetteur reçoit des informations sur la validité des données acheminées. A la fin de la communication, les deux machines interrompent la liaison de façon "courtoise".

- **Un protocole non orienté connexion.** Il expédie des données à destination sans avertir que la transmission est en route, tandis que le destinataire reçoit le message sans rien en dire à l'expéditeur.

La Figure 6.1 représente un protocole orienté connexion entre deux personnes ; la Figure 6.2 représente un protocole non orienté connexion.

Figure 6.1 : Un protocole orienté connexion.

Ports de communication et sockets

La couche Transport sert d'interface entre applications et réseau, fournissant une méthode d'adressage des données réseau aux dites applications. Sous TCP/IP, les applications peuvent adresser des données au moyen d'un module de protocoles TCP ou UDP, lequel fait appel aux numéros de ports de données. Un *port* est une adresse interne prédéterminée qui sert de chemin d'accès bidirectionnel

Figure 6.2 : Un protocole non orienté connexion.

entre applications et couche Transport (voir Figure 6.3). Par exemple, une machine cliente contacte l'application FTP d'un serveur sur le port 21.

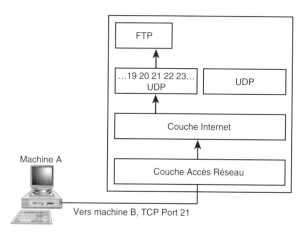

Figure 6.3 : Un port expédie des données vers une application.

Si l'on regarde de plus près le processus d'adressage de la couche Transport pour les applications, on s'aperçoit que les données sous TCP ou UDP sont expédiées vers un *socket* (prononcer "socquette"), qui n'est autre qu'un numéro de port associé à une adresse IP. C'est ainsi que le socket 111.121.131.141.21 correspond au port 21 de la machine et à l'adresse IP 111.121.131.141.

La Figure 6.4 illustre la façon dont deux machines sous TCP échangent des informations relatives à l'établissement d'une connexion. Nous étudierons ce processus de manière plus approfondie au Chapitre 7.

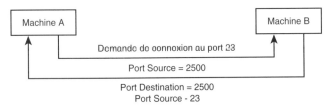

Figure 6.4 : Etablissement d'une connexion, demandes de sockets.

Prenons un exemple d'accès machine sur socket.

1. Une machine A amorce une connexion avec une machine B sur un port réservé, généralement assigné à des applications spécifiques par l'IANA (voir dans les Tableaux 6.1 et 6.2 les listes de ports TCP et UDP réservés). Associé à une adresse IP, le port + adr IP devient le *socket* de destination pour la machine A. La requête comporte un champ de données disant à la machine B quel socket utiliser lorsqu'elle répondra. Il s'agit du socket source de A.

2. La machine B reçoit la requête de A sur son port réservé, puis adresse sa réponse au socket indiqué par A. Ce socket demeure l'adresse de destination pour les messages qu'une application sur B veut envoyer vers A.

Nous verrons au Chapitre 7 comment deux machines établissent une connexion sous TCP.

Tableau 6.1 : Ports réservés TCP

Service	N° de port	Commentaire
tepmux	1	Multiplexeur de service TCP
compressnet	2	Utilitaire de gestion
compressnet	3	Utilitaire de compression
echo	7	Fonction Echo
discard	9	Elimination ou Nul
systat	11	Utilisateurs
daytime	13	Jour et date
netstat	15	Etat réseau
qotd	17	Quote of the Day
chargen	19	Générateur de caractère
ftp-data	20	Données du Protocole de transfert fichier
ftp	21	Protocole de transfert de fichier
telnet	23	Connexion de terminal réseau
smtp	25	Protocole courrier simplifié
nsw-fe	27	Serveur de noms NSW
time	37	Serveur heure
name	42	Serveur nom d'hôte
whois	43	Nom NIC
domain	53	Serveur de noms de domaines (DNS)
nameserver	53	Serveur de noms de domaines (DNS)
gopher	70	Service Gopher

Tableau 6.1 : Ports réservés TCP (suite)

Service	N° de port	Commentaire
rje	77	Entrée job éloigné (*Remote Job Entry*)
finger	79	Finger
http	80	Service www
link	87	Liaison télétype (TTY)
supdup	95	Protocole SUPDUP
hostnames	101	Serveur de noms d'hôtes SRI-NIC
iso-tsap	102	ISO-TSAP
X400	103	Courrier électronique X.400
X400-snd	104	Envoi courrier X.400
pop	109	Protocole postes (POP, *Post Office Protocol*)
pop2	109	Protocole 2 postes (POP, *Post Office Protocol*)
pop3	110	Protocole 3 postes (POP, *Post Office Protocol*)
sunrpc	111	Service SUN RPC
auth	113	Authentification
sftp	115	FTP sécurisé
path	117	Service voie UUCP
uucp-path	117	Service voie UUCP
nntp	119	Protocole de transfert d'information réseau USENET
nb session	139	Service session NetBIOS

news	144	Nouvelles
tcprepo	158	Répertoire TCP

Tableau 6.2 : Ports réservés UDP

Service	N° de port	Commentaire
echo	7	Echo
discard	9	Rejet ou nul
systat	11	Utilisateur
daytime	13	Jour et heure
netstat	15	Etat réseau
qotd	17	*Quote of the Day*
chargen	19	Générateur de caractères
time	37	Serveur temps
name	42	Serveur noms d'hôtes
whois	43	Noms NIC
domain	53	Serveur de noms de domaines (DNS)
namesrver	53	Serveur de noms de domaines (DNS)
bootps	67	*Bootstrap Protocole Service* (DHCP)
bootpc	68	*Bootstrap Protocole Client* (DHCP)
tftp	69	Protocole de transfert fichier ordinaire
sunrpc	111	Service RPC SUN
ntp	123	Protocole temps réseau
nbname	137	Nom NetBIOS

Tableau 6.2 : Ports réservés UDP (suite)

Service	N° de port	Commentaire
nbdatagram	148	Datagramme NetBIOS
snmp	161	Protocole de gestion réseau simplifié
snmp-trap	162	Trap du protocole de gestion réseau simplifié

Multiplexage/Démultiplexage

Le système d'adressage par sockets permet à TCP et UDP d'effectuer une tâche essentielle : le multiplexage/démultiplexage. Nous l'avons dit plus haut, il s'agit de mettre en série des données qui arrivent en parallèle (dans le cas du multiplexage), et de remettre en parallèle des données qui arrivent en série — dans le cas du démultiplexage (voir Figure 6.5).

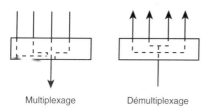

Multiplexage   Démultiplexage

Figure 6.5 : Multiplexage et démultiplexage (Mux/Demux).

Ces opérations permettent au bas niveau de la pile TCP/IP de traiter les données sans tenir compte de leur application d'origine. C'est la couche Transport qui effectue le lien, et les données circulent dans les deux sens entre cette couche et la couche Internet, et ce sur une artère unique quelle que soit l'application.

La fonction Mux/Demux fait appel aux adresses des sockets. Rappelons qu'un socket est défini par une combinaison adresse IP + adresse de port, laquelle fournit un point d'entrée unique pour une application sur une machine donnée (voir le service Telnet,

Figure 6.6). Toute machine cliente sollicitera le port 23 pour contacter le serveur Telnet, mais le socket de destination de chaque PC connecté est unique.

De même, toutes les applications en cours sur le serveur Telnet utilisent l'adresse IP du serveur, mais seul le service Telnet utilise l'adresse du socket, constituée de l'adresse IP du serveur et de l'adresse de port réservé 23.

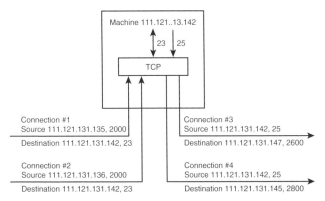

Figure 6.6 : L'adresse du socket est spécifique de l'application fournie par un serveur.

TCP et UDP

Ce que nous venons de voir nous permet d'aborder les protocoles TCP et UDP. TCP est un protocole orienté connexion qui fournit des services de contrôle d'erreur et des flots de données. UDP est un protocole rudimentaire, non orienté connexion, qui se contente de contrôles d'erreur plus succincts. TCP est parfait pour la fiabilité, UDP pour la vitesse. Les applications qui doivent supporter des sessions interactives, comme Telnet ou FTP, ont tendance à fonctionner sous TCP, tandis que celles qui sont moins exigeantes quant aux erreurs opèrent sous UDP.

Le développeur de logiciel qui crée une application réseau peut donc choisir TCP ou UDP comme protocole transparent. Il ne faut pas croire que les possibilités d'UDP sont bridées par sa simplicité. Une gestion plus légère de la qualité ne veut pas dire perte de qualité. Les contrôles que fournit TCP peuvent être largement suffisants pour certaines applications. Des utilisateurs qui désirent une sécurité des données renforcée préfèrent l'intégrer à leur application ; il peut être personnalisé, bénéficiant ainsi de la souplesse d'UDP. Les services utilisant UDP comme les appels aux procédures éloignées, *Remote Procedure Call*, RPC, de TCP/IP peuvent supporter des applications de haut niveau, très sophistiquées, mais ces applications doivent être plus musclées en contrôle d'erreur et régulation des flots que si elles accédaient à la pile par le truchement de TCP.

Nous étudierons de manière plus approfondie UDP et TCP au Chapitre 7, mais résumons ici leurs caractéristiques.

TCP : un protocole orienté connexion

Outre les fonctions essentielles de TCP présentées au début de ce chapitre, TCP offre des possibilités qui méritent d'être citées.

- **Traitement orienté flux.** TCP traite les données par flots, c'est-à-dire qu'il peut traiter octet par octet, plutôt que par blocs. TCP sait formater les données en segments de *longueur variable,* qu'il passe ensuite à la couche Internet.

- **Remise en ordre.** Les données arrivent à destination en désordre, TCP les restaure dans l'ordre initial.

- **Contrôle des flots de données.** CP vérifie que l'on ne sature pas la machine destinataire avec un débit trop élevé, ce qui peut s'avérer critique dans des environnements où les machines présentent des capacités de buffers et des vitesses de traitement disparates.

- **Priorité et sécurité.** Les spécifications du DOD pour TCP insistent sur les sécurités et les priorités d'accès réseau. De nombreuses implémentations fournisseur ne comportent aucune fonction traitant le sujet.

- **Fin de connexion aménagée.** TCP ouvre et ferme une liaison de façon très civile, en s'assurant que tous les segments de données ont bien été transmis et reçus.

Nous examinerons en détail ces fonctions au Chapitre 7.

UDP : un protocole non orienté connexion

UDP est de facture plus modeste que TCP : il n'effectue aucune des fonctions présentées précédemment. Malgré ce que nous avons dit, UDP possède un contrôle d'erreurs, de caractère très rudimentaire qu'on pourrait appeler *contrôle d'erreur réduit.* Comme nous le verrons au Chapitre 7, le datagramme sous UDP est muni d'une somme de contrôles que la machine destinataire peut utiliser pour vérifier que les données sont correctes (ce test est optionnel, et le destinataire peut l'inhiber pour accélérer le débit). Le datagramme UDP comporte un *pseudo en-tête* (voir Chapitre 7) qui possède un champ "adresse du datagramme", ce qui permet de voir qu'un datagramme a été mal dirigé. De même, si le module récepteur de UDP reçoit un datagramme aboutissant sur un port UDP non activé ou non défini, ce module envoie un message ICMP pour avertir l'émetteur que ce port ne peut être atteint.

La structure allégée de UDP en fait un protocole bien adapté à la multidiffusion, lorsqu'on veut émettre un message à destination d'une multiplicité de machines sur un sous-réseau. Une telle opération, sous TCP, embouteillerait le réseau d'allers-retours, qui en saperaient les performances.

Ensuite, UDP ne propose pas la remise en ordre des données comme l'assure TCP. Cette opération est indispensable sur un grand réseau, comme Internet, où les segments de données peuvent emprunter des chemins très divers et séjourner longtemps dans les mémoires tampons de quelques routeurs. Sur les réseaux locaux, l'absence de remise en ordre, sous UDP, entraîne une mauvaise fiabilité de transmission.

Les pare-feu

Un pare-feu est un système qui protège un réseau local des tentatives d'accès d'intrus *via* Internet. Le terme *pare-feu* appartient jargon Internet, mais peut être employé dans différents sens.

Un pare-feu est un dispositif de protection de ports sous TCP ou UDP. Le mot anglo-saxon, *firewall*, est parfois utilisé comme un verbe, *to firewall* : interdire l'accès d'un port.

Prenons un exemple. Lors de l'initialisation d'une session Telnet entre un serveur et un hôte, la machine cliente envoie une requête vers un port réservé, le port 23 TCP (Telnet est un utilitaire qui fait de la machine hôte un terminal du serveur). [Nous verrons Telnet plus en détail au Chapitre 13, "Utilitaires d'accès à distance.] L'utilisation non autorisée de Telnet peut parfois poser un problème de sécurité. Pour y remédier, le serveur peut être configuré de façon à ne plus proposer d'accès Telnet sur le port 23, voire à interrompre le service, ce qui serait gênant pour les hôtes autorisés du réseau local.

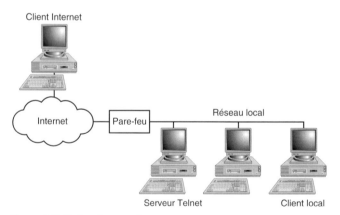

Figure 6 7 Scénario pare-feu.

Une solution consiste à installer un pare-feu, qui bloque l'accès au port 23 TCP (voir Figure 6.7). Il en résulte que tous les hôtes locaux disposent de Telnet, lequel reste inaccessible pour les machines connectées sur Internet à l'extérieur du LAN.

On peut placer des pare-feu sur d'autres ports, comme le font des administrateurs de réseaux qui les bloquent tous, sauf ceux qui sont indispensables, tel le courrier électronique (e-mail). Les serveurs d'applications Internet sont généralement au-delà du pare-feu, ce qui évite les intrusions indésirables sur les machines en deçà du pare-feu.

Résumé

Nous avons découvert les fonctions essentielles de la couche TCP/IP, distingué un protocole orienté connexion d'un protocole non orienté connexion, expliqué ce qu'est le multiplexage/démulti-plexage et compris à quoi servent un port et un socket. Quant aux protocoles de la couche Transport TCP/IP, et aux protocoles TCP et UDP, nous en avons énuméré les principales caractéristiques.

Questions-réponses

Q Pourquoi faut-il multiplexer et démultiplexer les données ?

R Cela permet à une machine de travailler sur plusieurs applications dont les données, forcément, transitent sur une ligne unique.

Q Pourquoi utiliser le protocole UDP alors que TCP assure une qualité parfaite de transmission ?

R Cette qualité réduit la vitesse de transmission. Si l'on n'a pas besoin de contrôles surabondants, UDP constitue un meilleur choix en raison de sa rapidité.

Q Pourquoi les applications qui supportent des sessions interactives, comme Telnet et FTP, préfèrent-elles TCP à UDP ?

R Les fonctions de contrôle et de récupération de TCP assurent la fiabilité requise par ce genre de connexion.

Q Pourquoi l'administrateur d'un réseau a-t-il tout intérêt à interdire l'accès d'Internet aux ports TCP ou UDP d'un hôte, et ce au moyen d'un pare-feu ?

R Cela permet d'éviter à des intrus de se "promener" sur le réseau.

Mots clés

- **Protocole orienté connexion.** Protocole de gestion de communication qui gère la connexion entre deux machines.

- **Protocole non orienté connexion.** Protocole de gestion d'une liaison entre deux machines, sans qu'il y ait de connexion à établir (liaison directe).

- **Démultiplexage.** Remise en parallèle d'informations arrivant en série.

- **Pare-feu.** Système de protection contre les accès Internet non autorisés.

- **Multiplexage.** Mise en série d'informations arrivant en parallèle.

- **Port.** Adresse interne qui fournit une interface entre une application et un protocole de la couche Transport.

- **Remise en ordre.** Réassemblage de segments de données sous TCP pour les présenter à l'utilisateur dans leur ordre original.

- **Socket.** Adresse réseau d'une application particulière sur une machine donnée, composée de l'adresse ID de la machine associée au numéro de port de l'application.

- **Stream.** Flot de données circulant sous forme d'une suite ininterrompue d'octets, au lieu d'être formaté par blocs.

Chapitre 7

TCP et UDP

Au sommaire de ce chapitre

- Reconnaître le champ contenant l'en-tête TCP
- Décrire la façon dont TCP effectue la remise en ordre, et l'accusé de réception des transmissions
- Expliquer de quelle manière TCP établit une connexion
- Parler de la méthode de contrôle des flots de données au moyen de fenêtres glissantes
- Savoir comment TCP termine une connexion
- Identifier les quatre champs d'un en-tête UDP

Nous vous avons présenté au chapitre précédent TCP et UDP, des protocoles qui opèrent au niveau de la couche transport de TCP/IP. Nous allons voir maintenant comment deux machines établissent une connexion TCP et de quelle façon elles échangent des données sous TCP. Nous analyserons aussi les formats de données que pratiquent TCP et UDP.

TCP, protocole de contrôle de transmission

Un examen approfondi de TCP permet de découvrir un système de gestion complexe qui se charge de la connexion au réseau et du dialogue sur le réseau. Nous allons aborder ici les procédés de connexion, la transmission et le format des données. Relativement complexe, un protocole est un ensemble de processus et de procédures qui interagissent afin de mener à bien un ensemble de tâches bien identifiées.

Nous l'avons expliqué au Chapitre 2, "Le fonctionnement de TCP/IP ?", un système de protocoles à couches fonctionne en établissant un dialogue entre couches de protocole de même niveau de l'émetteur A d'un message et du destinataire B de ce message. La couche accès réseau de A converse avec la couche accès réseau de B, la couche Internet de A avec la couche Internet de B.

Il faut bien retenir que ce ne sont pas les machines proprement dites, mais les protocoles de ces machines qui dialoguent de façon à fournir les données requises aux dites machines pour le traitement de leurs applications. Cette distinction subtile pose la question de la vérification du nœud terminal d'une liaison, qui sera traitée au Chapitre 1, "Qu'est-ce que TCP/IP ?".

Rappelez-vous que, sous TCP/IP, les nœuds terminaux d'une liaison doivent vérifier leur communication (les nœuds terminaux sont l'émetteur et le destinataire ; les nœuds intermédiaires, des relais de la communication). Dans un schéma type (voir Figure 7.1), les données vont d'un sous-réseau de départ vers un sous-réseau d'arrivée en utilisant des routeurs (que nous verrons en détail au Chapitre 9, "Les passerelles : ponts, routeurs et B-routeurs). Les routeurs travaillent au niveau de la couche Internet et ne sont pas concernés par ce qui se passe au niveau de la couche Transport. Ils ne font que livrer les informations de la couche transport, emballées dans un datagramme IP. Les informations de contrôle et de vérification contenues dans un segment TCP ne sont là que pour être exploitées par le logiciel TCP de la machine destinataire. Cela accélère la transmission puisque le routeur n'a aucun rôle dans l'assurance qualité de ce qu'il achemine, laissant ce soin à TCP/IP au niveau des nœuds connectés, selon les spécifications du DOD.

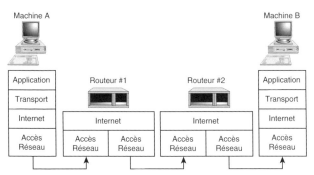

Figure 7.1 : Acheminement des données par routeur.

Format des données TCP

L'en-tête des données transmises sous TCP se présente sous la forme suivante (voir Figure 7.2). La complexité de ce format révèle la richesse des fonctions de TCP.

Examinons les divers champs qui composent ce datagramme :

- **Port source (16 bits).** Port assigné à l'application sur la machine source.

- **Port destination (16 bits).** Port assigné à l'application sur la machine destinataire.

- **Numéro de séquence (ou numéro d'ordre).** Numéro d'ordre du premier mot de ce segment, sauf si SYN est à 1. Dans ce cas, le numéro de séquence contient le numéro de séquence initial (ISN, *Initial Sequence Number*) utilisé pour la synchronisation des numéros de séquence. Lorsque SYN a pour valeur 1, le numéro de séquence du premier octet est supérieur d'une unité à la valeur qui apparaît dans ce champ, soit ISN + 1.

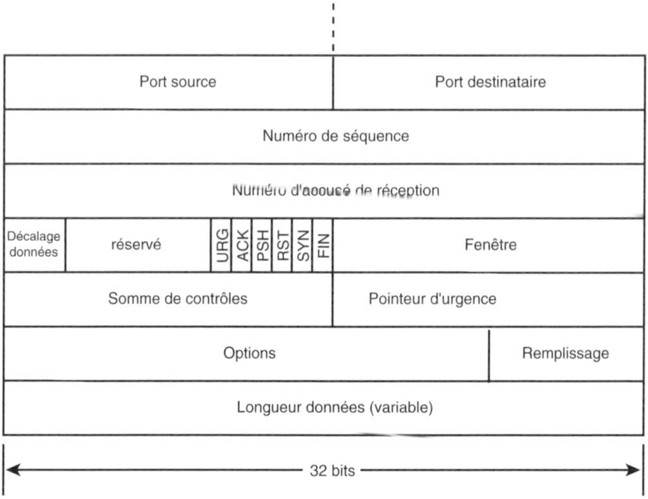

Port source		Port destinataire	
Numéro de séquence			
Numéro d'accusé de réception			
Décalage données	réservé	URG ACK PSH RST SYN FIN	Fenêtre
Somme de contrôles		Pointeur d'urgence	
Options		Remplissage	
Longueur données (variable)			

← 32 bits →

Figure 7.2 : Formatage d'un segment de données sous TCP.

- **Numéro d'accusé de réception, A/R, (32 bits).** Numéro relatif à un segment reçu. Cette valeur est le numéro de séquence immédiatement suivant attendu par le destinataire, donc le numéro du dernier octet reçu augmenté de 1.

- **Décalage données (4 bits).** Champ contient la longueur de l'en-tête, indiquant ainsi où se trouve, dans le datagramme, le début des données. Il s'agit d'un nombre de mots de 32 bits pouvant aller jusqu'à 15.

- **Réservé (6 bits).** Réservé pour des fonctions futures. Tous les bits doivent être à 0. Les développements futurs de TCP utiliseront ce champ.

- **Drapeaux (flags) de contrôle.** Contiennent des informations particulières relatives au segment de données :

  – **URG.** La valeur 1 signifie "urgent", et la valeur du pointeur d'urgence doit être prise en compte.

- **ACK.** Une valeur 1 signifie que le champ numéro d'A/R est à prendre en compte.

- **PSH.** Une valeur qui "dit" à TCP de "pousser" (*push*, d'où PSH) les données dans le *pipe*, le chemin d'accès, de l'application destinataire.

- **RST.** Si la valeur est 1, réinitialisation de la connexion.

- **SYN.** Si valeur à 1, les numéros de séquence seront synchronisés, indiquant le début d'une connexion. Voir plus loin la discussion sur la poignée de main protocolaire en trois temps (*three-way handshake*).

- **FIN.** Si valeur à 1, l'émetteur n'a plus rien à transmettre. Ce drapeau interrompt la connexion.

• **Fenêtre (16 bits).** Utilisée pour contrôler le flot des données. Cette *fenêtre* détermine le nombre de séquences que l'émetteur va envoyer sans exiger d'A/R, depuis la dernière séquence qui a fait l'objet d'un A/R.

• **Somme de contrôle (16 bits).** Utilisée pour contrôler l'intégrité des données. La machine destinataire effectue un calcul sur le segment de données et compare le résultat à la valeur de ce champ. TCP et UDP incluent un pseudo-en-tête avec des informations d'adressage IP dans le calcul de cette somme de contrôle (le pseudo-en-tête UDP est traité plus loin dans ce chapitre).

• **Pointeur d'urgence (16 bits).** Pointeur de décalage qui pointe vers le numéro de séquence, indiquant le début d'une information urgente.

• **Options.** Choix parmi un petit ensemble d'options.

• **Remplissage.** Complément avec des zéros pour assurer une longueur de 32 bits.

TCP a besoin de l'ensemble des valeurs inscrites dans ces champs pour gérer avec soin les transmissions, en vérifier la validité et en accuser réception. Nous allons voir maintenant comment il les utilise.

Connexion TCP

Sous TCP, tout se passe dans un contexte connectif : TCP reçoit et envoie des données *via* une connexion, qui doit être requise, ouverte, exploitée et fermée selon les règles TCP.

Nous l'avons vu au Chapitre 6, "La couche transport", la raison d'être de TCP est d'offrir une interface aux applications qui désirent accéder au réseau. Cette interface est assurée *via* les ports TCP, pour autant que TCP ait "ouvert" l'interface. TCP a deux modes d'ouverture de son interface :

- **Ouverture passive.** Une application indique à TCP qu'elle est prête à "recevoir" une connexion sur un port TCP. Le chemin de TCP vers l'application est ouvert par anticipation.

- **Ouverture active.** Une application demande à TCP une connexion avec une autre machine qui est en état d'ouverture passive (en fait, TCP peut aussi activer une connexion sur une machine en état d'ouverture active, dans le cas où les deux machines désirent au même instant entrer en communication).

En situation courante, une application qui désire réaliser des connexions, tel un serveur FTP (*File Transfer Protocol*), place son port en état d'ouverture passive. Sur la machine cliente, l'état TCP du FTP client est, selon toute probabilité, fermé jusqu'à ce qu'un utilisateur amorce une connexion entre FTP client et FTP serveur, ce qui placerait le client en état d'ouverture active. Le logiciel TCP de l'ordinateur qui passe en ouverture active (le client) entame alors le dialogue qui aboutit à la connexion. Nous reviendrons sur ce *handshake*, cette poignée de main protocolaire en trois temps, *three-way handshake*.

Un *client* est une machine qui réclame une connexion avec une autre machine de son réseau, ou qui en reçoit des services.

Un *serveur* est une machine qui fournit des services sur un réseau.

TCP expédie des segments de longueur variable. Au sein d'un segment, on assigne à chaque octet de données un numéro d'ordre. La machine destinataire doit envoyer un accusé de réception pour chaque mot reçu. Une communication sous TCP est donc un système de transmission assorti d'accusés de réception. Les champs Numéro d'ordre et Accusé de réception de l'en-tête TCP (vus précédemment) fournissent au logiciel TCP des mises à jour régulières de l'état (statuts) de la transmission.

On n'explicite pas le numéro d'ordre de chacun des octets transmis ; seul celui du premier octet de la séquence est inscrit dans le champ numéro d'ordre. Il y a cependant une exception : lorsqu'un segment de données arrive en début de connexion (voir *handshake 3-ways* plus loin), le champ numéro d'ordre contient l'ISN, dont la valeur est inférieure d'une unité au numéro d'ordre du premier octet du segment (de numéro d'ordre ISN + 1).

Si le segment de données est correctement reçu, la machine réceptrice utilise le champ accusé de réception pour dire à l'expéditeur quel octet elle a reçu. Le champ numéro d'accusé de réception du message d'accusé de réception est porté à la valeur du dernier numéro d'ordre reçu, valeur augmentée d'une unité. Le champ accusé de réception contient le numéro d'ordre de la séquence de données que le récepteur est prêt recevoir.

Si l'accusé de réception ne parvient pas dans le délai normal, l'expéditeur réémet les données à partir de l'octet qui suit le dernier octet pour lequel un accusé de réception a été reçu.

Ouverture de connexion

Pour que ce processus de transmission/accusé de réception fonctionne, les machines doivent *synchroniser* leurs numéros d'ordre de séquences. La machine B doit savoir sur quel ISN, *Initial Sequence Number*, numéro de séquence initial, la machine A va commencer sa séquence, tandis que la machine A doit savoir sur quel ISN la machine B va démarrer la sienne.

Cette synchronisation de séquences s'appelle *three ways handshake*, poignée de main en trois temps, qui intervient toujours au début d'une connexion sous TCP. Les trois échanges se déroulent dans l'ordre suivant :

1. L'expéditeur A envoie un segment muni des champs suivants :

   SYN = 1

   ACK = 0

   Numéro d'ordre = X (X est l'ISN de A)

   La machine en état d'ouverture active envoie un segment dont le drapeau SYN est à 1 et le drapeau ACK à 0. SYN concerne la *synchronisation*. Ce drapeau, nous l'avons vu, annonce une tentative de connexion. L'en-tête de ce premier segment contient le numéro de séquence initial, qui indique le début de la suite des numéros d'ordre des données que va transmettre A. Le premier octet transmis à B le sera avec un numéro d'ordre ISN + 1.

2. Le destinataire B reçoit le segment en provenance de A et retourne un segment constitué comme suit :

   SYN = 1 (toujours en phase de synchronisation)

   ACK = 1 (le champ accusé de réception est chargé)

   Numéro d'ordre = Y (Y est l'ISN de B)

   Numéro d'accusé de réception = M + 1 (M est le dernier numéro d'ordre reçu de A)

3. La machine A envoie un segment à la machine B pour accuser réception de l'ISN de B :

   SYN = 0

ACK = 1

Numéro d'ordre = numéro d'ordre suivant de la série (M + 1)

Numéro d'accusé de réception = N + 1 (N est le dernier numéro d'ordre reçu de B)

Après ce dialogue à trois échanges, la connexion est ouverte, et les modules TCP transmettent et reçoivent les données selon les schémas de séquencement et d'accusé de réception que nous venons de décrire.

Contrôle des flux (ou des flots) sous TCP

Le champ Fenêtre de l'en-tête TCP offre une procédure de contrôle de flux au cours d'une connexion. L'objet du champ Fenêtre est de tempérer le débit des informations que l'émetteur adresse au récepteur, et ce pour éviter la saturation de ce dernier. La procédure utilisée par TCP est dite *méthode de la fenêtre glissante*. Le récepteur utilise ce champ pour définir une fenêtre, un nombre de séquences au-delà du dernier numéro d'ordre enregistré que l'émetteur est autorisé à envoyer. Ce dernier ne pourra plus rien expédier d'autre tant qu'il n'aura pas reçu d'accusé de réception.

Clôture de connexion

En fin de transmission, la machine qui clôt la connexion, la machine A, envoie son segment final avec un drapeau FIN mis à 1. L'application entre alors en état *fin-wait* (fin-attente). Dans cet état, le logiciel TCP de la machine A continue à recevoir des segments et traite donc le segment final, mais aucun autre segment en provenance de l'application en cours ne sera pris en compte. Lorsque B reçoit le segment FIN, elle retourne un accusé de réception de FIN, expédie les segments qui restent, puis notifie à l'application locale qu'un FIN a été reçu. La machine B envoie à son tour un segment FIN à la machine A, dont A accuse réception, ce qui met fin à la connexion.

UDP (User Datagram Protocol) protocole datagramme utilisateur

L'objet essentiel du protocole UDP est de soumettre des datagrammes à la couche Application. Le protocole UDP, par lui-même, fait peu de choses ; il emploie donc une structure d'en-tête simplifiée. La RFC 768, qui décrit ce protocole, ne comporte que trois pages. Nous l'avons vu au Chapitre 6, UDP ne réémet ni les données manquantes ou erronées, ni les séquences de datagrammes en mauvais ordre, n'envoie pas d'accusés réception des datagrammes, n'établit ni n'interrompt les connexions. UDP, de base, est un mécanisme de dialogue à l'usage des programmes applicatifs, débarrassé de l'en-tête TCP.

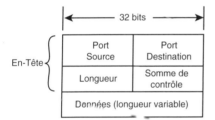

Figure 7.3 : En-tête de datagramme et données sous UDP.

L'en-tête UDP est composé de champs de 16 bits. La Figure 7.3 donne la structure, très légère, de cet en-tête.

Enumérons les fonctions de ces champs :

- **Port Source.** Ce champ occupe les 16 premiers bits de l'en-tête UDP. Il contient le numéro de port de l'application qui expédie le datagramme. La valeur du champ port source est exploitée par l'application destinataire pour répondre à la source si nécessaire. Ce champ est optionnel, la source n'étant pas obligée de fournir cette information. Dans ce cas, les 16 bits sont mis à 0. Si, cependant, le destinataire veut s'exprimer, il ne le pourra absolument pas. C'est ce qui se fait pour les messages unidirectionnels SNMP-trap, où l'on n'attend aucune réponse des destinataires.

- **Port Destination.** Ce champ contient, sur 16 bits, l'adresse du port auquel le logiciel UDP de la machine réceptrice doit livrer le datagramme.

- **Longueur.** Ce champ donne, sur 16 bits, la longueur du datagramme, en-tête compris. Ce dernier ayant 8 octets, la valeur de ce champ sera toujours supérieure ou égale à 8.

- **Somme de contrôle.** Ce champ contient un résultat de calcul effectué sur l'ensemble des bits transmis, utilisé pour vérifier l'intégrité des données transmises. Dans le cas d'UDP, le processus est le suivant : on forme une valeur ayant un nombre pair d'octets à partir d'un pseudo-en-tête, de l'en-tête UDP et des données utiles du message. L'identité de la valeur contenue dans ce champ avec le résultat du même calcul effectué à l'arrivée confirme la validité de ce qui a été reçu.

Comme dans la plupart des cas, l'en-tête UDP ne contient ni adresse IP d'origine, ni adresse IP de destination, il est possible que le datagramme soit distribué sur un site auquel il n'était pas destiné. Une partie des données utilisées dans le calcul de la somme de contrôle est une chaîne de valeurs issue de l'en-tête IP appelé *pseudo-en-tête*. Ce pseudo-en-tête contient une information sur l'adressage IP destinataire pour que la machine qui réceptionne le message puisse éventuellement détecter une distribution erronée.

Résumé

Nous avons vu ici comment TCP atteint l'objectif de TCP/IP quant aux contrôles au niveau des nœuds d'un réseau, et de quelle façon il gère les flots de données. Nous savons aussi maintenant ouvrir une connexion au moyen d'une poignée de main en trois temps.

Questions-réponses

Q Pourquoi les routeurs n'envoient-ils aucun accusé de récep-tion à la machine qui amorce une connexion ?

R Les routeurs travaillent au niveau de la couche Internet (sous la couche Transport) et ne traitent pas les informations TCP.

Q Dans quel état, ouvert passif, ouvert actif ou fermé, se trouve généralement un serveur FTP ?

R Un serveur FTP est généralement ouvert passif, prêt à accepter une connexion.

Q Pourquoi faut-il un troisième échange dans la poignée de main protocolaire à trois échanges ?

R Lors des deux premiers échanges, les deux machines ont com-muniqué leur ISN, elles ont donc, en théorie, suffisamment d'informations pour synchroniser la connexion. Mais la machine qui a envoyé son ISN en deuxième position a besoin d'un accusé de réception, lequel fait l'objet du troisième échange.

Q Quel est le champ optionnel de l'en-tête UDP ? Pourquoi celui-là ?

R Il s'agit du champ adresse de port. UDP est un protocole non orienté connexion, qui n'a pas besoin de l'adresse de port source. On peut cependant renseigner ce champ au cas où l'application qui reçoit des données doit faire un contrôle d'erreurs ou de quelconques vérifications.

Q Qu'arrive-t-il si les 16 bits du champ adresse du port source sont à 0 ?

R L'application qui fonctionne sur la machine destinataire ne pourra émettre aucune réponse.

Mots clés

- **ACK.** Drapeau de contrôle qui valide le contenu du champ numéro d'accusé de réception.

- **Champ numéro d'accusé de réception.** Champ de l'en-tête TCP qui spécifie le numéro d'ordre immédiatement suivant de la séquence que va recevoir la machine destinataire. Ce numéro d'accusé réception est la preuve que tous les octets précédant celui qui spécifie ce champ ont bien été reçus.

- **Ouverture active.** Etat dans lequel se trouve TCP lorsqu'il tente d'ouvrir une connexion.

- **Somme de contrôle.** Champ qui comporte une valeur sur 16 bits, utilisée pour vérifier la validité des datagrammes reçus.

- **Drapeau de contrôle.** Indicateur sur 1 bit détenant une information particulière sur un segment TCP.

- **Port destinataire.** Numéro de port TCP ou UDP dédié à l'application tournant sur la machine destinataire sur laquelle sera distribué le segment TCP ou le datagramme UDP.

- **FIN.** Drapeau de contrôle qui sert lors de la clôture d'une connexion TCP.

- **ISN** (*Initial Sequence Number*), **numéro de début de séquence.** Valeur initiale des numéros d'ordre de séquencement des octets transmis par TCP.

- **Ouverture passive.** Etat dans lequel se trouve le port TCP prêt à accepter une connexion.

- **Pseudo-en-tête.** Ensemble de champs extraits de l'en-tête IP, utilisé pour le calcul de la somme de contrôle, sous TCP ou UDP.

- **Segment.** Paquetage de données TCP accompagné de son en-tête.

- **Numéro d'ordre.** Valeur unique attachée à l'octet de tête d'un segment transmis par TCP.

- **Fenêtre glissante.** Intervalle de numéros d'ordre que le destinataire envoie à l'expéditeur pour réguler le flot des informations qu'il lui fait parvenir sous TCP.

- **Port source.** Port TCP ou UDP dédié à l'application qui transmet un segment TCP ou UDP.

- **SYN.** Drapeau de contrôle annonçant que l'on est en cours de synchronisation. Ce drapeau apparaît au début d'une connexion TCP, lors de la poignée de main protocolaire en trois temps.

- **Poignée de main en trois temps.** Procédure de synchronisation, en trois actes, des numéros de séquence lors de l'amorce d'une connexion.

Chapitre 8

La couche Application

Au sommaire de ce chapitre

- Qu'est-ce que la couche Application ?
- Description de quelques-uns des services réseau de la couche Application
- Comment TCP/IP travaille dans les environnements NetBIOS
- Qu'est-ce que l'IPX tunneling ?
- Quelques utilitaires fondamentaux de TCP/IP

Au sommet de la pile TCP/IP se trouve la couche Application, un ensemble de logiciels pour réseaux qui repose sur la couche Transport. Nous allons décrire ici quelques-uns de ces programmes et voir comment ils "conduisent" l'utilisateur au réseau. Ce chapitre est donc consacré aux services offerts par cette couche, à son environnement d'exploitation et aux applications réseau.

Qu'est-ce que la couche Application ?

La couche Application est au sommet de la pile des protocoles TCP/IP. On y trouve des applications et des services qui communiquent, *via* les ports TCP ou UDP (vus au Chapitre 6, "La couche Transport", et au Chapitre 7, "TCP et UDP"), avec les couches de niveau inférieur. On peut se demander pourquoi l'on considère que la couche fait partie de la pile alors que les ports TCP et UDP semblent être une interface parfaitement identifiée avec le réseau. Il ne faut pas oublier que dans une architecture stratifiée comme TCP/IP, *chaque couche* est interfacée avec le réseau. La couche Application doit tenir compte de l'existence des ports TCP et UDP au même titre que la couche Transport, et acheminer les données en conséquence.

La couche Application de TCP/IP est un assortiment de logiciels sensibles au réseau, qui reçoivent et transmettent des données *via* les ports TCP et UDP. Certains d'entre eux ne sont que de simples utilitaires qui collectent de l'information sur la configuration du réseau. D'autres peuvent constituer une structure d'interface (telle l'interface X Windows), une API (*Application Program Interface*), interface programme d'application, comme NetBIOS qui supporte un environnement d'exploitation bureau. D'autres encore assurent des services sur le réseau, tels que la gestion des fichiers ou l'impression de documents, ou encore la résolution des noms (nous verrons cela en quatrième partie, "Résolution de nom"). Les implémentations de ces composants logiciels ne diffèrent que par des détails de conception et de programmation.

Nous allons commencer par une comparaison des couches Application TCP/IP et OSI.

Les couches Application TCP/IP et OSI

Nous l'avons vu au Chapitre 2, TCP/IP ne s'identifie pas au modèle OSI, même si ce dernier a fortement influencé le développement des systèmes de gestion de réseau, et que la tendance actuelle vers le multiprotocole a renforcé la prépondérance des concepts de la terminologie OSI. La couche Application sait s'accommoder d'une vaste gamme de systèmes d'exploitation et de gestion de réseaux. Dans la majorité des cas, ces environnements font appel au modèle OSI pour décrire les réseaux. Il nous semble utile de faire un rappel des caractéristiques d'OSI afin de comprendre ce qui se passe dans la couche Application de TCP/IP.

La couche Application de TCP/IP correspond à l'ensemble des couches Application, Présentation et Session d'OSI (voir Figure 8.1). Les sous-divisions du modèle OSI (trois couches ici au lieu d'une seule là-bas) offrent une organisation plus subtile des éléments, organisation que les théoriciens de TCP/IP désignent sous le nom unique de *couche Application* (ce qu'on appelle parfois les *services de niveau Process/Application*).

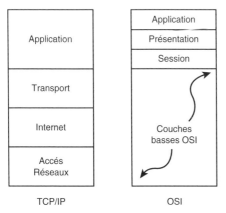

Figure 8.1 : Couche application sous TCP/IP et sous OSI.

Voyons maintenant les différentes couches OSI qui correspondent à la couche Application de TCP/IP :

- **Couche application.** (A ne pas confondre avec son homonyme TCP/IP.) Elle offre des services aux applications utilisateur et gère l'accès réseau.

- **Couche Présentation.** Elle convertit les données dans un format neutre vis-à-vis de la machine, s'occupe du cryptage et de la compression de données.

- **Couche Session.** Elle gère les communications entre applications qui tournent sur des machines en réseau. Elle assure aussi quelques fonctions relatives à la connexion qui ne sont pas prises en charge par la couche Transport, telles la résolution de noms et la sécurité.

Vous n'avez pas besoin de la totalité de ces services pour toutes les applications ou implémentations de protocoles. Dans le modèle TCP/IP, les implémentations du protocole ne sont pas tenues de suivre les subdivisions d'OSI, mais, dans l'ensemble, les finalités des couches Application, Présentation et Session s'inscrivent bien dans les objectifs de la couche Application de TCP/IP.

Services réseau

La plupart des logiciels de la couche application sont des services réseau. Au cours des chapitres précédents, vous avez pu lire qu'une couche d'un système de protocoles offre des services aux autres couches de ce système. La plupart du temps, il s'agit d'une partie intégrante, bien identifiée, du système de protocoles. En ce qui concerne la couche Application, tous les services ne sont pas requis pour la bonne exécution des logiciels protocolaires, mais ils sont fournis à l'intention de l'utilisateur ou pour assurer la liaison entre le réseau et le système d'exploitation local.

Parmi les services qu'offre la couche Application, il faut citer :

- la gestion de fichiers et l'impression ;

- la résolution de noms ;

- la redirection.

D'autres services, comme le courrier électronique (e-mail) et la gestion de réseau, seront abordés dans d'autres chapitres.

Gestion de fichiers et impression

Le mot *serveur* fait partie du langage réseau courant. Un serveur est un ordinateur qui propose ses services à d'autres ordinateurs. Les serveurs de fichiers et les serveurs d'impression sont nombreux. Un serveur d'impression gère une imprimante, et il livre, à grande vitesse et à gros débit, les documents que vous voulez éditer. Un serveur de fichiers gère une mémoire de grande capacité, par exemple des disques durs, sur lesquels il lit ou écrit ce qu'on lui demande d'expédier ou de stocker.

Etant donné que ces services sont quotidiennement exploités sur les réseaux, un même serveur offre parfois les deux services.

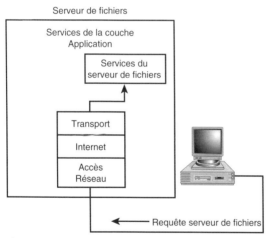

Figure 8.2 : Un serveur de fichiers.

Le schéma de la Figure 8.2 ne montre que les composants essentiels en relation avec TCP/IP. Les implémentations de protocoles et de systèmes d'exploitation comportent des niveaux ou des composants logiciels additionnels qui gèrent les échanges entre client et serveur. Sous Windows, comme nous le verrons plus loin, WinSock offre une interface entre Windows et TCP/IP.

La Figure 8.2. représente un scénario type de livraison de fichier : une requête arrive sur le réseau, traverse les couches du protocole jusqu'à la couche transport, d'où elle est dirigée *via* le port qui convient vers le programme serveur.

Résolution de noms

Nous l'avons vu au Chapitre 1, "Qu'est-ce que TCP/IP ?", la résolution de noms, sous DNS, *Domain Name System*, établit la correspondance entre l'adresse alphanumérique, accessible au commun des mortels, et l'adresse IP, seule utile aux machines. Le service DNS effectue ce travail pour Internet ainsi que pour des réseaux TCP/IP isolés. DNS fait appel à des *serveurs de noms* qui, lors d'un appel sur le réseau, fournissent la traduction demandée. Les serveurs de noms communiquent entre eux au niveau de la couche application. D'autres services pratiquent la résolution d'adresses, en particulier NetBIOS, qui fait partie de WINS, *Windows Internet Naming Service*.

La résolution d'adresses est un bon exemple de service résident de la couche application, qui y travaille avec des sous-couches et participe activement aux transactions de la pile de protocoles. Les requêtes DNS ou WINS sont initialisées par le logiciel du protocole de la machine cliente plutôt que par un utilisateur ou une application utilisateur. Lorsque l'utilisateur énonce un nom de domaine, le logiciel sous-jacent du protocole le transforme en une adresse IP, faisant appel à sa fonction de résolution d'adresse. Nous verrons en détail la résolution d'adresses avec DNS aux Chapitres 15 et 16, NetBIOS au Chapitre 17.

Redirection

Pour que le réseau puisse prendre en compte un environnement local, certains systèmes d'exploitation de réseaux font appel à ce qu'on nomme un *redirecteur*.

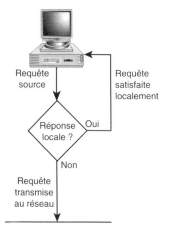

Figure 8.3 : Un redirecteur.

Un redirecteur détermine si une requête émise sur une machine locale peut y être traitée ou s'il est nécessaire de la confier à une autre machine du réseau. Si la requête est émise à l'intention d'une autre machine, le redirecteur la met sur le réseau (voir Figure 8.3).

L'utilisateur accède, par le biais du redirecteur, aux ressources du réseau comme si elles faisaient partie de l'environnement local. Une unité disque distante semblera ainsi faire partie de l'environnement de la machine cliente.

Environnements d'exploitation et couche Application

Le système d'exploitation local (machine ou réseau) peut posséder ses propres couches logicielles capables d'offrir l'accès réseau à l'utilisateur. Ces logiciels fonctionnent habituellement sur des ports TCP ou UDP, qui se trouvent dans la "banlieue" de la couche Application. Parfois, leur interaction avec la pile de protocole est si particulière que l'on comprend mieux leur rôle si on les considère comme constituant une pile distincte.

Nous allons aborder maintenant les logiciels d'environnement utilisateur du haut de pile : NetBIOS et NetWare.

TCP/IP et NetBIOS

Windows, OS/2 et quelques systèmes d'exploitation utilisent une interface appelée NetBIOS pour accéder aux ressources réseau. NetBIOS, initialement développé par IBM, est un ensemble de services réseau offrant aussi une API (*Application Program Interface*). A l'origine, NetBIOS avait pour but de fournir une interface non propriétaire aux protocoles LAN propriétaires. Comme TCP/IP se répandait sur les LAN, les commerçants et les développeurs comprirent les avantages qu'il y avait à assurer la connectivité TCP/IP à une multitude d'applications NetBIOS et de systèmes d'exploitation. Les RFC 1001 et 1002 définissent un protocole standard de liaison de TCP/IP à NetBIOS.

NetBIOS localise les sites par leur *nom de machine*. Il s'agit d'appellations telles qu'elles apparaissent dans le *Network Neighborhood* de Windows 95. Pour convertir en adresses IP les noms NetBIOS des machines, le réseau doit exploiter un système de résolution d'adresses indépendant de DNS. Ce service est un logiciel résidant dans une couche logiquement située entre la couche Transport et l'interface NetBIOS, que l'on appelle *NetBIOS over TCP/IP*, ou NBT. Le Chapitre 17 vous en dira plus sur la résolution d'adresses NetBIOS.

Certaines applications Windows ou OS/2 peuvent requérir un accès direct aux ports TCP et UDP. L'interface *Windows Socket* (WinSock) offre l'accès aux protocoles de la couche Transport dans les environnements de programmation sous Windows. WinSock est inclus dans le système d'exploitation de Windows 95, Windows 98 et dans de récentes versions de Windows NT.

TCP/IP et NetWare

Novell NetWare est actuellement le système de gestion de réseaux LAN le plus populaire. Novell avait déjà développé sa propre suite de protocoles (IPX/SPX) avant que TCP/IP ne prenne de l'importance. IPX/SPX est un système de protocoles complet muni de son propre contrôle d'erreurs et de son adressage logique. Le regain d'intérêt actuel pour TCP/IP conduit naturellement à se poser la question d'une intégration IPX/SPX-TCP/IP, et ce sans perturber les couches supérieures dédiées réseau de la pile IPX/SPX.

Une solution intéressante existe, IPX tunneling, défini dans la RFC 1234, "Tunneling IPX Traffic Through IP Networks".

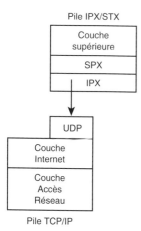

Figure 8.4 : Une pile IP supportant IPX.

La pile IPX/ISX est greffée sur le protocole UDP de la pile TCP/IP (voir Figure 8.4). La couche du protocole IPX accomplit des tâches d'adressage logique identiques à celles qu'assure IP sur un réseau Novell. Les données passent de IPX à UDP (voir Chapitres 6 et 7), entrent dans la pile TCP/IP pour être codées sous forme d'un datagramme IP et mises sur le réseau physique.

L'IPX *tunneling*, ainsi que certains procédés similaires, crée une sorte de pile hybride de protocoles, qu'il est difficile de décrire dans le contexte du modèle à quatre couches TCP/IP. C'est plutôt une question d'opinion personnelle que de savoir si l'installation de la structure IPX sur la couche Transport devient ou non un composant de la couche application.

 Novell est tout à fait conscient — comme toute la profession — de l'émergence de TCP/IP en tant que protocole dominant "routable". De récentes versions de NetWare ont élargi leur support de TCP/IP, ce qui rend inutile le recours à des solutions hybrides comme l'IPX tunneling.

La plupart des experts décriraient cette situation comme un empilement sur la couche Transport TCP/IP, d'abord de la couche Réseau IPX/SPX, puis des protocoles de la couche supérieure d'IPX/ISX. Ce composant IPX supporte les applications au sommet de la pile et assure la liaison avec les ports UDP situés "en dessous". Voilà pourquoi IPX, dans la structure en couches de TCP/IP, se situe au niveau de la couche application. La possibilité de pratiquer l'IPX tunneling est une preuve de la flexibilité et de la versatilité de TCP/IP.

Utilitaires TCP/IP

La couche Application de TCP/IP contient de nombreux utilitaires résidents développés à l'origine dans le contexte Internet et UNIX. Ils permettent de configurer, de gérer et de dépanner les réseaux TCP/IP mondiaux. Diverses versions de ces utilitaires sont disponibles sur les serveurs Windows NT ainsi que sur d'autres systèmes d'exploitation de réseaux.

Dans cet ouvrage, nous classerons les utilitaires en quatre catégories : Connexion, Transfert de fichiers et utilitaires d'accès, Accès réseau éloigné et Internet (voir Tableau 8.1). Les applications Internet (voir Tableau 8.1 et Chapitre 14, "Utilitaires Internet") sont plus récentes et plus affranchies d'UNIX que les autres applications répertoriées dans le tableau. Elles offrent toutes à l'utilisateur l'accès aux ressources et aux informations des réseaux sous TCP/IP.

Tableau 8.1 : Utilitaires TCP/IP

Connexion	
Utilitaire	**Description**
IPConfig	Affiche la configuration TCP/IP.
Ping	Test de connexion.
ARP	Examen cache d'une machine locale ou éloignée. Le cache ARP contient le dictionnaire adresse physique-adresse IP (voir Chapitre 4).
TraceRoute	Suit le cheminement d'un datagramme.
Route	Edition ou ajout d'une entrée dans une table de routage (voir Chapitre 8).
NetStat	Affiche les statistiques IP, UDP, TCP et ICMP.
NBTStat	Affiche les statistiques de NetBIOS et de NBT (voir Chapitre 8).
Hostname	Donne le nom de l'hôte local.
Transfert de fichiers	
Utilitaire	**Description**
FTP	Transfert de fichiers sous TCP.
TFTP	Transfert de fichiers sous UDP.
RCP	Transfert de fichiers éloignés.
Accès réseau éloigné	
Utilitaire	**Description**
Telnet	Utilitaire terminal éloigné.
Rexec	Exécute des commandes sur un site éloigné grâce au démon rexec.

Tableau 8.1 : Utilitaires TCP/IP (suite)

RSH	Invoque le shell d'un site éloigné pour exécuter une commande.
Finger	Affiche des informations.

Utilitaires Internet

Utilitaire	Description
Browsers	Donne accès au contenu HTML du World Wide Web.
Newsreaders	Connexion au groupnews Internet.
Email readers	Expédition-réception du courrier électronique.
Archie	Fournit l'accès aux index des sites FTP anonymes.
Gopher	Utilitaire d'information Internet à base de menus.
Whois	Fournit l'accès aux répertoires d'information avec contact personnel, comme
	les Pages blanches Internet.

Résumé

Nous vous avons présenté la couche Application de TCP/IP et décrit quelques-unes des applications et services qu'elle supporte, ainsi que les services réseau et les utilitaires qu'elle offre. Nous avons vu de quelle façon TCP/IP supporte les environnements réseau tels que NetBIOS et NetWare.

Questions-réponses

Q Une machine fonctionne en serveur, elle est connectée au réseau, mais l'utilisateur n'a pas accès aux fichiers. Quelle peut en être la cause ?

R Il peut y avoir beaucoup de causes. Un examen soigneux du système d'exploitation et de la configuration du serveur est nécessaire. Vérifier en particulier que le logiciel du serveur est bien activé. Un serveur est plus qu'une machine informatique, c'est un service offert par la machine, qui répond à des requêtes.

Q Le service DNS fonctionne bien sur ma machine, mais les noms des autres machines n'apparaissent pas dans le Network Neighbood de Windows 95. Quelle peut en être la cause ?

R Microsoft définit les noms de machines sous NetBIOS, alors que DNS ne les gère pas. Il faut faire appel à un service de résolution d'adresses "NetBIOS over TCP/IP" (voir le Chapitre 7 sur la résolution d'adresses NetBIOS).

Q Pourquoi l'IPX tunneling fait appel au protocole Transport UDP plutôt qu'au protocole TCP, dont on sait qu'il est plus fiable ?

R IPX greffe la pile IPX/STX sur TCP/IP. IPX/SPX possédant son propre contrôle d'erreurs et des flots de données, il peut se passer des services de TCP.

Mots clés

- **Serveur fichier.** Machine qui effectue, sur demande, des transferts de fichiers.

- **IPX tunneling.** Méthode pour supporter IPX/ISX sur les réseaux TCP/IP en connectant IPX à la couche Transport de TCP/IP.

- **Service de résolution d'adresses.** Dictionnaire qui établit la correspondance entre adresse alphanumérique et adresse réseau.

- **NetBIOS.** Ensemble de services réseau assorti d'une interface d'exploitation de ces services.

- **Serveur d'impression.** Machine qui assure l'impression de documents sur requête utilisateur.

- **Redirecteur.** Service qui examine les requêtes de ressources locales et les redirige sur le réseau si elles ne peuvent être satisfaites localement.

- **WinSock.** Interface de programmation sous Windows qui fournit un accès aux ports TCP et UDP.

Chapitre 9

Les passerelles : ponts, routeurs et B-routeurs

Au sommaire de ce chapitre

- Pourquoi les administrateurs de réseaux appliquent le fractionnement
- Définition d'un pont
- Définition d'un routeur
- Le fonctionnement d'un routeur
- Les tables de routage
- Routage statique et routage dynamique
- Quelques types de routeurs fonctionnant sur Internet

La plupart des grands réseaux sont fractionnés de façon à accroître leur efficacité, autrement dit une grande vitesse de transmission sans engorger le trafic. On utilise pour cela des moyens d'interconnexion appelés *routeurs*. Il est essentiel de savoir comment ces derniers fonctionnent si l'on veut comprendre le système d'adressage et d'acheminement des messages sous TCP/IP. Ils constituent l'armature du réseau Internet et prennent en charge le trafic sur la plupart des grands réseaux TCP/IP. En plus des routeurs et de leurs protocoles, nous nous intéresserons à deux autres moyens d'interconnexion, les ponts et les B-routeurs.

Fractionnement des réseaux

Comme on l'a vu dans les chapitres précédents, les méthodes d'accès réseau telles que CSMA/CD (Ethernet) et le jeton ont été conçues pour permettre l'accès à un nombre limité de machines. Un réseau de grande dimension doit être en mesure de filtrer et de canaliser le trafic pour éviter une saturation de ses liaisons physiques. Les grands réseaux sont donc divisés en éléments de taille plus modeste, application d'un principe simple : diviser pour mieux régner. Chaque élément est isolé de l'ensemble par un moyen de filtrage.

Si la source et le destinataire d'un message sont dans le même segment ou sous-réseau, le filtrage évite toute communication avec l'ensemble du réseau (voir Figure 9.1) Cette segmentation évite un engorgement du trafic général par des échanges locaux dont la densité résulte de la proximité des machines. Deux ordinateurs situés dans le même bureau sont susceptibles d'échanger régulièrement des fichiers et de partager la même imprimante, ou encore de communiquer de temps en temps avec une troisième machine située à l'autre bout du bâtiment.

Le dispositif de filtrage (voir Figure 9.1) est parfois appelé *connectivity device* (bien que ce terme désigne plus généralement quelque chose qui comporte un répéteur, non doté d'une fonction de filtrage).

Ces différents dispositifs sont employés pour assurer les fonctions suivantes :

- **Contrôle du trafic.** Pour réguler les échanges entre les sous-réseaux composant le réseau.

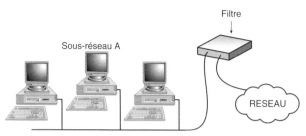

Figure 9.1 : Un dispositif de filtrage.

- **Connectivité.** Pour interconnecter des réseaux de caractéristiques physiques différentes (par exemple un Ethernet et un anneau à jeton). Les dispositifs de certaines passerelles capables de traduire les protocoles peuvent même interconnecter un réseau fonctionnant sous un protocole (par exemple un réseau NetWare sous IPX/ISX) avec un réseau fonctionnant sous un autre protocole (comme Internet sous TCP/IP).

- **Adressage hiérarchique.** Processus d'adressage logique comme le système d'adressage IP (voir Chapitre 4, "La couche Internet" et Chapitre 5, "La couche Internet : gestion des sous-réseaux") qui assure la livraison des messages "par rue" (adresse ID de sous-réseau) et "par maison" (adresse ID d'hôte), opérant ainsi la segmentation du réseau.

- **Régénération des signaux.** Les dispositifs ont pour tâche de remettre en forme les signaux lorsqu'il faut accroître la dimension d'un réseau.

De nombreux dispositifs existent, qui jouent un rôle important dans la gestion des réseaux sous TCP/IP :

- les ponts ;

- les routeurs ;

- les B-routeurs.

Les ponts

Un *pont* est un dispositif qui filtre et expédie les paquets de données par adresse physique. Les ponts opèrent au niveau de la couche Liaison Données dans le modèle OSI (voir Chapitre 3, "La couche accès réseau") ; la couche Liaison Données se situe au niveau de la couche accès réseau dans le modèle TCP/IP.

Un pont n'est pas un routeur, même s'il utilise un tableau de routage pour acheminer les informations. Comme il s'agit d'adresses physiques, ce tableau est relativement simple en comparaison de ceux que nous allons bientôt rencontrer.

La fonction d'un pont est d'écouter chaque segment du réseau et d'élaborer une table de correspondance entre segment et adresses physiques des sites du segment. Lorsqu'on transmet des données sur un segment du réseau, le pont qui veille sur ce segment vérifie l'adresse de destination et consulte le tableau de routage. Si l'adresse fait partie de la "circonscription" du segment, le pont n'intervient pas. Dans le cas contraire, le pont oriente les données vers le segment concerné. S'il n'y a pas d'adresse dans le tableau de routage, le pont envoie les données à tous les segments, sauf le segment d'origine du message.

 Il faut se rappeler que les adresses physiques attachées au matériel telles que les utilise un pont sont différentes des adresses logiques IP (voir Chapitres 1 à 4.).

Les ponts sont communément employés sur les LAN comme moyen économique de filtrer le trafic et d'accroître ainsi le nombre de machines du réseau. Comme un pont n'utilise que les adresses physiques dans la couche accès réseau sans se soucier de l'adressage logique contenu dans l'en-tête IP du datagramme, il n'est pas d'une grande utilité lorsqu'il s'agit de réunir des réseaux dissemblables. Les ponts ne servent à rien pour le routage IP et l'acheminement des messages sur des réseaux de la dimension d'Internet.

Les routeurs

Les routeurs ont un rôle essentiel sous TCP/IP. Internet ne pourrait fonctionner sans eux. Avec TCP/IP, ils sont à la base du développement mondial qu'atteint aujourd'hui Internet.

Un routeur est un dispositif qui filtre le trafic par adresses logiques. Les routeurs opèrent au niveau de la couche Internet (couche accès réseau du modèle OSI), en exploitant les adresses IP situées dans l'en-tête couche Internet des datagrammes.

Un réseau de grande taille, comme Internet, comporte de nombreux routeurs dont les rôles, redondants, permettent d'offrir à un même message de multiples voies d'acheminement entre nœuds source et destination. Les routeurs travaillent de façon indépendante, mais ils doivent assurer le trafic avec précision et efficacité sur l'ensemble des réseaux qu'ils interconnectent.

Les routeurs sont plus sophistiqués que les ponts. Ils remanient les informations contenues dans les en-têtes de messages lorsqu'ils passent d'un réseau à un autre, assurant la transparence entre réseaux dissemblables. De nombreux routeurs "s'informent" du meilleur itinéraire à suivre en fonction de la distance, de la bande passante et de l'heure (nous en saurons plus sur les protocoles de choix d'itinéraire, plus loin dans ce chapitre).

Les B-routeurs

Un B-routeur est un dispositif qui peut fonctionner en *pont* (bridge) comme en *routeur*. La plupart des réseaux LAN actuels supportent simultanément des protocoles multiples, dont certains ne peuvent supporter le routage. Le protocole Microsoft NetBEUI, par exemple, qui est un protocole LAN répandu, n'est pas "routable" : il ne peut franchir un routeur. Rappelez-vous qu'un B-routeur "route" les protocoles routables (comme TCP/IP) et "ponte" les protocoles non routables (comme NetBEUI).

147

Il arrive qu'un administrateur de réseau ne désire pas utiliser de B-routeur. Pour des nécessités de contrôle du trafic ou de sécurité, il est parfois préférable d'isoler un protocole non routable sur son réseau local.

Le routage sous TCP/IP

Ce sujet a fait l'objet de 162 RFC. On pourrait écrire sur le routage une bonne douzaine d'ouvrages. Ce qui est vraiment remarquable, c'est le fait que le routage sous TCP/IP se passe aussi bien. Un surfeur Internet peut, depuis son bureau, appeler un moteur de recherche (browser) et obtenir une connexion avec un ordinateur situé en Chine ou en Australie de façon transparente vis-à-vis de la multitude des systèmes acheminant sa requête à travers la planète. Même sur les réseaux de dimension modeste, les routeurs assurent le contrôle du trafic et sa rapidité d'acheminement. Voyons quelques concepts indispensables à la compréhension du routage sous TCP/IP.

Qu'est-ce qu'un routeur ?

A quoi ressemble un routeur ? Ce n'est qu'un ordinateur (du moins sous sa forme la plus élémentaire) qui possède deux cartes réseau. Les premiers routeurs étaient en fait des ordinateurs munis de deux ou plusieurs cartes réseau (machines multihôtes). La Figure 9.2 représente un ordinateur multihôte fonctionnant en routeur.

Pour comprendre le routage, il faut tout d'abord se rappeler que l'adresse IP est attachée à la carte réseau et non pas à l'ordinateur. L'ordinateur-routeur de la Figure 9.2 possède deux adresses IP, une pour chaque carte réseau. En fait, les deux cartes réseau peuvent appartenir à des sous-réseaux IP qui correspondent à des réseaux physiques distincts (voir Figure 9.2). Le logiciel protocolaire de la machine multihôte reçoit les messages du sous-réseau A, vérifie les informations relatives à l'adresse IP de destination et, si le destinataire appartient au sous-réseau B, remplit l'en-tête des datagrammes en conséquence. Dans ce scénario, la machine multihôte joue le rôle d'un routeur.

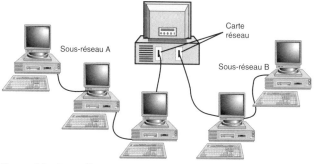

Figure 9.2 : Un ordinateur multihôte fonctionnant en routeur.

Compliquons maintenant le scénario :

- Le routeur possède plus de deux ports (cartes réseau), de façon à interconnecter plus de deux réseaux. Le choix du cheminement des données devient alors complexe, et les liaisons redondantes.

- Les réseaux que le routeur interconnecte sont eux-mêmes en interconnexion avec d'autres réseaux. Le routeur analyse des adresses dc réseaux avec lesquels il n'a pas de lien direct. Il doit donc appliquer une stratégie particulière pour expédier les messages.

- Le réseau des routeurs présente des liaisons multiples, et chaque routeur doit choisir une direction d'expédition des messages.

La configuration assez simple de la Figure 9.2 devient complexe à la Figure 9.3, compte tenu de la nouvelle situation.

Sur les réseaux actuels, la plupart des routeurs sont des ordinateurs multihôtes. Il est plus rentable de confier le routage à un système qui comporte seulement le matériel et les logiciels dédiés à cette tâche.

On utilise souvent une machine multihôte en routeur lorsqu'on lui fait jouer le rôle de serveur téléphonique (voir Chapitre 10, "Connexion au réseau téléphonique").

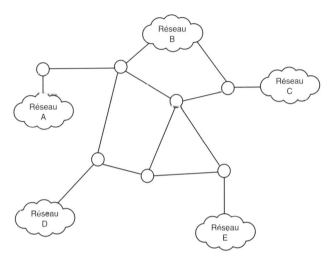

Figure 9.3 : Routage sur un réseau maillé.

Comment fonctionne le routage

Après les rudiments du routage, définissons au mieux le rôle d'un routeur :

1. Le routeur reçoit des messages en provenance des réseaux auxquels il est attaché.

2. Le routeur transmet les données en haut de la pile à la couche Internet, en ignorant les informations de l'en-tête couche accès réseau, et réassemble, si nécessaire, le datagramme IP.

3. Le routeur analyse l'adresse de destination dans l'en-tête IP. Si la destination fait partie du réseau auquel appartient la source, le routeur ne fait rien puisque le message, selon toute probabilité, a transité normalement sur ce réseau.

4. Si le message doit être exporté sur un autre réseau, le routeur consulte sa table de routage pour savoir où l'envoyer.

5. Après avoir défini quelle carte réseau va gérer le message, le routeur le transmet au logiciel de sa couche accès réseau pour expédition sur le réseau correspondant à cette carte.

La Figure 9.4 illustre ce processus. La table de routage mentionnée à l'étape 4 peut sembler être l'élément le plus important du processus. En réalité, la table de routage et le protocole qui l'élabore sont bien les éléments distinctifs d'un routeur. La plupart des discussions au sujet du routage tournent autour de la façon dont les routeurs établissent leurs tables et dont les protocoles de routage assemblent ces informations pour un fonctionnement parfaitement intégré de l'ensemble des routeurs.

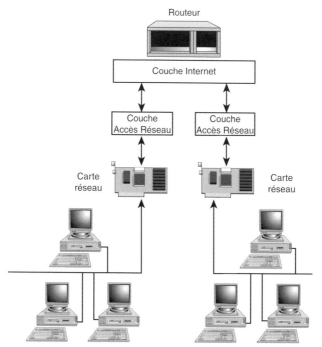

Figure 9.4 : Le routage.

On distingue deux types de routages, selon le mode d'extraction de la table de routage :

- **Routage statique.** Il requiert l'intervention manuelle de l'administrateur pour entrer les informations de routage.

- **Routage dynamique.** La table de routage se constitue à partir d'informations extraites par des protocoles de routage.

Le routage statique est utile dans certaines conditions très particulières. Vu la lourdeur de la méthode, il n'est pas question de travailler "manuellement" sur un réseau qui comporte des centaines de routes dont il faudrait actualiser en permanence les tables de routage.

Les tables de routage

Avant de continuer sur les protocoles de routage dynamique, il nous faut passer en revue quelques concepts importants. Le rôle d'une table de routage ou des autres éléments de routage de la couche Internet est d'acheminer les données vers le réseau adéquat. Lorsque celles-ci sont arrivées sur le réseau en question, des protocoles d'accès réseau de niveau plus bas se chargent de la livraison sur le réseau local. La table de routage n'a donc pas besoin de stocker l'adresse IP complète du destinataire, elle se contente d'une liste d'adresses ID des réseaux à atteindre (voir aux Chapitres 4 et 5 la discussion sur les composants ID hôte et ID réseau de l'adresse IP).

La Figure 9.5 schématise le contenu d'une table de routage type. Une table de routage établit une correspondance entre l'ID du réseau destinataire et l'adresse IP du "prochain bond" que va faire le message, c'est-à-dire l'adresse du prochain arrêt du datagramme sur son chemin vers le destinataire. On remarquera que la table de routage fait une distinction entre les réseaux directement connectés au routeur lui-même et les réseaux qu'il ne peut atteindre que *via* d'autres routeurs. Le "prochain saut" peut être soit le réseau du destinataire (s'il y a connexion directe), soit une étape intermédiaire vers le réseau final. La colonne Interface Port Routeur, sur la Figure 9.5, renvoie au port du routeur sur lequel il expédie les messages.

Destination Prochain saut	Interface Port Routeur
Connexion directe	1
131.100.18.6	3
Connexion directe	2
129.14.16.1	1

Figure 9.5 : Table de routage.

La colonne "prochain saut" explique comment fonctionne une table de routage. Sur un réseau complexe, il peut y avoir plusieurs itinéraires possibles entre deux points. C'est au routeur de choisir dans quelle direction se fera le prochain bond (en avant...). Le routage dynamique permet ce choix, effectué à partir des informations collectées par les protocoles de routage.

> **Une machine hôte, à l'instar d'un routeur, peut détenir des tables de routage plus rudimentaires que celles d'un routeur. Les machines hôtes font généralement appel à un *routeur par défaut* ou à une *passerelle par défaut*. La passerelle par défaut est le routeur qui reçoit le datagramme si celui-ci ne peut être livré sur le réseau local ou à un autre routeur.**

Protocoles de routage

Dans un système totalement hiérarchisé, comme Internet, il n'est pas nécessaire que tous les routeurs fassent le même travail. Sur le système ARPAnet, dont l'évolution a conduit à Internet, un petit groupe de routeurs maîtres constitue une ossature d'interconnexion, un ensemble de passerelles hiérarchisées appelé *noyau*, qui relie des réseaux de configurations diverses pratiquant l'autogestion. Le rôle d'un routeur noyau est différent de celui d'un routeur intégré à l'un de ces réseaux. Les routeurs qui interconnectent les réseaux "autonomes" jouent encore un autre rôle. La Figure 9.6 décrit l'architecture dont nous parlons, avec ses types de routeurs. Chaque type a des besoins différents et utilise un protocole spécifique pour former ses itinéraires. Il est important aussi de remarquer que les routeurs qui font partie d'un des réseaux autonomes peuvent être configurés hiérarchiquement. L'administrateur d'un réseau autonome est libre de choisir une configuration de routeur qui convient à son réseau, et de choisir les protocoles de routage en conséquence.

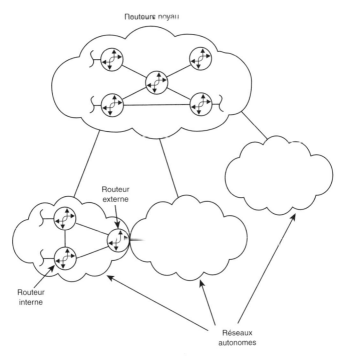

Figure 9.6 : Architecture de routage Internet.

Les routeurs et leurs protocoles peuvent être classés de la manière suivante :

- **Routeurs noyau.** Ils détiennent toutes les informations sur les autres routeurs noyau. La table de routage recense les liens entre réseaux autonomes et réseau des routeurs noyau. Ces routeurs n'ont aucune information sur les routes internes des réseaux autonomes. Parmi les protocoles de routage des routeurs maîtres, on rencontre le *Gateway to Gateway Protocol*, GGP, protocole de passerelle à passerelle, ainsi que le récent SPREAD.

- **Routeurs externes.** Ils relient des réseaux autonomes, conservent et mettent à jour les informations relatives à leurs réseaux et aux réseaux adjacents, mais ne possèdent pas de carte globale de l'ensemble interconnecté. Ils utilisaient jusqu'à présent un protocole appelé *Exterior Gateway Protocol*, EGP, protocole de passerelle externe, mais ils évoluent vers de nouveaux protocoles, que l'on continue d'appeler EGP.

- **Routeurs internes.** Routeurs d'un réseau autonome qui échangent entre eux des informations de routage. Ils font appel à des protocoles appelés IGP, *Interior Gateway Protocoles*, protocoles de passerelle interne, comme RIP et OSPF, dont nous allons parler.

RIP (Routing Information Protocol), protocole d'information de routage

RIP est un protocole de routage sur le plus court chemin. Il décide du prochain saut de façon que le message effectue un minimum de sauts entre source et destination. Chaque routeur distribue ses informations sur lui-même et sur le nombre de sauts qui le sépare des autres routeurs. Lorsqu'un routeur reçoit des informations en provenance d'un routeur voisin, il incrémente de 1 unité le nombre de sauts, puis passe cette valeur à son entourage. Ainsi, les routeurs connaissent en permanence le nombre de sauts qui sépare leurs ports du réseau de destination, et ils peuvent donc optimiser la route que va suivre un message.

 D'autres protocoles de routage minimal prennent en compte la bande passante du réseau et l'heure de demande d'accès pour choisir la meilleure route d'acheminement.

RIP est un protocole de routage sous TCP/IP, en cours de remplacement progressif par OSPF.

OSPF (Open Shortest Path First), le plus court chemin d'abord

OSPF est en train de remplacer progressivement RIP sur la plupart des réseaux ; il est appelé *protocole route-link*, que l'on pourrait traduire par "inforoute".

Sous protocole route-link, chaque routeur émet périodiquement des informations sur son status et sur l'état des routes qui le relient aux routeurs auxquels il est directement connecté. Chaque routeur reçoit l'ensemble des mises à jour de ces status et se crée une carte de situation-réseau. Ce type de protocole a pour avantage d'éviter aux routeurs intermédiaires d'effectuer des incrémentations du nombre de sauts prévu à partir des informations en provenance des autres routeurs. La quantité d'informations redondantes est alors réduite, ce qui va dans le bon sens quant à la bande passante disponible du réseau, qu'on libère ainsi au profit des données utiles. OSPF supporte donc un trafic bien plus important que RIP.

Résumé

Nous avons traité, dans ce chapitre des dispositifs d'interconnexion, des routeurs et des ponts. Nous avons vu comment fonctionne le routage, passé en revue quelques types de routeurs et de protocoles de routage.

Questions-réponses

Q J'ai un ami qui travaille sur un sous-réseau modeste connecté à un réseau plus important muni d'un routeur. Il travaille sous TCP/IP et NetBEUI. Je lui ai demandé s'il ne vaudrait pas mieux qu'il ait un B-routeur, ce qui lui permettrait d'envoyer des messages NetBEUI aussi bien que TCP/IP. "Pas question !" m'a-t-il répondu. Pourquoi n'envisage-t-il pas de travailler sous NetBEUI ?

R Pour des raisons de sécurité ou de capacité, un administrateur de réseau souhaite parfois travailler sous protocole non routable sur son réseau local, et sous protocole routable pour communiquer avec l'extérieur. Votre ami préfère la non-routabilité de NetBEUI ; avec un B-routeur, les services NetBEUI ne seraient plus isolés.

Q Combien d'adresses IP peut avoir une passerelle réseau ?

R Une passerelle réseau a autant d'adresses IP que de cartes réseau.

Q Pourquoi les routeurs noyau d'Internet n'utilisent-ils pas le routage statique ?

R Parce que ce système ne permet pas de gérer la complexité du routage sur un réseau aussi vaste que dense.

Mots clés

- **Pont.** Passerelle qui achemine les données en exploitant une adresse physique.

- **B-routeur.** Passerelle qui route les protocoles routables et ponte les protocoles non routables.

- **Routage dynamique.** Méthode de routage au moyen d'informations fournies en ligne de protocole en protocole.

- **Machine multihôte.** Machine qui possède une multiplicité de cartes réseau.

- **OSPF.** Protocole courant de routage interne de type link-state.

- **RIP.** Protocole interne d'optimisation de cheminement.

- **Routeur.** Passerelle qui achemine les données selon leur adresse logique (adresse IP sous TCP/IP).

- **Protocole de routage.** Protocole utilisé par les routeurs pour collecter les informations de routage.

- **Table de routage.** Table gérée par le routeur qui définit des routes réseau en fonction des adresses ID réseau.

- **Routage statique.** Méthode de routage manuelle dans laquelle l'administrateur assigne le chemin que doit suivre un message.

Chapitre 10

Connexion au réseau téléphonique

Au sommaire de ce chapitre

- Qu'est-ce qu'une connexion point à point ?

- Différences entre un protocole téléphonique et un protocole dédié LAN

- Comparaison des premières procédures d'accès hôte sur téléphone et des méthodes actuelles sous SLIP et PPP

- Le format de données SLIP

- Caractéristiques de SLIP

- Enumération des composants logiciels de PPP

- Le format de données PPP

- Les caractéristiques de PPP

Le réseau téléphonique est le moyen d'accès le plus courant pour les réseaux sous TCP/IP. Nous allons étudier ici les modems (modulateur-démodulateur) et leur fonctionnement sous TCP/IP. Nous verrons aussi deux protocoles de liaison téléphonique, SLIP (*Serial Link Internet Protocol*), protocole liaison série Internet, et PPP (*Point to Point Protocol*), protocole de liaison point à point.

Les modems

L'utilisateur se connecte au réseau TCP/IP (Internet) grâce à un réseau qui existe depuis longtemps : le téléphone. C'est désormais le moyen d'accès universel pour les machines fixes comme pour les machines portables. C'est aussi la solution économique exploitée sur les réseaux d'entreprises ou par les gens qui voyagent ou pratiquent le télétravail depuis leur domicile.

Un modem permet de raccorder une machine à un réseau par ligne téléphonique. Les modems ont été créés en raison de l'énorme intérêt qu'il y avait à faire communiquer tous les ordinateurs de la planète sur le système de communication le plus répandu: le téléphone. Le raccordement ne peut se faire directement, parce que les signaux numériques générés par les ordinateurs ont des caractéristiques totalement inadaptées aux possibilités du réseau téléphonique, lequel n'achemine que des signaux analogiques, d'amplitudes et de fréquences aussi diverses que variées. Un modem effectue donc une conversion digitale/analogique au départ et une conversion analogique/digitale à l'arrivée de la liaison téléphonique. Modem est l'acronyme de MOdulateur-DEModulateur.

 Il existe des modems pour d'autres types de transmission, telles les liaisons par câble coaxial ou fibre optique.

Connexion point à point

Nous l'avons vu au Chapitre 3, "La couche accès réseau", les réseaux locaux (Ethernet, anneaux à jeton...) font appel à des stratégies d'accès élaborées pour permettre aux machines de partager le support physique du réseau, la ligne. Une fois la communication instaurée, le dialogue se fait sur une ligne établie, où il n'y a plus de compétition entre machines. Il s'agit là d'une liaison point à point (voir Figure 10.1).

Figure 10.1 : Connexion point à point.

Une connexion point à point est un réseau minimal : sa configuration est plus simple que celle d'un réseau local (LAN) puisqu'il n'y a plus besoin de partager la ligne entre plusieurs machines. Une liaison téléphonique impose cependant plusieurs contraintes. L'une des plus importantes concerne le débit d'une ligne téléphonique qui est beaucoup plus faible que celui d'une liaison Ethernet, telle qu'elle est utilisée sur les LAN. Un protocole de communication sur le réseau téléphonique doit donc tout faire pour éviter de surcharger la ligne pour ses propres besoins de fonctionnement. Nous allons voir plus loin que les modems sont devenus de plus en plus rapides et offrent désormais des services diversifiés.

Les protocoles de liaison téléphonique doivent eux aussi faire face à la multiplicité des logiciels et des matériels qu'ils doivent supporter. L'administrateur d'un réseau local veille en permanence sur la configuration de chaque machine ; le bon fonctionnement du système de protocoles dépend fortement de l'homogénéité d'ensemble des machines qui sont sur le réseau. Les demandes de connexion provenant du monde entier, les protocoles doivent travailler avec une grande variété de machines et de logiciels.

Les protocoles de modems

Vous vous demandez peut-être pourquoi la connexion point à point de deux ordinateurs pourrait avoir besoin de la pile TCP/IP... En fait, elle n'en a nul besoin.

Les premiers protocoles modems fournissaient une méthode de transmission d'informations sur une ligne téléphonique. L'adressage logique et les contrôles d'erreurs inter-réseaux de TCP/IP étaient alors inutiles, à la limite de l'indésirable. L'arrivée des réseaux locaux, puis d'Internet, a naturellement fait du téléphone le moyen évident d'offrir des accès réseau. Les premières versions d'accès distant n'étaient que des extensions des premiers protocoles modems. Selon le schéma originel d'accès hôte par téléphone, la machine dédiée au réseau était chargée de mettre en forme les données avant de les fournir au réseau. La machine distante fonctionnait comme un terminal (voir Figure 10.2), pilotant les hôtes en réseau dans leurs tâches de gestion, recevant et expédiant les données sur modem de façon indépendante.

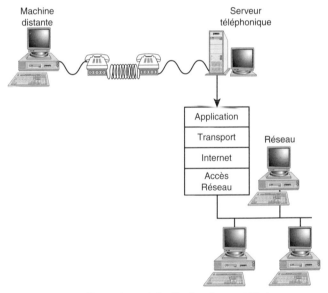

Figure 10.2 : Configuration originelle d'accès par téléphone.

Ces procédures présentaient cependant quelques restrictions. Elles reflétaient l'architecture originale des ordinateurs, lorsque la centralisation primait : la machine qui fournissait des accès réseau était sous forte pression (imaginez la Figure 10.2 avec plusieurs machines distantes connectées au serveur téléphonique). D'autre part, ces procédures exploitaient de façon inefficace la puissance de traitement de la machine distante.

Avec TCP/IP et d'autres protocoles routables, une solution de rechange fut imaginée, qui donnait à la machine distante davantage de responsabilité dans la gestion réseau, tandis que le serveur téléphonique tenait plutôt le rôle de routeur. Cette solution (voir Figure 10.3) semblait réalisable avec le tout nouveau paradigme de la décentralisation informatique et les orientations profondes de TCP/IP. En effet, dans cette configuration, la machine distante gère sa propre pile de protocoles ; les protocoles modems jouant le rôle de couche accès réseau. Le serveur téléphonique reçoit les données et les expédie vers le grand réseau.

Les protocoles téléphoniques ont donc commencé à fonctionner directement sous TCP/IP, et sont devenus partie intégrante de la pile. Nous allons nous intéresser à deux des protocoles pour modem téléphonique les plus répandus :

- **SLIP** (*Serial Link Internet Protocol*)**, protocole Internet de liaison série.** Un des premiers protocoles du genre sous TCP/IP. Sa simplicité explique ses limitations, que nous détaillerons plus loin.

- **PPP** (*Point to Point Protocole*). Le protocole de connexion modem le plus populaire. Il offre de nombreux services qui n'étaient pas disponibles chez son prédécesseur.

PPP est en train de remplacer progressivement SLIP sur Internet.

 SLIP et PPP ont été tous deux construits à partir de protocoles se chargeant des détails de modulation/démodulation du signal. Ces protocoles de communication série fournissent ce qu'on pourrait appeler des *fonctions de couche Physique OSI*.

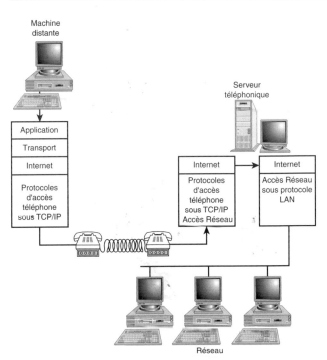

Figure 10.3 : Connexion téléphonique sous TCP/IP.

SLIP (Serial Line Internet Protocol)

SLIP correspond à une tentative d'intégration directe des protocoles modems à TCP/IP. La société 3COM l'a d'abord commercialisé sous la marque UNET TCP/IP. Le protocole SLIP a été ensuite implanté sur les systèmes UNIX de Berkeley. Depuis, il s'est généralisé dans le monde UNIX ainsi que dans le domaine des compatibles.

La technologie SLIP est aujourd'hui considérée comme quelque peu dépassée. Elle fonctionne bien, et, dans certains cas, sa simplicité est un avantage. SLIP survit en raison de ses liens avec UNIX et des investissement importants qu'ont fait à l'époque certaines sociétés pour être "en ligne".

Que fait SLIP ?

SLIP transmet des datagrammes sur la ligne *via* un modem. SLIP n'assure ni contrôle d'adresse, ni contrôle d'erreurs, se reposant pour cette dernière tâche sur les couches supérieures du protocole. SLIP expédie simplement les données, puis transmet un signal de fin de message.

La Figure 10.4 représente le format des données sous SLIP. Un caractère spécial END (valeur 192) indique la fin des données. Si le caractère END apparaît en cours de message en tant que donnée, SLIP place un caractère ESC avant ce END pour que la transmission ne soit pas considérée comme terminée par la machine destinataire.

Figure 10.4 : Format de données SLIP.

 Le caractère ESC utilisé par SLIP n'a rien à voir avec la touche Esc du clavier de votre machine.

Les RFC n'imposent aucune limitation standard à la longueur d'un paquet de données SLIP, sauf en ce qui concerne le driver SLIP UNIX pour lequel la RFC 1055 recommande un maximum de 1 006 octets, caractères de fin de trame non compris.

Les développeurs des implémentations SLIP définissent une longueur maximale et une configuration qui varient de l'une à l'autre. A la différence de PPP, SLIP ne permet pas aux machines d'adapter de façon dynamique la configuration de leur connexion. Il en résulte que les configurations sous SLIP ne sont pas toujours compatibles.

Caractéristiques de SLIP

SLIP a survécu au fil des ans, et la liste de ses qualités initiales est devenue, face à la technologie actuelle, une liste d'inconvénients.

La RFC 1055 identifie les caractéristiques de SLIP de la manière suivante :

- **Adressage.** Les deux machines doivent connaître chacune l'adresse IP de l'autre. SLIP ne supporte pas la désignation dynamique des adresses IP. D'où son impossibilité de fonctionner dans les transactions téléphoniques des fournisseurs d'accès (providers) d'Internet qui allouent les adresses IP aux utilisateurs pendant la durée de la connexion. SLIP est incapable de gérer cette allocation d'adresse.

- **Identification de type.** Comme le dit la RFC 1055 : "SLIP n'a pas de champ Type". SLIP n'offrant aucun moyen d'identifier le type de protocole, il lui est impossible de supporter simultanément plusieurs protocoles. SLIP ne peut multiplexer/démultiplexer d'autres protocoles fonctionnant sous TCP/IP.

- **Détection/correction d'erreurs.** SLIP ne gère pas les erreurs. Nous l'avons vu dans les chapitres précédents, certains contrôles d'erreurs sont pratiqués au niveau des couches supérieures de protocole ; ces contrôles ne sont donc pas indispensables au niveau de la transmission sur modem. Il existe cependant des services qui supposent de la part des protocoles d'accès un contrôle des erreurs de transmission au niveau de la liaison physique. Le fait pour SLIP de s'appuyer uniquement sur le système de correction de la couche supérieure de TCP (voir Chapitre 7, "TCP et UDP") risque d'induire un nombre important de retransmissions, ce qui réduit la performance de la liaison par modem, dispositif déjà lent par lui-même.

- **Compression de données.** La transmission sur ligne téléphonique n'étant pas rapide, tous les moyens de réduction du volume d'informations transmis sont les bienvenus. Les champs des en-têtes TCP et IP sont parfois redondants, et on peut en comprimer les contenus. SLIP ne supporte pas la compression des en-têtes.

L'industrie des réseaux a corrigé les lacunes de SLIP en développant PPP.

PPP (Point to Point Protocol)

Lors du développement de PPP, protocole point à point, les informaticiens avaient une idée assez précise des besoins à satisfaire pour un réseau alors émergeant : l'Internet. Les modems et les lignes téléphoniques étaient en train de devenir plus "rapides" et pouvaient donc absorber la surcharge "protocolaire". PPP venait corriger les défauts de SLIP.

Les spécialistes voulaient aussi que PPP autorise la configuration transactionnelle de la liaison en début de connexion ainsi que la gestion de cette liaison pendant la durée de la session.

Comment travaille PPP

PPP est vraiment une collection de protocoles qui fournissent une foule de services réseau fonctionnant sur modem. La conception de PPP a évolué au fil d'une série de RFC. Le standard normal correspond à la RFC 1661 ; les documents qui ont suivi ont clarifié et étendu les composants de PPP. La RFC 1661 classe ces composants en trois catégories :

- **Une méthode d'encapsulation de datagrammes multiprotocoles.** SLIP et PPP acceptent tous deux des datagrammes afin de les préparer pour Internet, mais PPP, à la différence de SLIP, sait accepter des datagrammes sous une multiplicité de protocoles.

- **Un protocole de contrôle-liaison, LCP** *(Link Control Protocol)*. Sert à établir, à configurer et à tester la connexion. PPP négocie les paramètres de la configuration, ce qui élimine les problèmes d'incompatibilité rencontrés avec SLIP.

- **Une famille de protocoles de contrôle-réseau, NCP** *(Network Control Protocol)*. NCP supporte les systèmes de protocoles des couches supérieures. PPP peut être stratifié en sous-couches offrant des interfaces différentes à TCP/IP et à d'autres suites, comme par exemple IPX/ISX.

Examinons maintenant ces composants.

Données PPP

La mission essentielle de PPP, comme de SLIP, est d'envoyer des datagrammes. PPP doit même envoyer des types variés de datagrammes, comme un datagramme IP ou un autre respectant le type couche Réseau OSI.

 Les RFC relatives à PPP utilisent le mot *paquet* pour désigner les données transmises dans une trame PPP. Un paquet peut être constitué d'un datagramme de type IP (ou de tout autre type protocolaire de couche supérieure) ou de données formatées selon un protocole quelconque, compatible avec PPP. Le terme *paquet* désigne de façon imprécise tout ce qui transite sur un réseau, tandis que le terme *datagramme* désigne des données formatées de façon bien précise, comme nous l'avons vu précédemment. Cependant, les paquets de données sous PPP ne sont pas tous des datagrammes, et c'est pourquoi nous parlerons de *paquets* pour rester proche des RFC.

PPP doit aussi acheminer des informations relatives à ses propres protocoles, ceux qui établissent et gèrent la connexion *via* modem. Les dispositifs de communication échangent plusieurs types de messages et de requêtes en cours de connexion sous PPP. Les machines qui dialoguent doivent échanger des paquets LCP pour établir, gérer et clore la connexion, des paquets d'authentification à l'intention de logiciels optionnels d'authentification de PPP, et des paquets NCP qui interfacent PPP avec des suites de protocoles divers. Les données LCP échangées en début de connexion définissent les paramètres de connexion communs à tous les protocoles. Les protocoles NCP définissent ensuite les paramètres spécifiques des suites de protocoles supportées par la connexion PPP.

Le format des données sous PPP apparaît sur la Figure 10.5. Les champs de la trame sont les suivants :

- **Protocole.** Un champ de un ou deux octets identifiant par une valeur le type de protocole du paquet transmis. Les types possibles sont LCP, NCP, IP ou un paquet de la couche Réseau OSI.

L'autorité IANA entretient une liste de nombres définissant les divers types de protocoles.

- **Données utiles (zéro octets, ou plus) du datagramme.** Issu de la couche supérieure du protocole transmis avec la trame.

- **Bourrage.** Des octets de complément de mise à longueur (optionnels) suivant spécification du protocole désigné dans le champ type, dont celui-ci se débarrassera pour ne traiter que l'information utile.

Protocole 1-2 octets	Données utiles	Bourrage

Figure 10.5 : Format de données sous PPP.

Nous ne traiterons pas ici des datagrammes formatés sous d'autres protocoles que TCP/IP.

Connexions sous PPP

Le cycle de vie d'une connexion sous PPP est le suivant :

1. La connexion est établie au moyen d'un dialogue LCP (voir ci-dessous).

2. Si, à la suite de ce dialogue, une authentification des messages a été demandée, les machines exécutent une phase d'authentification. La RFC 1661 propose l'option Protocole d'authentification de mot de passe, PAP (*Password Authentification Protocol*), ainsi que l'option Protocole d'authentification de poignée de main, CHAP (*Challenge Handshake Authentification Protocol*). Le protocole PPP supporte d'autres protocoles d'authentification, comme le spécifie la RFC 1340 dans "The Assigned Numbers Standard".

3. PPP utilise des paquets NCP pour communiquer les informations de configuration spécifiques de la suite de protocole utilisée (par exemple TCP/IP ou IPX).

4. PPP transmet les datagrammes qu'il reçoit des protocoles de couche supérieure. Si le dialogue de la phase 1 a conclu à la mise en œuvre d'une procédure de contrôle de la qualité de la transmission, les protocoles concernés transmettent les informations pertinentes. NCP peut aussi transmettre des informations spécifiques de certains protocoles.

5. PPP ferme la connexion par un échange de paquets de clôture LCP.

LCP (Link Control Protocol)

La puissance et la versatilité de PPP proviennent des fonctions LCP qui établissent, gèrent et terminent les connexions. La RFC 1661 identifie trois types de paquets LCP :

- les paquets de configuration de la liaison ;

- les paquets de terminaison de la liaison ;

- les paquets de gestion de la liaison.

La plupart des caractéristiques de PPP qui n'étaient pas disponibles sous SLIP proviennent des fonctions de LCP. La Figure 10.6 explique comment LCP établit une liaison entre deux machines au moyen d'un échange de paquets de configuration. La machine A envoie une requête de configuration (paquet LCP) à la machine B. La requête propose une discussion sur l'ensemble des paramètres de connexion que A veut fixer, en particulier le MRU, *Maximum Receive Unit*, longueur maximale des données placées dans une trame, le protocole d'authentification, le protocole de contrôle qualité, les réglages des protocoles de compression de données et diverses options de configuration, telles celles décrites dans la RFC 1340, "Assigned Numbers, Std 2".

Si la machine B accepte l'ensemble des options proposées dans le paquet de configuration, elle renvoie un paquet d'accusé de réception, A/R de configuration. Si elle reconnaît l'ensemble des options proposées, mais en rejette certaines, elle renvoie un non-A/R accompagné d'une liste des paramètres litigieux, assortie de

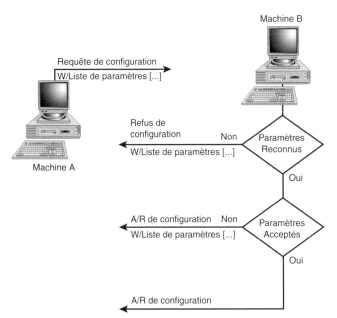

Figure 10.6 : Configuration LCP d'une connexion.

contre-propositions. A répond à ce non-A/R avec une nouvelle proposition de configuration, dont les valeurs sont modifiées. Le processus continue jusqu'à l'acceptation d'un ensemble de valeurs convenant aux deux parties.

Si le paquet de requête de configuration comporte des options qui ne peuvent être reconnues, la machine B renvoie un paquet de rejet qui énumère les options qu'elle ne peut accepter.

La Figure 10.7 représente le format d'un paquet LCP. La connexion modem fait intervenir plusieurs types de paquets LCP, identifiés par leur champ code. Le Tableau 10.1 donne la liste de ces codes et l'objet du paquet LCP correspondant.

Le champ code de la Figure 10.7 identifie le type du paquet et sert à mettre en correspondance les requêtes avec les accusés de récep-

Code (1-octet)	Identification (1-octet)	Longueur (2-octets)	Données (x octets)...

Figure 10.7 : Format du paquet LCP.

tion. Le champ d'identification et le champ longueur sont exploités pour reconnaître les paquets dont le contenu est variable.

Tableau 10.1 : Codification de type des paquets LCP

Code	Description
1	Requête de configuration
2	A/R de configuration
3	Non-A/R de configuration
4	Rejet de configuration
5	Requête de fin de connexion
6	A/R de fin de connexion
7	Rejet de code
8	Rejet de protocole
9	Demande d'écho
10	Réponse écho
11	Requête d'abandon

LCP gère donc la configuration de la liaison et la qualité de la communication au moyen de l'ensemble de ces paquets "de service".

Résumé

Nous avons vu dans ce chapitre la connexion sur réseau téléphonique, les modems, les liaisons point à point et l'utilisation de deux protocoles TCP/IP œuvrant dans ce domaine : SLIP et PPP. Après avoir énuméré les qualités et les faiblesses de SLIP, nous avons détaillé le fonctionnement de PPP, un nouveau protocole qui supporte la configuration dynamique de la liaison ainsi qu'une multitude de protocoles.

Questions-réponses

Q Pourquoi SLIP et PPP n'exigent-ils pas un adressage physique complet, à l'instar des systèmes qui fonctionnent avec Ethernet ?

R Une connexion point à point ne requiert pas de système d'adressage aussi élaboré qu'Ethernet en raison du type de liaison qui n'intéresse qu'un couple de machines isolées sur une ligne téléphonique. SLIP et PPP sont parfaitement capables de supporter l'adressage logique au moyen du protocole IP ou de tout autre protocole de couche Réseau.

Q Pourquoi PPP fait-il appel à NCP pour régler les paramètres spécifiques au protocole et non pas à LCP en cours d'établissement de la connexion ?

R LCP n'effectue que des tâches de configuration générales, communes à tous les protocoles. Les tâches particulières font donc appel aux paquets émis par NCP. Cette répartition des tâches optimise l'amorce des connexions, puisque ne seront traités que les paramètres indispensables à la configuration.

Q Pourquoi ne serait-il pas avisé de choisir SLIP pour gérer la connexion aux services en ligne d'Internet ?

R La plupart des ISP assignent une adresse temporaire IP au moment de la connexion. SLIP ne supportant pas l'adressage dynamique, il ne serait pas efficace dans ce cas.

Mots clés

- **LCP** (*Link Control Protocol*). Protocole de PPP qui établit, gère et conclut les liaisons sur réseau téléphonique.

- **MRU** (*Maximum Receive Unit*). Longueur maximale des données d'une trame PPP.

- **Modem.** Système de conversion des signaux numériques en signaux analogiques.

- **NCP** (*Network Control Protocol*). Ensemble de protocoles d'interface entre PPP et des suites de protocoles spécifiques.

- **Connexion point à point.** Echange entre deux machines seules à communiquer sur une ligne.

- **PPP** (*Point to Point Protocol*). Protocole d'appel téléphonique sous TCP/IP. Le protocole PPP est plus récent et plus puissant que SLIP.

- **SLIP** (*Serial Line Internet Protocol*). Ancien protocole d'appel téléphonique sous TCP/IP.

Partie III

Les utilitaires TCP/IP

Chapitre 11

Utilitaires de connexion TCP/IP

Au sommaire de ce chapitre

- IPConfig
- Ping
- ARP
- TraceRoute
- Route
- Hostname
- NetSat
- Net Use/View
- NBTStat
- Network Monitor

- Exploiter les utilitaires de connexion pour la maintenance réseau

Ce chapitre est consacré à dix utilitaires TCP/IP de configuration et de maintenance. Ces outils sont indispensables à l'identification des problèmes de connexion, à l'analyse des communications entre les nœuds d'un réseau et à la vérification des paramètres communication des machines d'un réseau.

Selon les résultats d'exécution et les traitements effectués par ces utilitaires, vous saurez mettre en évidence les causes de dysfonctionnement du réseau.

La partie intitulée "Les utilitaires de connexion pour le dépannage", plus loin dans ce chapitre, présente plusieurs techniques d'identification des avaries d'un réseau.

 Les développeurs de logiciels TCP/IP commercialisent des implémentations d'utilitaires qui peuvent présenter des différences notables avec ce qui est exposé ici. Aucune spécification d'utilitaires n'existe dans les RFC, ce qui explique ces variations. Sauf exception, les options et les écrans présentés dans ce chapitre viennent de Windows NT 4.0 Server. Lisez la documentation qui accompagne votre logiciel TCP/IP pour connaître les paramètres et les options disponibles sur vos utilitaires.

IPConfig

L'utilitaire IPConfig ainsi que son homologue WinIPCfg de GUI (*Graphic User Interface*) Windows 95/98 affichent les paramètres de configuration TCP/IP. Il permet de vérifier que les valeurs entrées à la main ont été prises en compte. Cet utilitaire se révèle bien plus intéressant si votre machine emprunte les adresses IP et les paramètres associés auprès d'un serveur sous DHCP, *Dynamic Host Configuration Protocol*, protocole de configuration dynamique hôte. IPConfig permet de vérifier l'emprunt correct d'une adresse IP. Pour tester et dépanner une machine sur un réseau, il faut en effet connaître son adresse IP courante, son masque de sous-réseau et sa passerelle par défaut. Voici quelques-unes des options les plus utiles.

- **Défaut (pas d'options).** Lorsqu'on lance IPConfig, il donne, par défaut, l'adresse IP, le masque de sous-réseau et la passerelle par défaut pour chacune des interfaces configurées (voir Figure 11.1, en haut).

- **All.** Lorsque l'option IPConfig/all est invoquée, IPConfig affiche d'autres informations : les adresses IP des serveurs DNS et WINS auxquels il est rattaché ainsi que les adresses physiques des cartes réseau du réseau local. Lorsqu'il s'agit d'adresses allouées par un serveur DHCP, IPConfig affichera l'adresse IP de ce serveur et la date de péremption de cette adresse (voir Chapitre 21).

```
Command Prompt                                          _ □ ×
C:\>ipconfig

Windows NT IP Configuration

Ethernet adapter Elnk31:

        IP Address. . . . . . . . . : 192.59.66.200
        Subnet Mask . . . . . . . . : 255.255.255.0
        Default Gateway . . . . . . : 192.59.66.1

C:\>ipconfig /all

Windows NT IP Configuration

        Host Name . . . . . . . . . : instructor.earthlink.net
        DNS Servers . . . . . . . . : 206.85.92.79
                                      206.85.92.2
                                      149.174.211.5
        Node Type . . . . . . . . . : Broadcast
        NetBIOS Scope ID. . . . . . :
        IP Routing Enabled. . . . . : No
        WINS Proxy Enabled. . . . . : No
        NetBIOS Resolution Uses DNS : No

Ethernet adapter Elnk31:

        Description . . . . . . . . : ELNK3 Ethernet Adapter.
        Physical Address. . . . . . : 00-20-AF-27-BB-B5
        DHCP Enabled. . . . . . . . : No
        IP Address. . . . . . . . . : 192.59.66.200
        Subnet Mask . . . . . . . . : 255.255.255.0
        Default Gateway . . . . . . : 192.59.66.1
```

Figure 11.1 : Commandes `ipconfig` et `ipconfig/all`.

- `release` et `renew`. Ces deux switches optionnels ne concernent que les machines qui ont reçu leur adresse IP d'un serveur

DHCP. Si l'on entre au clavier ipconfig/release, toutes les adresses IP allouées aux interfaces sont "restituées" au(x) serveur(s) DHCP (elles redeviennent libres). De même, si l'on entre ipconfig/renew, la machine locale tente de joindre un serveur DHCP pour obtenir une adresse. Soyez conscient que, dans la plupart des cas, les cartes réseau se verront assigner la même adresse que celle qu'elles avaient auparavant.

Les commandes release et renew peuvent agir sur une seule carte réseau lorsque la machine sur laquelle on travaille en comporte plusieurs. La carte réseau Elnk31, par exemple, peut restituer ou renouveler son adresse au moyen, respectivement, des commandes ipconfig/release Elnk31 et ipconfig/renew Elnk31.

Sous Windows 95 ou 98, on entre la commande `winipcfg` au lieu de `ipconfig` ; on obtient une fenêtre qui affiche les mêmes informations que `ipconfig`, offrant les mêmes options de libération et de renouvellement d'adresses. Le kit ressources de Windows NT offre une fenêtre du même genre ; cet utilitaire se nomme WNTIPCfg (voir Figure 11.2). Sur les systèmes fonctionnant sous UNIX ou des systèmes d'exploitation analogues, on peut se servir de l'utilitaire IPConfig pour obtenir des informations sur la configuration de TCP/IP (voir pour cela le Chapitre 18, "TCP/IP sur UNIX et Linux").

Ping

L'utilitaire Ping détermine si l'hôte local est en mesure d'échanger (émettre et recevoir) des datagrammes avec un autre hôte. Cette information permet de vérifier si la configuration de certains paramètre de TCP/IP est correcte ou non.

Ping (impulsion sonore) est un terme emprunté aux sonars, systèmes de détection acoustique d'objets sous-marins. C'est aussi l'acronyme issu de *Packet Internet Groper*, que l'on pourrait traduire par *chercheur de paquets Internet*...

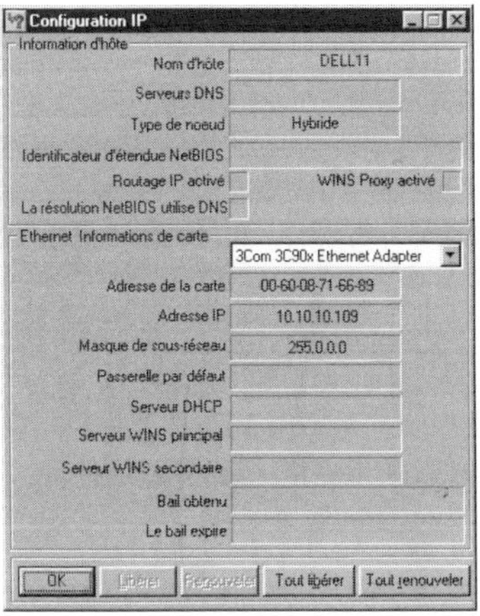

Figure 11.2 : Fenêtre Configuration IP sous Windows.

Il ne faut pas croire, cependant, qu'un coup de Ping réussi sur un hôte de temps en temps prouve que la configuration de TCP/IP est correcte. Il faut utiliser Ping sur les hôtes locaux aussi bien que sur les hôtes distants pour s'en assurer.

Ping est un bon outil de contrôle des capacités de communication d'une machine. Son utilisation suppose que les deux couches inférieures de la pile TCP/IP soient opérationnelles. Même s'il existe des problèmes avec TCP, UDP ou les applications des couches supérieures, Ping peut encore fonctionner, et surmonter les difficultés éventuelles au niveau de la couche accès réseau, de la carte réseau, du raccordement ou même des routeurs, ce qui, par étape, conduit à la localisation d'une panne.

Ping envoie des datagrammes vers un hôte lorsqu'on invoque la requête d'écho ICMP (voir ICMP au Chapitre 4). Si l'hôte destinataire est présent et en état de marche, il émet une réponse écho ICMP. Ping affiche des statistiques sur le nombre de datagrammes perdus et le temps de réponse exprimé en millisecondes.

Ping, dans sa configuration Windows NT par défaut, envoie quatre requêtes d'écho, composées de 32 octets. Quatre réponses, logiquement, sont attendues. Il n'est pas rare de n'en recevoir que trois, voire moins. Ceci n'est pas nécessairement le symptôme d'une avarie, car IP fait de son mieux pour assurer la livraison des messages, sans la garantir. De plus, si les datagrammes se perdent régulièrement, TCP/IP est contraint de renouveler leur émission, même dans des conditions d'exploitation normales, ce qui alourdit et ralentit le trafic sur le réseau.

Ping affiche également la durée de vie, ou TTL, *Time To live*, du paquet, c'est-à-dire le nombre de routeurs qu'il peut "fréquenter" avant d'être éliminé. La valeur du paramètre TTL permet aussi de savoir combien de routeurs ont contribué à l'acheminement d'un message. Si, par exemple, certains paquets reviennent avec un TTL de 119, vous pourrez sûrement en déduire que le message a quitté sa source avec un TTL initial de 128 (le multiple de 2 le plus proche). Une simple soustraction indique que la source se trouve à neuf sauts de routeur de votre machine. L'utilitaire TraceRoute, que nous verrons plus loin, vous permettra de confirmer ou infirmer votre conjecture.

Si vous recevez des échos de Ping avec un TTL proche de 0, disons 2 ou 1, cela peut révéler des erreurs réseau lors de tentatives multiples de transmission. Supposons donc que je "pingue" une adresse IP à Hongkong sur une machine qui émet des paquets avec un TTL de 32. Imaginons, de plus, que le chemin le plus court entre Hong Kong et la machine d'où part mon "ping" emprunte 30 routeurs et que les datagrammes qui suivent cet itinéraire arrivent chez moi avec un TTL de 2. Du fait que chaque datagramme est susceptible de suivre des chemins divers et variés une fois qu'il a quitté sa source, certains d'entre eux ont pu emprunter un chemin voisin qui passe par 35 routeurs, et expirent donc bien avant d'atteindre ma machine. Cela entraîne la réémission du datagramme un certain nombre de fois jusqu'à ce qu'il emprunte (enfin !) un chemin compatible avec sa valeur TTL de 32.

On exploite Ping en situation de dépannage ou de test au moyen de commandes spécifiques. Si l'ensemble des commandes invoquées reçoivent des réponses satisfaisantes, on peut en déduire que la configuration locale et le processus de connexion réseau sont corrects. Dans le cas contraire, Ping permet de localiser les défauts.

La copie d'écran qui suit illustre la procédure d'utilisation des commandes ping en dépannage et montre les informations obtenues lorsque l'utilitaire s'exécute. On commence généralement par un ipconfig avant d'invoquer les commandes ping, pour avoir l'affichage de l'adresse IP de la machine et de la passerelle par défaut. Ces deux valeurs sont nécessaires pour la suite des opérations. Dans l'exemple qui nous occupe, la machine locale a une adresse IP de valeur 207.217.151.5 et la passerelle par défaut a pour adresse 207.217.151.1.

```
Command Prompt                                           _ □ ×
C:\>ping 127.0.0.1

Pinging 127.0.0.1 with 32 bytes of data:

Reply from 127.0.0.1: bytes=32 time<10ms TTL=128
Reply from 127.0.0.1: bytes=32 time<10ms TTL=128
Reply from 127.0.0.1: bytes=32 time<10ms TTL=128
Reply from 127.0.0.1: bytes=32 time<10ms TTL=128

C:\>ping 207.217.151.5

Pinging 207.217.151.5 with 32 bytes of data:

Reply from 207.217.151.5: bytes=32 time<10ms TTL=128
Reply from 207.217.151.5: bytes=32 time<10ms TTL=128
Reply from 207.217.151.5: bytes=32 time<10ms TTL=128
Reply from 207.217.151.5: bytes=32 time<10ms TTL=128

C:\>ping 207.217.151.1

Pinging 207.217.151.1 with 32 bytes of data:

Reply from 207.217.151.1: bytes=32 time=431ms TTL=127
Reply from 207.217.151.1: bytes=32 time=410ms TTL=127
Reply from 207.217.151.1: bytes=32 time=421ms TTL=127
Reply from 207.217.151.1: bytes=32 time=410ms TTL=127
```

Figure 11.3 : Commandes ping sur des adresses particulières.

On peut considérer que Ping a bien marché lorsqu'on reçoit quatre réponses aux appels émis. Si l'on n'en a que trois, deux ou une, cela est peut-être dû à une anomalie intermittente. Si aucune réponse n'est reçue, il y a assurément un problème. La Figure 11.3 représente quelques invocations de Ping.

- `ping 127.0.0.1`. Ce "ping" concerne le logiciel IP de la machine locale. Il ne sort pas sur le réseau. En cas d'échec, on peut conclure à une installation ou un fonctionnement défectueux de TCP/IP.

- `ping 207.217.151.5`. Ce "ping" concerne l'adresse IP de votre machine, qui doit toujours y répondre. Dans le cas contraire, on est en présence d'un problème local de configuration ou d'installation. On peut déconnecter le câble de liaison réseau et relancer Ping. Si le test est positif hors connexion, il est possible qu'une autre machine soit configurée avec la même adresse IP. On fait alors ipconfig, ping 127.0.0.1 qui doit marcher, même si le câble n'est pas connecté.

- Appliquer Ping à l'adresse d'une machine dont on sait qu'elle fonctionne correctement. Ce "ping" quitte votre machine, transite sur le réseau vers la machine choisie, et revient. Les réponses prouvent que les cartes réseau et la ligne physique du réseau local fonctionnent correctement. En l'absence de réponses, il se peut que le masque de sous-réseau soit erroné, ou que la carte réseau soit mal configurée, ou encore qu'il y ait des faux contacts dans la filasse...

- Appliquer Ping à la machine en l'appelant par son nom d'hôte. Cela permet de tester la conversion du nom d'hôte en adresse IP qui doit intervenir avant que les demandes d'écho ne soient effectivement transmise. En cas d'échec, on peut s'interroger sur d'éventuels problèmes au niveau de DNS ou des fichiers hôtes (voir Chapitre 15).

- `ping 207.217.151.1`. Applique Ping à l'adresse IP de votre passerelle par défaut. Une réponse positive indique que le routeur est actif.

- `ping 198.137.240.92`. Applique Ping à l'adresse d'une machine distante (voir Figure 11.4). Les quatre réponses prouvent le bon fonctionnement d'une passerelle par défaut (à moins qu'une information de routage client n'ait accompagné la commande de routage, ce que nous verrons plus loin).

- `ping localhost`. Le libellé *localhost* est réservé, son alias étant 127.0.0.1. Toute machine doit rapprocher ce nom de cette adresse. Un échec signifie qu'il y a un problème dans le fichier hôtes (voir le Chapitre 15 sur la résolution des noms d'hôtes).

- `ping www.whitehouse.gov`. L'application de Ping sur une adresse de ce genre force la machine à convertir le nom de domaine en adresse IP, qui est généralement un serveur DNS. En cas d'échec, on peut conjecturer un défaut de configuration d'adresse IP du serveur DNS.

Si l'ensemble des applications de Ping réussissent, on peut raisonnablement penser que la machine sur laquelle on travaille fonctionne bien en environnement local ou distant. Mais on ne saurait en être sûr, il est possible que le masque de sous-réseau soit incorrect, alors que tous les tests ont été positifs.

Cela se produit dans deux cas. Il se peut que le masque de sous-réseau ait été mal calculé (voir le Chapitre 5, "La couche Internet : sous-réseaux", pour ce calcul). Ce masque peut aussi être mal configuré et ne pas correspondre au masque calculé. Pour le vérifier, on fait appel aux utilitaires IPConfig ou WinIPCfg ; qui indiquent si le masque de sous-réseau correspond bien à ce qui était prévu pour le réseau.

Ping offre de nombreuses options que l'on peut invoquer à la suite des commandes que nous venons de passer en revue. La liste ci-dessous énumère les plus employées de ces options.

- `ping 207.217.151.1 -t`. Emission continue de pings jusqu'à interruption (Ctrl-C pour arrêter)

- `ping 207.217.151.1 -n 10`. Spécifie un nombre de pings avant arrêt de la séquence. Ici, 10 pings seront émis.

- `ping 207.217.151.1 -1 1000`. La longueur des données transmises par le ping est de 1 000 octets au lieu de 32, valeur habituelle par défaut.

ARP, protocole de résolution d'adresses

ARP, *Address Resolution Protocol*, est un protocole-clé de la pile TCP/IP. Il trouve l'adresse physique qui correspond à une adresse IP. La commande `arp` affiche le contenu de la mémoire-cache ARP de la machine locale ou d'une autre machine. De plus, `arp` permet d'entrer de façon permanente de nouveaux couples adresse physique/adresse IP. Ce besoin se manifeste si l'on appelle régulièrement des hôtes comme la passerelle par défaut et les serveurs locaux. Cela réduit le trafic sur le réseau.

On peut invoquer ARP au moyen des commandes arp -a ou arp -g. L'option -g a été, pendant de nombreuses années, utilisée sur les plates-formes UNIX pour examiner toutes les entrées dans la mémoire-cache d'ARP. Sous Windows NT, on fait arp -a, a comme *all* (tout), mais l'option -g marche aussi. Sous Windows NT, les deux options donnent des résultats identiques. Sur d'autres plates-formes, c'est généralement l'option -g qui prédomine.

Les entrées dans la cache ARP sont dynamiques par défaut. Une entrée est systématiquement ajoutée par ARP lors de la réception de datagrammes si elle n'existait pas auparavant. Les entrées dans la cache ARP ont une courte durée de vie. Sous Windows NT, par exemple, les couples adresse physique/adresse IP expirent dans un délai de deux à dix minutes s'il n'y a pas de nouvelle utilisation à la suite de cette entrée. Ne soyez donc pas surpris s'il y a peu d'entrées, ou même pas du tout, dans la cache ARP. Elles peuvent être introduites en effectuant des pings sur une autre machine ou sur un routeur. La Figure 11.5 illustre l'exploitation d'ARP.

Les commandes ARP suivantes permettent de voir les entrées qui sont dans la cache :

- `arp -a`. Affiche toutes les entrées dans la cache ARP

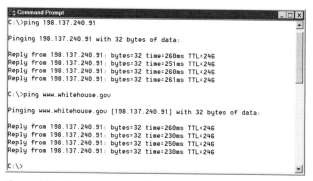

Figure 11.4 : Commandes et réponses arp.

- `arp -g`. Affiche toutes les entrées dans la cache ARP

- `arp -a` suivi de l'adresse IP. Si l'on a plusieurs cartes réseau, on visionne le contenu de la mémoire cache associée à une seule interface, d'adresse IP, par exemple : arp -a 192.59.66.200.

- `arp -s` suivi de l'adresse IP puis de l'adresse physique. Ajout manuel d'une entrée statique permanente dans la mémoire-cache ARP. Cette entrée subsiste lors des mises en route des machines, ou est automatiquement mise à jour si des erreurs sont intervenues lors de l'entrée d'adresses physiques configurées à la main. Par exemple, pour entrer à la main une entrée correspondant au serveur d'adresse IP 192.59.66.250 et d'adresse physique 0080C7E07EC5, on entrera au clavier : arp -s 192.59.66.250 00-80-C7-E0-7E-C5

- `arp -d` suivi de l'adresse IP. Cette commande sert à effacer une entrée statique. Par exemple, arp -d 192.59.66.250.

TraceRoute

La commande `traceroute` sert à suivre le cheminement des datagrammes sur le réseau, de routeurs en passerelles, depuis leur source jusqu'à leur destination. Le cheminement suivi par Trace-

Route est l'une des multiples routes, toujours différentes, que peut emprunter le datagramme ; il n'y a pas de répétitivité de la trace que restitue TraceRoute. Si votre machine est configurée pour travailler avec DNS, les réponses TraceRoute feront apparaître des noms de villes, de régions ou de messageries. La commande traceroute est lente, elle prend environ quinze secondes par routeur.

TraceRoute agit en provoquant l'émission d'un message ICMP dans lequel le routeur envoie un avis de dépassement de durée de vie du message à l'adresse source lorsque le datagramme TTL qui parvient au routeur atteint la valeur 0.

 Sur les systèmes d'exploitation Microsoft, la commande tracer invoque TraceRoute.

TraceRoute envoie un premier datagramme avec un TTL égal à 1. Arrivé au premier routeur, le message "expire". Le routeur envoie un message "TTL dépassé" au protocole IP source. L'utilitaire TraceRoute de la source prend ainsi connaissance de l'adresse IP du premier routeur. TraceRoute envoie alors un deuxième message avec un TTL de 2, qui expire donc lorsqu'il arrive au deuxième routeur, dont TraceRoute identifie l'adresse IP. Le processus continue, jusqu'à ce que le datagramme arrive à destination, ou qu'il soit passé par un nombre prédéfini de routeurs. La syntaxe de TraceRoute est traceroute suivi d'une adresse IP ou traceroute suivi d'un URL, *Uniform Ressource Locator*, moteur de recherche sur Internet. Par exemple traceroute   198.137.240.91   ou   traceroute www.whitehouse.gov.

TraceRoute est utile pour savoir le chemin et le nombre de routeurs empruntés par les datagrammes pour arriver à destination. Un jour, ne pouvant accéder à Internet, j'ai composé **traceRoute www.whitehouse.gov** pour élucider le problème. Tout se passait bien sur le routeur du site où je travaillais, ainsi que sur les routeurs de trois Etats et de la ville où convergent les réseaux de ma société et où se trouve le pare-feu (*firewall*) prévu pour isoler le site du réseau Internet. TraceRoute ne donnait plus d'informations à partir de ce point-là. Ce silence était éloquent : le pare-feu était actif. J'ai appris le lendemain que la fermeture du site avait été planifiée pour le chargement de nouvelles configurations réseau sur les gestionnaires de communication et les routeurs.

 Un *pare-feu* (firewall) est un utilitaire qui permet d'isoler les réseaux privés des réseaux publics (comme Internet). Il sert aussi à se protéger des intrus.

Route

La plupart des hôtes résident sur des tronçons de réseau qui ne sont desservis que par un seul routeur. La question du choix d'une route pour acheminer les datagrammes ne se pose donc pas. L'adresse IP de ce routeur constitue l'adresse IP de la passerelle par défaut de toutes les machines du tronçon.

En revanche, lorsqu'un réseau dispose de deux routeurs, ou plus, il est intéressant de ne pas dépendre uniquement de sa passerelle par défaut. On peut aussi souhaiter que certaines adresses IP distantes soient atteintes par une route donnée et d'autres adresses par une voie différente.

On a besoin, dans ce cas, d'informations contenues dans des tables de routage. Chaque hôte, chaque routeur possède sa propre table de routage. De nombreux routeurs font appel à des protocoles particuliers pour la mise à jour dynamique des tables de routage et leur échange entre routeurs. On a souvent besoin, cependant, d'ajouter manuellement des entrées aux tables de routage des routeurs comme à celles des machines hôtes.

On utilise habituellement la commande `route` pour ajouter, éliminer ou modifier les entrées de tables de routage. Elle affiche aussi le contenu de ces tables.

- `route print`. Cette commande affiche les entrées stockées dans la table de routage. La Figure 11.6 donne un exemple d'exécution de la commande route print. Comme vous le voyez, les entrées correspondent à divers réseaux, comme 0.0.0.0, 127.0.0.0 et 192.59.66.0 ; certaines correspondent à la

```
Command Prompt                                              _ □ X
C:\>arp -a
No ARP Entries Found

C:\>ping 192.59.66.250

Pinging 192.59.66.250 with 32 bytes of data:

Reply from 192.59.66.250: bytes=32 time<10ms TTL=128
Reply from 192.59.66.250: bytes=32 time<10ms TTL=128
Reply from 192.59.66.250: bytes=32 time<10ms TTL=128
Reply from 192.59.66.250: bytes=32 time<10ms TTL=128

C:\>arp -a

Interface: 192.59.66.200 on Interface 2
  Internet Address      Physical Address      Type
  192.59.66.250         00-80-c7-e0-7e-c5     dynamic

C:\>arp -s 192.59.66.250 00-80-C7-E0-7E-C5

C:\>arp -a

Interface: 192.59.66.200 on Interface 2
  Internet Address      Physical Address      Type
  192.59.66.250         00-80-c7-e0-7e-c5     static

C:\>arp -d 192.59.66.250

C:\>arp -a
No ARP Entries Found

C:\>_
```

Figure 11.5 : La commande route print et ses réponses.

diffusion : 255.255.255.255 et 207.168.243.255 ou à la multidiffusion : 224.0.0.0. Ces entrées ont été saisies automatiquement lors de la configuration en adresses IP des cartes réseau.

 Dans cet exemple, le mot *metric* désigne le nombre de routeurs à emprunter pour arriver à destination. Lorsque vous voyagez pour votre travail, vous empruntez sans doute l'itinéraire le plus court, le plus direct. On pourrait dire qu'il est *métriquement* le meilleur. Si le pont que vous comptiez traverser est fermé pour travaux, vous prendrez le chemin qui vient en deuxième choix quant à sa longueur, le deuxième *métriquement* meilleur... Les routeurs opèrent de la même façon, choissant le plus court chemin, la plus courte *métrique*, d'un point à l'autre.

- `route add`. Cette commande ajoute une nouvelle route à une table de routage. Pour spécifier, par exemple, une route vers la destination 207.34.17.0 qui se trouve à cinq "sauts routeurs" de l'adresse IP 192.59.66.5 sur réseau local, le masque de sous-réseau étant 255.255.255.224, on entre la commande suivante :

```
route add 207.34.17.0 mask 255.255.255.224
192.59.66.5 metric 5
```

- `route change`. Cette commande entre des modifications de routage, mais ne peut modifier les adresses de destination. La ligne de commande suivante définit un autre routeur qui "connaît" une voie plus directe, trois routeurs, pour atteindre la destination spécifiée.

- `route delete`. Cette commande élimine une route de la table de routage. Exemple: route delete 207.34.17.0

L'information relative à la route assignée est volatile. Elle est perdue lors d'un *reboot* (redémarrage à froid) de la machine. Il existe donc une liste de commandes route add contenue dans un fichier appelé et exécuté lors de chaque démarrrage de la machine.

Hostname

Cet utilitaire se résume à une commande qui affiche le nom d'hôte de la machine locale. Pas d'options à choisir ni de paramètres à fixer, il suffit de lire ce qui apparaît sur l'écran quand on l'invoque.

NetStat

L'utilitaire NetStat donne des statistiques relatives à l'exploitation des protocoles IP, TCP, UDP et ICMP. Il s'agit du décompte des datagrammes expédiés et reçus, ainsi qu'un relevé des diverses anomalies qui se sont produites.

Ne soyez pas surpris si votre ordinateur reçoit de temps à autre des datagrammes qui produisent des erreurs, des rejets ou des anomalies. TCP/IP est tolérant vis-à-vis de ces phénomènes. Le datagramme est immédiatement réémis. Lorsqu'il n'arrive pas à la bonne adresse, il fait l'objet d'un rejet. Si votre machine fonctionne en routeur, elle éliminera un datagramme qui arrive en fin de vie sur son parcours "routier". Des erreurs de réassemblage d'un datagramme peuvent aussi se produire lorsque les divers fragments d'un datagramme arrivent avec des TTL inégaux. Il ne faut pas se soucier de quelques occurrences de ces défauts, qui ne posent un problème que s'ils deviennent tout à coup systématiques, ce qui demande alors quelques investigations.

Voici les services de NetStat :

- `netstat -s`. Cette option donne des statistiques regroupées par protocole. Lorsque les applications utilisateurs (exploitation d'un moteur de recherhe Web, par exemple) deviennent lentes à s'exécuter ou ne fonctionnent plus, cette option offre une liste de tous les rejets, échecs et suppressions de datagrammes. Le nombre de chacun des événements recensés constitue une indication pour la suite de l'enquête...

- `netstat -e`. On obtient des informations sur Ethernet. Les lignes affichées donnent une statistique du total des octets, des erreurs et des rejets des datagrammes traités ainsi que le nombre des diffusions. Ces statistiques concernent les datagrammes reçus et ceux qui sont transmis.

- `netstat -r`. On obtient des informations sur les tables de routage semblables à celles que l'on a sous la commande print. En plus des routes actives, on voit quelles sont les connexions en cours.

- `netstat -a`. Fournit la liste des connexions actives ainsi que celle des sites qui demandent une connexion. Les trois options suivantes donnent des sous-ensembles des informations que l'on obtient avec l'option -a.

- `netstat -n`. Affichage de toutes les connexions actives.

- `netstat -p TCP`. Liste des connexions TCP en cours.

- `netstat -p UDP`. Liste des connexions UDP en cours.

La Figure 11.6 donne un exemple des informations obtenues avec la commande `netstat -s`.

```
Command Prompt                                              _ □ ✕
C:\>route print

Active Routes:

  Network Address          Netmask  Gateway Address       Interface  Metric
        0.0.0.0          0.0.0.0      192.59.66.1    192.59.66.200       1
      127.0.0.0        255.0.0.0        127.0.0.1        127.0.0.1       1
     192.59.66.0    255.255.255.0    192.59.66.200    192.59.66.200       1
   192.59.66.200  255.255.255.255        127.0.0.1        127.0.0.1       1
   192.59.66.255  255.255.255.255    192.59.66.200    192.59.66.200       1
        224.0.0.0        224.0.0.0    192.59.66.200    192.59.66.200       1
  255.255.255.255  255.255.255.255    192.59.66.200    192.59.66.200       1

C:\>
```

Figure 11.6 : Commande netstat, affichage des statistiques par protocole.

Net Use et Net View

Net Use et Net View ont pour tâche la vérification des connexions NetBIOS entre machines. Nous verrons NetBIOS au Chapitre 17. Ces deux utilitaires permettent aux machines (principalement celles qui fonctionnent sous Microsoft Windows) de se trouver et de communiquer sur un réseau.

NetBIOS se sert d'UNC, *Universal Naming Convention*, convention universelle d'appellation, pour identifier le nom d'une machine et touver un *share point*. Un *share point* est un site par lequel les machines clientes peuvent se connecter.

Les noms selon UNC commencent par un double slash inversé, suivi du nom de la machine. Par exemple : `\\Meteoservice` peut identifier un serveur de prévisions météorologiques. Pour accéder au share-point, on ajoute un antislash suivi du nom du share-point.

`\\Meteoservice\public` désigne un répertoire d'une machine nommée Meteoservice qui est rattachée au share point public

La commande `net` offre un test rapide du fonctionnement correct de NetBIOS. Pour utiliser ces commandes relatives à la couche Application, l'application doit appliquer les conventions NetBIOS, tandis que les couches accès réseau, Internet et Transport doivent être opérationnelles.

Les commandes `net` offrent beaucoup de fonctions. Nous nous intéresserons surtout à `net view` et `net use`, commandes qui permettent de voir, d'établir et d'interrompre la connexion avec les share-points des machines qui distribuent des SMB, *Server Message Block*, blocs-messages de serveur. Un service SMB permet aux machines de partager *via* réseau des répertoires avec d'autres machines.

- `net view`. Affiche le share-point d'un serveur. Tout le monde peut "taper" un net view. A la différence de net use, cette commande ne réclame ni ID ni mot de passe. C'est pourquoi il est conseillé de commencer par net view. Pour un test de base de NetBIOS, on peut entrer net view \\nom_de_serveur pour voir si NetBIOS fonctionne et si le serveur qui s'appelle nom_de_serveur peut être atteint. Si c'est le cas, on obtient une liste de share points.

- `net use`. Permet d'établir ou de libérer la connexion d'une unité disque adressable par une lettre avec un share-point spécifique (il peut être nécessaire de fournir une ID utilisateur valide et un mot de passe pour exécuter cette commande). On entre net use F.\\Meteoservice\public pour établir une connexion avec le share-point nommé public du serveur Meteoservice. Cela suppose que vous n'êtes pas en train d'utiliser la lettre du disque. Si la connexion se fait, vous pouvez accéder au répertoire public de Meteoservice sur le disque P : du serveur.

NBTStat

L'utilitaire NBTStat (*NetBIOS over TCP/IP statistics*) fournit des statistiques sur le fonctionnement de NetBIOS. La commande nbtstat affiche la table des noms NetBIOS sur la machine locale ou sur les machines distantes.

Les options suivantes sont disponibles pour une machine locale :

- nbtstat -r. Purge la cache NetBIOS et la recharge avec les entrées récentes dans le fichier LMHosts (que nous verrons au Chapitre 16).

- nbtstat -n. Affiche les noms et les services enregistrés sur la machine.

- nbtstat -c. Affiche le contenu de la cache des noms NetBIOS qui détient la correspondance entre noms NetBIOS et adresse ID des machines avec lesquelles cette machine est entrée récemment en communication.

- nbtstat -r. Liste le nombre d'enregistrements et de noms résolus des autres machines et s'ils ont été enregistrés ou résolus par diffusion ou par un serveur de noms.

La Figure 11.7 donne quelques exemples de sorties Nbtstat.

Deux commandes permettent d'examiner la table NetBIOS des machines distantes. Ces deux syntaxes affichent des informations de façon similaire à celles que l'on obtient avec la commande nbtstat -n sur la machine locale.

- nbtstat -A suivie d'une adresse IP. Affiche la table des couples nom-adresse physique d'une autre machine désignée par son adresse IP.

- nbtstat -a suivie d'une adresse NetBIOS. Affiche la table des couples nom-adresse physique d'une autre machine désignée par son nom NetBIOS.

```
Command Prompt                                           _ □ ×

C:\>netstat -s

IP Statistics

   Packets Received                        = 529
   Received Header Errors                  = 0
   Received Address Errors                 = 0
   Datagrams Forwarded                     = 0
   Unknown Protocols Received              = 0
   Received Packets Discarded              = 0
   Received Packets Delivered              = 529
   Output Requests                         = 674
   Routing Discards                        = 0
   Discarded Output Packets                = 0
   Output Packet No Route                  = 0
   Reassembly Required                     = 0
   Reassembly Successful                   = 0
   Reassembly Failures                     = 0
   Datagrams Successfully Fragmented       = 0
   Datagrams Failing Fragmentation         = 0
   Fragments Created                       = 0

ICMP Statistics
```

Figure 11.7 : Commande nbtstat et réponses.

De même, deux autres syntaxes permettent de "visionner" la liste des connexions NetBIOS qu'une machine distante a ouvert. Cette liste est appellée table de connexion.

- nbtstat -S suivie d'une adresse IP. Affiche la table de connexion d'une autre machine désignée par son adresse IP.

- nbtstat -s suivie d'un nom NetBIOS. Affiche la table de connexion d'une autre machine désignée par son nom NetBIOS.

Network Monitor

Cet utilitaire est disponible dans Windows NT Server. Il est représentatif d'une classe d'utlitaires appelés *espions* ou *renifleurs*. Il capture dans une mémoire tampon ou dans un fichier une copie des datagrammes qui circulent sur le réseau. On peut obtenir ensuite un affichage datagramme par datagramme. Network Monitor permet d'examiner un datagramme couche par couche depuis la plus basse (Ethernet, par exemple) jusqu'à la plus haute, ce qui rend compte de son histoire au cours du transit entre source et hôte de destination.

Au niveau de la couche la plus basse, on peut, par exemple, faire appel à Network Monitor pour vérifier les adresses physiques de l'expéditeur et du destinataire et voir combien d'octets comporte la trame Ethernet. Au niveau de la couche Internet, on peut examiner en détail la structure des en-têtes, et ainsi de suite jusqu'à la couche Application.

Les programmes espions offre une grande richesse d'information sur l'architecture d'un datagramme ; il s'agit d'un outil puissant qui s'avère précieux pour tout apprendre sur les réseaux et savoir les dépanner.

```
Command Prompt                                                    _ □ ×
C:\>nbtstat -n

Node IpAddress: [192.59.66.200] Scope Id: []

            NetBIOS Local Name Table

   Name               Type         Status
---------------------------------------------------
INSTRUCTORX    <00>  UNIQUE      Registered
INSTRUCTORX    <20>  UNIQUE      Registered
WORKGROUP      <00>  GROUP       Registered
INSTRUCTORX    <03>  UNIQUE      Registered
WORKGROUP      <1E>  GROUP       Registered
INet~Services  <1C>  GROUP       Registered
IS~INSTRUCTORX.<00>  UNIQUE      Registered

C:\>nbtstat -R

Successful purge and preload of the NBT Remote Cache Name Table.

C:\>
```

Figure 11.8 : Une vue du trafic "capturé" par Network Monitor à la suite d'une commande ping.

La Figure 11.8 montre une suite de dix datagrammes venus en retour d'une commande ping. La fenêtre supérieure montre qu'ils commencent par une requête arp et une réponse arp suivies de quatre couples requête/réponse ICMP. La fenêtre médiane décode les en-têtes ICMP, et dans la fenêtre du bas apparaissent les 32 octets de données du datagramme. Il s'agit ici de l'alphabet complet, suivi des lettres abcdef (bourrage) pour "faire" les 32 octets.

Utilitaires de connexion et dépannage

En appliquant des utilitaires divers qui font appel à TCP et UDP sur une interface du type "sockets" ou NetBIOS, puis en examinant ce qui marche et ce qui "coince", on est à même de débusquer les anomalies qui peuvent se produire dans la pile TCP/IP.

Comme nous l'avons dit lors de la présentation de Ping, on doit procéder avec ordre lorsqu'on se lance dans les problèmes de réseau. Les avaries rencontrées sont très diverses, elles se traduisent souvent par des blocages ou un ralentissement d'un moteur de recherche sur le Web. On commence par des commandes simples ; si elles ont marché, on passe à des commandes qui font appel à des ressources réseau de plus en plus étendues. Les étapes du dépannage sont les suivantes :

1. On commence avec ipconfig pour s'assurer de l'adresse IP, du masque de sous-réseau et des paramètres de configuration de la passerelle par défaut.

2. On poursuit avec ping en invoquant les commandes que l'on vient de décrire. Si tout se passe bien avec Ping, vous pouvez avoir confiance dans les deux couches TCP/IP de plus bas niveau qui gèrent la carte réseau et la ligne réseau.

3. Passer ensuite sur le Web en demandant à un moteur de recherche d'accéder à un serveur. Si le test est positif, on sait que TCP ainsi que l'interface socket fonctionnent. Si ce n'est pas le cas, on enchaînera avec une application qui mobilise TCP et les sockets, par exemple un FTP client (*File Transfer Protocol*). Si ça ne marche pas non plus, on orientera donc les recherches dans le secteur TCP-sockets.

4. On fera appel, pour terminer, aux applications NetBIOS, Net view, Net use, Network Neighborhood, ou le File Manager (gestionnaire de fichier), qui sollicitent NetBIOS sous TCP/IP (Network Neighborhood et File Manager sont des applications NetBIOS de Windows NT).

Résumé

Les utilitaires que nous avons présentés dans ce chapitre permettent de suivre le déroulement des communications sous TCP/I sur votre réseau, et d'en assurer la maintenance. En recoupant de façon pertinente les informations spécifiques que fournit chaque utilitaire, vous pourrez avoir une vue d'ensemble cohérente sur ce qui se passe dans votre machine.

Questions-réponses

Q Avec quel utilitaire peut-on suivre le cheminement d'un datagramme ?

R Avec TraceRoute.

Q Avec quel utilitaire examine-t-on le contenu d'un datagramme ?

R Avec un espion réseau.

Q Quel est l'utilitaire qui donne des statistiques d'exploitation de TCP/IP ?

R NetStat.

Q Quel utilitaire donne les statistiques d'exploitation de NetBIOS ?

R NetBIOS.

Q Avec quel utilitaire peut-on envoyer des datagrammes à une adresse IP prédéterminée ?

R Avec Ping.

Q Quel utilitaire permet de connaître le nom d'hôte de votre machine ?

R Hostname.

Q Quel utilitaire indique si votre réseau comporte plusieurs routeurs ?

R Route.

Atelier

Effectuer les commandes qui suivent et observer les réponses qui apparaissent sur l'écran.

`ipcongig/all ou winipcfg`	Commandes qui ne sont pas prises en compte par toutes les implémentations TCP/IP.
`ping 127.0.0.1`	
`ping w.x.y.z`	w, x, y, z, est l'adresse IP d'une autre machine locale.
`ping w.x.y.z`	w, x, y, z, est l'adresse IP de votre passerelle par défaut.
`ping w.x.y.z`	w, x, y, z, est l'adresse IP d'une machine distante.
`ping localhost`	
`ping http://www.whitehouse.gov`	Si vous êtes connecté à Internet et si vous avez un serveur de noms DNS.
`hostname`	
`ping <hostname>`	Remplacer *hostname* par le nom d'hôte de votre machine.
`arp -a ou -g`	L'une des deux doit marcher. Attendre quelques minutes et réitérer la commande.
`netstat -s`	
`nbstat -n`	Cette commande n'est pas supportée par toutes les implémentations de TCP/IP.

Mots clés

- **Espion réseau.** Une catégorie d'applications qui capturent et analysent le contenu des datagrammes.

- **Bloc message serveur, SMB** (*Server Message Block*). Un service de la couche Application qui permet aux machines de partager un répertoire avec d'autres machines *via* le réseau.

- **Share-point.** Un point de contact sur une machine dotée d'un service SMB. Le share-point est le point de connexion des machines clientes.

Chapitre 12

Utilitaires TCP/IP d'accès et de transfert fichier

Au sommaire de ce chapitre

- Qu'est-ce qu'un FTP et à quoi il sert

- Ouvrir une session FTP et utiliser la commande `ftp` pour parcourir les répertoires distants, y envoyer ou en extraire des fichiers et créer ou supprimer des répertoires

- Comment utiliser un TFTP

- Comment élaborer une commande de transfert de fichier sous TFTP

- Comment utiliser la commande `rpc`

- A quoi sert et comment l'on emploie NFS

Une des qualités les plus appréciables de TCP/IP est la flexibilité de l'environnement qu'elle offre à des systèmes très différents lorsqu'ils entrent en relation. Deux hôtes d'un réseau, de modèles et de systèmes d'exploitation différents, peuvent parfaitement s'entendre lorsqu'ils communiquent sous protocoles TCP/IP. Pour cela, ils font appel à des utilitaires indispensables.

Les utilitaires d'accès aux fichiers et de transfert sont parmi les plus utilisés sur tous les réseaux. TCP/IP possède deux protocoles, FTP et TFTP, spécialement dédiés aux accès fichier et à leur transfert. La plupart des systèmes d'exploitation offrent des utilitaires intégrés qui mettent à profit ces deux protocoles. Nous nous intéresserons donc, dans ce chapitre, à FTP (*File Transfer Protocol*), protocole de transfert de fichiers et à TFTP (*Trivial File Transfer)* Protocole, un protocole de transfert de fichier simplifié. Nous parlerons aussi de la commande Remote Copy, `rcp` et du système de fichiers réseau.

FTP (File Transfer Protocol)

FTP est un protocole très largement utilisé pour échanger des fichiers entre machines de modèles et de systèmes d'exploitation différents, qui sont rattachées à un réseau qui fonctionne sous TCP/IP. L'une des machine joue le rôle de client vis-à-vis de l'autre qui "agit" en serveur. Le serveur exécute un logiciel FTP, comme `ftpd` (*FTP daemon*, démon FTP) dans le monde UNIX, appelé service FTP dans les autres environnements. La plupart des logiciels clients fonctionnent par lignes de commande ; des versions graphiques sont aussi disponibles. FTP manipule des fichiers, crée et efface des répertoires et peut afficher à l'écran le listage d'un fichier. FTP ne sait transférer qu'un fichier à la fois.

 Les *Démons* sont des procédures UNIX qui s'exécutent en arrière-plan, assurant des services sur demande de l'utilisateur.

On démarre une session FTP en entrant la commande `ftp`. FTP vous demande une adresse ID et un mot de passe qui seront scrutés par le serveur pour identifier vos privilèges d'accès, tels que lecture seulement ou lecture/écriture. De très nombreux serveurs sont publics, et l'on s'y connecte sous ID utilisateur dite *anonyme*. Dans ce cas, vous pouvez entrer un mot de passe quelconque, mais il est courant de donner son adresse de courrier électronique (e-mail). Les serveurs de caractère privé n'admettent pas de connexion anonyme. On accède au serveur en déclarant une ID et un mot de passe attribués par le serveur lui-même.

Maintes implémentations d'applications clientes FTP acceptent des commandes UNIX ou des commandes DOS, selon le logiciel utilisé. Lorsqu'on transfère un fichier sous FTP, on doit spécifier le type de fichier, bien souvent au format binaire ou ASCII, quand il s'agit de fichiers textes. Le format binaire convient bien pour les fichiers programmes ou les fichiers graphiques. Le format par défaut est le mode ASCII.

Il faut se rappeler que les serveurs travaillent en général sur des plates-formes UNIX, qui ont pour particularité de distinguer les lettres majuscules des minuscules. Cela impose donc de composer avec soin le nom des fichiers demandés. Le répertoire courant de la machine sur laquelle vous ouvrez une session FTP est celui dans lequel arriveront les fichiers requis et d'où partiront ceux que vous désirez envoyer.

Passons en revue les commandes FTP. Lorsqu'une version UNIX et une version DOS existent pour la même tâche, elles apparaissent ensemble.

- ftp. La commande ftp lance le logiciel client. Elle peut être seule ou accompagnée d'une adresse IP et d'un nom de domaine. La Figure 12.1 représente une session FTP sur rs.internic.net, initialisée par la commande ftp rs.internic.net. Une grande quantité d'informations apparaît en retour. La première ligne indique que vous êtes connecté. Les lignes qui suivent, y compris celles qui commencent par 220, constituent le message d'ouverture envoyé à tout utilisateur. Vient alors la requête d'ID utilisateur, ici en mode anonyme. Les lignes en 331 demandant votre adresse e-mail et votre mot de passe. Toute ligne de message est précédée d'un nombre. Le mot de passe n'est pas explicité à l'écran.

Figure 12.1 : La commande ftp.

- `user`. Cette commande sert à modifier l'ID et de mot de passe de la session courante, comme lors de l'entrée de la commande `ftp`. Tout se passe comme si vous quittiez la session pour en ouvrir une autre.

- `help`. Cette commande liste les commandes disponibles pour faire travailler le serveur.

- `ls; dir`. La commande UNIX `ls` ou `ls -l`, la commande DOS `dir`, obtiennent le listage des répertoires courants du serveur FTP et de leurs contenus. La Figure 12.2 montre la réponse obtenue en invoquant la commande `ls` : on trouve entre les deux lignes message, en 156 et 226, le contenu du répertoire, en l'occurrence une liste de fichiers et de sous-répertoires accessibles dans le répertoire courant. La commande `ls -l` est analogue à `ls`, elle donne des informations sur le privilège lecture/écriture et la date de création des fichiers.

- `pwd`. Cette commande affiche le nom du répertoire courant.

- `cd`. Sert à changer de répertoire courant sur le serveur consulté.

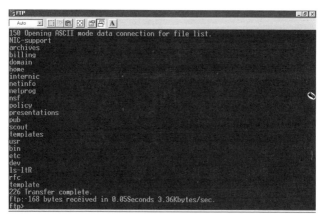

Figure 12.2 : La commande ls.

- mkdir; md. La commande UNIX mkd ou DOS md crée un répertoire sur le serveur FTP au sein de son répertoire courant. Elle n'est pas autorisée pour les accès anonymes.

- rmdir; rd. La commande UNIX rmdir ou DOS rd permet d'enlever un répertoire du répertoire courant du serveur. Cette commande n'est pas accessible lors d'une session anonyme.

- binary. Fait basculer le FTP client du mode ASCII (par défaut) au mode binaire, dans le cas du transfert de programmes ou de fichiers graphiques, au moyen des commandes put et get.

- ascii. Fait basculer le FTP client du mode binaire au mode ASCII, le mode par défaut, pour le transfert de fichiers textes.

- type. Affiche le mode courant (binaire ou ASCII), sur lequel est positionnée la machine cliente.

- status. Affiche divers réglages des paramètres courants de la machine cliente, comme le mode ou la présentation à l'écran des messages systèmes, parfois très verbeux... et d'autres encore.

- get. Récupère un fichier FTP du serveur pour le fournir à un FTP client. Suivie d'un nom de fichier, cette commande charge le fichier demandé dans le répertoire courant de la machine cliente ; suivie d'un deuxième nom de fichier, elle assigne ce deuxième nom à la copie du fichier serveur mise en place chez le client.

- put. Suivie d'un nom de fichier, cette commande effectue le transfert d'un fichier de la machine cliente vers le serveur ; suivie d'un deuxième nom de fichier, elle assigne ce deuxième nom à la copie du fichier client mise en place sur le serveur.

- open. Ouvre une nouvelle session sur un serveur FTP. Il s'agit d'un raccourci pour quitter une session FTP et y revenir. On peut aussi, avec cette commande, ouvrir une session sur un autre serveur FTP.

- close. Permet de quitter le serveur auquel on était connecté. Le logiciel FTP client reste actif et l'on peut démarrer une autre session au moyen de la commande open.

- bye; quit. Déconnexion du serveur et mise en veille du logiciel FTP client.

Cette liste n'est pas exhaustive. Elle donne une bonne idée des actions que l'on effectue couramment avec FTP. Pour en savoir plus, la RFC 959 est un bon document de travail sur le protocole FTP.

TFTP (Trivial File Transfer Protocol)

TFTP sert à transférer des fichiers entre un client et un serveur qui supporte le démon tftpd. Ce protocole travaille sous UDP (transport) et, à la différence de FTP, n'oblige pas l'utilisateur à effectuer un "login" pour déplacer des fichiers. C'est pour cela que l'on considère TFTP comme une brèche dans la sécurité, surtout si le serveur autorise l'écriture.

Le protocole TFTP est intentionnellement de dimension modeste. Il tient avec UDP sur une PROM (*Programmable Read Only*

Memory). Il présente des performances limitées, d'où son nom (trivial), par rapport à celles de FTP. TFTP ne peut que lire et écrire des fichiers, il ne liste pas le contenu des répertoires, ne peut en créer ni en effacer. Il ne permet pas à un utilisateur de se connecter à un serveur quelconque. Ce protocole est essentiellement utilisé avec les protocoles RARP et BOOT pour démarrer des stations de travail dépourvues d'unité disque. Le protocole TFTP transfère des fichiers sous un format ASCII connu sous le nom de *netascii* ou un format binaire appelé *octet*. Il existait un troisième format, mail, qui n'est plus usité.

Lorsqu'on entre une ligne de commandes commençant par tftp, on obtient une connexion au serveur et le transfert de fichier requis s'effectue. Ensuite, la session se termine et l'on est déconnecté. Voici la syntaxe de tftp :

```
tftp [ -i] host [get ¦ put] <nom_fichier_source>
[nom_fichier_destination>]
```

La RFC 1350 donne les détails relatifs à TFTP.

RCP (Remote CoPy)

La commande rcp offre une alternative à ftp pour échanger des fichiers avec des serveurs UNIX. La commande rcp est la version "distante" de la commande UNIX cp (copy). Lors de l'invocation de la commande cp, il n'est besoin de spécifier ni ID utilisateur ni mot de passe. Là encore, on pourrait penser qu'il y a un manque de protection. En fait, pour que les échanges soient possibles, il faut que le nom de votre machine soit répertorié dans l'un ou l'autre des deux fichiers résidents du serveur, qui s'appellent *rhosts* et *rhosts.equiv*. La commande rcp déclenche le transfert d'un fichier entre une machine locale et le serveur hôte, ou bien entre deux machines distantes. La syntaxe de la commande rcp est la suivante :

```
rcp [nom_d'hôte_1]:nom_de_fichier_1
[nom_d'hôte-2]:nom_de_fichier_2
```

- `nom_d'hôte_1`. Indique optionnellement le nom d'hôte ou le FQDN, *Fully Qualified Domain Name*, nom de domaine certifié de la machine source. On utilise ce nom d'hôte lorsque le fichier source réside sur une machine distante. Le Chapitre 15, "Résolution des noms d'hôtes et de domaines", vous en dira plus sur FQDN.

- `nom_de_fichier_1`. Indique le chemin d'accès et le nom du fichier source.

- `nom_d'hôte_2`. Indique optionnellement le nom d'hôte ou le FQDN, de la machine destinataire. On utilise ce nom d'hôte lorsque le fichier doit être envoyé sur un machine distante.

- `nom_de_fichier_2`. Indique le chemin d'accès et le nom à donner au fichier à destination.

Voici trois exemples d'invocation de la commande `rcp`.

Rapatriement sur un hôte local d'un fichier résidant sur une machine UNIX distante :

```
rcp serveur3.société.prévisions.txt  prévisions.txt
```

Expédition d'un fichier résidant sur un hôte local vers une machine distante :

```
rcp prévisions.txt  serveur3.société.prévisions.txt
```

Echange de fichier entre deux machines UNIX distantes.

```
rcp serveur3.société.com:prévisions.txt
serveur4.société.com:prévisions.txt
```

La commande `rcp` est propriétaire UNIX et ne fait donc l'objet d'aucun développement dans les RFC.

NFS (Network File System)

NFS est supporté par UNIX et d'autres systèmes d'exploitation. Ce protocole est transparent pour l'accès (lecture, écriture, ouverture et suppression) de fichiers et de répertoires résidant sur un site éloigné qui semblent donc être virtuellement présents sur la machine locale. De plus, comme NFS réside dans le système d'exploitation des machines qui dialoguent, aucune modification n'est à apporter aux applications. Les programmes accèdent aux fichiers locaux ou distants, aux répertoires distants sans recompilation ni altération. L'utilisateur accède aux ressources requises comme si elles faisaient partie de son propre système.

L'implantation originelle de NFS faisait appel à UDP pour gérer le transport des fichiers. Elle était destinée à une exploitation sur LAN. Les dernières versions prévoient l'emploi du protocole TCP. L'excellente fiabilité de ce protocole (en comparaison d'UDP) donne à NFS la possibilité d'être désormais exploité sur les grands réseaux (WAN, *Wide Area Network*).

Le système NFS a été conçu pour être indépendant des systèmes d'exploitation, des protocoles de transport et de l'architecture physique du réseau. Cela permet à tous les clients NFS de dialoguer avec tous les serveur NFS. Cette indépendance provient de sa capacité à émettre des appels de procédure distantes, *Remote Procedure Calls*, RPC. Il s'agit de la faculté pour un programme tournant sur une machine d'appeler des segments d'un programme qui tourne sur une autre machine. Ce besoin, exprimé depuis assez longtemps, est désormais satisfait sur la plupart des systèmes d'exploitation. Sous NFS, le sytème d'exploitation du client émet un appel RPC vers le système d'exploitation du serveur. Comme les RPC se situent dans la pile de protocoles au-dessus des protocoles transport, NFS peut coopérer indifféremment avec UDP ou TCP, et *a fortiori* avec des implémentations de niveau encore plus bas, comme Ethernet et les anneaux à jeton.

Avant que les requêtes fichier ou répertoire n'aboutissent sous NFS, un processus appelé *mounting* (montage) doit être effectué. Il permet de rendre "présents" les fichiers ou répertoire requis au système de gestion des fichiers de la machine locale.

La RFC 1094 donne des informations supplémentaires sur le protocole NFS et la gestion d'adresse de sa version 2. La RFC 1813 détaille la mise à jour de NFS version 3.

Résumé

Plusieurs utilitaires TCP/IP se chargent de transférer des fichiers entre machines distantes ou d'accéder à des fichiers distants comme s'ils étaient locaux. FTP est le plus utilisé de ces protocoles, il peut être invoqué de façon anonyme ou avec une ID et un mot de passe. S'il dispose des privilèges requis, l'utilisateur peut ainsi se servir de commandes `ftp` pour copier des fichiers, créer et supprimer des répertoires, parcourir l'arborescence des répertoires d'une machine distante.

Le protocole TFTP effectue le transfert des fichiers en s'appuyant sur UDP. Il ne nécessite aucun login, et ne s'emploie que rarement de façon directe. Il sert au boot des stations de travail démunies d'unité disque.

Le protocole RCP est une alternative à FTP, qui permet à une machine quelconque d'échanger des fichiers avec une plate-forme UNIX ou à une machine UNIX de le faire avec un autre site UNIX.

Le protocole NFS donne accès à des segments de fichiers distants, comme s'il s'agissait de fichiers locaux. Cette transparence fait que l'utilisateur ne voit aucune différence.

Questions-réponses

Q Quel est le mode par défaut du transfert de fichiers sous FTP ?

R Il s'agit du mode texte ASCII.

Q Quelle commande FTP affiche le répertoire courant de votre machine ?

R `pwd` (print working directory, imprimer répertoire de travail).

Q Quelles sont les commandes non autorisées lors d'un accès anonyme à FTP ?

R put, mkdir, md, rmdir, rd.

Q Peut-on lister les fichiers d'un répertoire sous TFTP ?

R Non, on ne peut que transférer des fichiers.

Q Quels sont les avantages de `rcp` par rapport à `ftp` ?

R Une syntaxe simple et l'absence de procédure de login.

Q Quelle est l'utilité essentielle de TFTP ?

R Le démarrage des stations de travail dépourvues d'unité disque.

Q Quelle différence fondamentale y a-t-il entre FTP et NFS ?

R FTP sert à transférer des fichiers, tandis que NFS ne procure que des accès aux fichiers.

Atelier

Cet atelier apprend comment se connecter à un serveur FTP, lister ses répertoires, en parcourir l'arborescence et en rapatrier les fichiers sur votre machine.

1. Accéder à Internet en composant le numéro de téléphone de votre fournisseur d'accès ou en activant une connexion réseau.

2. Ouvrir une session FTP et un login à rs.internic.net sous compte anonyme. Entrez votre adresse complète e-mail en guise de mot de passe.

3. Invoquer les commandes `ls`, `ls -l` et `dir`. Observez les façons différentes dont elles présentent les noms, les fichiers et les répertoires.

4. Au moyen de la commande `cd netinfo`, remplacez votre répertoire courant par le répertoire `netinfo`, et en lister le contenu.

5. Invoquer la commande `pwd` pour afficher le chemin d'accès à votre répertoire courant.

6. Invoquer la commande `cd` pour passer de votre répertoire courant au répertoire racine.

7. Au moyen de la commande `type`, afficher le mode de formatage par défaut.

8. Taper `binary` pour passer au mode binaire (fichier image).

9. Afficher le format courant.

10. Changer de répertoire courant pour passer dans le répertoire `policy`

11. Lister les fichiers du répertoire `policy`.

12. Vous devriez obtenir la liste d'un certain nombre de fichiers textes des RFC. Positionnez-vous sur le mode transfert de fichiers textes et vérifiez.

13. Au moyen de la commande `get`, importez un de ces fichiers sur votre machine.

14. Avec la commande `status`, affichez la situation courante de votre FTP client.

15. Terminez la session avec la commande `close`.

16. Ouvrez une nouvelle session avec `rs.internic.net` au moyen de la commande `open`.

17. Invoquez la commande `help` pour afficher les autres commande disponibles sur votre logiciel client FTP.

18. Terminez la session avec `rs.internic.net` au moyen de la commande bye ainsi que la session FTP en cours.

19. Affichez le contenu de votre répertoire courant local pour voir quels fichiers ont été transférés.

Mots clés

Réviser le vocabulaire suivant :

- **FTP** (*File Transfer Protocol*). Un utilitaire client-serveur et un protocole qui sert à transférer des fichiers entre deux machines. Outre les transferts de fichier, on peut, sous FTP, créer ou détruire des répertoires et afficher le contenu des répertoires.

- **NFS** (*Network File System*). Le protocole NFS utilise des échanges d'appels RCP entre les sytèmes fournisseurs de deux machines pour permettre à l'utilisateur d'une machine cliente sous NFS d'accéder aux fichiers hébergés sur un serveur NFS distant.

- **RCP** (*Remote Copy*). Cet utilitaire pour environnement UNIX transfère des fichiers entre machines qui utilisent des syntaxes semblables à celle de la commande UNIX cp. Il offre une syntaxe simple de copie de fichiers et n'impose aucun login préliminaire.

- **TFTP** (*Trivial File Transfer Protocol*). Utilitaire simplifié client-serveur et protocole de transfert de fichier.

Chapitre 13

Utilitaires d'accès à distance

Au sommaire de ce chapitre

- A quoi sert Telnet
- Quelques utilitaires Berkeley R*
- La sécurité des accès certifiés

Les réseaux sont faits pour partager des ressources disséminées sur la planète. Tout ce qu'on fait sur un réseau entre donc dans la catégorie des accès distants. On continue cependant de considérer quelques utilitaires comme dédiés aux accès distants. Ils ont vu le jour dans le monde UNIX et ont été par la suite importés sur les autres systèmes d'exploitation. Leur fonction est de donner aux utilisateurs distants certaines des possibilités dont dispose l'utilisateur local. Ce chapitre parlera de Telnet, universellement connu, et de Berkeley R*, un ensemble d'utilitaires créés pour supporter les accès distants.

Telnet

Telnet est un ensemble de logiciels qui émule un accès par terminal sur une machine distante. Une session Telnet suppose un client qui joue le rôle de terminal déporté et un serveur Telnet qui reçoit la requête et ouvre la connexion. Cette "liaison" est illustrée par la Figure 13.1. Sur les systèmes UNIX, le démon telnetd joue le rôle de serveur (dans le monde UNIX, les démons sont des fournisseurs de services qui travaillent en arrière-plan et sur demande).

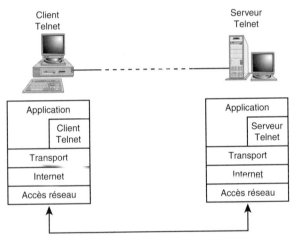

Figure 13.1 : Un serveur et un client sous Telnet.

Telnet est aussi un protocole, c'est-à-dire un ensemble de règles qui codifient les transactions entre serveurs et clients Telnet. Le protocole Telnet est défini par une série de RFC. Comme il s'agit d'un protocole de caractère ouvert, il s'est facilement répandu sur les machines et sur les logiciels. Sa vocation est de rendre les commandes entrées au clavier d'une machine (cliente) actives sur une autre machine distante (serveur), *via* le réseau qui les unit. Le serveur "expédie" donc les écrans demandés par l'utilisateur, qui a ainsi l'impression de travailler en local (voir Figure 13.1).

Sur les systèmes UNIX, la commande `telnet` s'invoque simplement :

```
telnet nom_d'hôte
```

`nom_d'hôte` est le nom du serveur auquel on désire se connecter. Une adresse IP convient aussi.

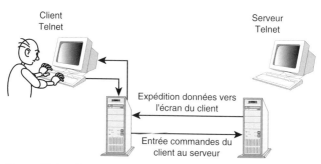

Figure 13.2 : Telnet à l'œuvre sur un réseau.

Cette commande lance l'application Telnet, et les commandes entrées au clavier local sont exécutées sur la machine distante. Les commandes suivantes sont disponibles :

- **close.** Termine la connexion.

- **display.** Affiche les paramètres de configuration de la connexion, numéro de port, type de terminal émulé.

- **environ.** Fixe les variables d'environnement requises par le système d'exploitation pour son compte ou pour répondre aux besoins de l'opérateur.

- **logout.** Déconnexion et clôture de la session.

- **mode.** Permet de basculer du mode ASCII au mode binaire, et réciproquement (voir Chapitre 12).

- **open.** Connexion à une machine distante.

- **quit.** Sortie de Telnet.

- **send.** Envoi de séquences particulières du protocole Telnet au serveur (abandon, interruption, fin de fichier).

- **set.** Fixe les paramètres de connexion.

- **unset.** Remet aux valeurs par défaut les paramètres de connexion.

- **?.** Affiche les information d'Aide.

Sur les plates-formes qui travaillent en écran graphique, comme Microsoft Windows, une application Telnet peut avoir ses propres icônes et fonctionner sous fenêtrage. Il n'en reste pas moins que les commandes et les procédures sont exactement les mêmes que sous écran texte. Lire la documentation de votre revendeur.

Utilitaires Berkeley R*

L'implémentation d'UNIX connue sous le nom de *Berkeley Systems Design* (BSD) constitue une étape majeure du développement d'UNIX. Les nombreuses innovations de BSD UNIX sont devenues standards sur tous les systèmes UNIX et ont été incorporées sur les autres systèmes d'exploitation qui travaillent sous TCP/IP et fréquentent l'Internet.

BSD UNIX offrait une nouveauté : un petit ensemble d'utilitaires d'une seule ligne de commande offrant un accès distant aux systèmes sous UNIX. Ce jeu de commandes se fit connaître sous l'appellation Berkeley R*, R pour *remote*, éloigné. Il est disponible sur UNIX ainsi que sur VMS, Windows NT et sur bien d'autres systèmes d'exploitation. Pourtant, malgré le succès quasi universel de TCP/IP, ces utilitaires sont quelque peu délaissés.

Parmi les utilitaires de Berkeley R*, notons :

- **Rlogin.** Connexion à distance ;

- **Rcp.** Transfert de fichier à distance ;

- **Rsh.** Commande distante par le truchement du démon rshd ;

- **Rexec.** Commande distante par le truchement du démon rexecd ;

- **Ruptime.** Affiche des informations système sur l'uptime et le nombre de clients connectés ;

- **Rwho.** Affiche des informations sur les utilisateurs connectés.

Les utilitaires R* ont été conçus dans le contexte plutôt simple des débuts de TCP/IP, pour n'être exploités que par des utilisateurs accrédités. Ils étaient conçus pour opérer de façon transparente sur l'hôte auquel se connecte l'utilisateur, et certains pensent qu'ils présentent des risques dans le contexte d'ouverture et d'interconnexion actuel. R* offre pourtant quelques garde-fous.

R* travaille sur authentification, c'est-à-dire qu'une machine sait authentifier les appels reçus d'autres machines. La Figure 13.3 représente une machine A qui a habilité une machine B, ce qui lui permet d'envoyer des requêtes sous R* sans fournir de mot de passe à la machine A. Le site A peut éventuellement habiliter les utilisateurs eux-mêmes, qui seront dits "accrédités". Ces accréditations sont répertoriées dans le fichier /etc/hosts.equiv résidant dans le répertoire du serveur. Le fichier .rhosts présent dans le répertoire local d'un utilisateur lui permet aussi d'accéder à son compte sur le serveur.

Rlogin

Il s'agit d'un utilitaire de connexion à distance pour contacter un hôte UNIX muni du démon Rlogind (d pour démon). Rlogin offre les mêmes fonctions que Telnet, avec beaucoup moins de versatilité. Rlogin est "dédié" UNIX, tandis que Telnet, "estampillé" TCP/IP, convient à toute plate-forme. Voilà pourquoi Rlogin n'offre pas la souplesse de configuration de Telnet.

En raison de son apparentement aux utilitaires R*, Rlogin ne requiert aucun mot de passe. L'accès libre est une caractéristique commune à tous les utilitaires R*, mais certains considèrent qu'une

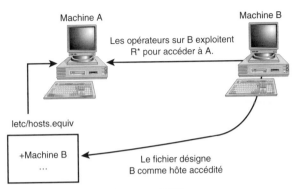

Figure 13.3 : Accréditation sous UNIX.

session sans mot de passe est plus inhabituel que d'autres fonctions exécutables sous R* dans les mêmes conditions. R* limite cependant les accès aux utilisateurs accrédités. Notons aussi que des systèmes d'exploitation comme NetWare et Windows NT supportent aussi les accès libres aux ressources réseau une fois que l'utilisateur a bien voulu s'identifier d'une manière ou d'une autre.

La syntaxe de Rlogin est la suivante :

`rlogin nom_d'hôte`

Nom_d'hôte est le nom du site auquel vous voulez accéder. Si aucun nom n'est proposé, le nom du site local est pris par défaut. On peut spécifier le nom d'un site local au moyen de la commande suivante :

`rlogin nom_d'hôte -l nom_d'utilisateur`

A vous de choisir un nom d'utilisateur pour le login.

Le démon du serveur rlogind parcourt les fichiers host.equiv et .rhosts pour procéder aux vérifications. Si tout est en règle, la session commence.

Rcp

Rcp fournit un accès aux fichiers sur système UNIX distant. Rcp n'est pas aussi versatile que FTP et moins répandu, mais les plates-formes UNIX ne dédaignent pas de faire appel à Rcp pour gérer leur trafic. On se reportera au Chapitre 12 pour en savoir plus sur Rcp.

Rsh

Rsh permet d'exécuter une commande sur une machine distante sans login. Rsh est l'abrégé de *remote shell* (le shell est l'interface entre commandes et système d'exploitation). Le démon rshd du serveur reçoit la commande rsh, vérifie le nom de l'utilisateur et s'informe de ce qu'on lui demande puis exécute la commande.

Rsh est pratique lorsqu'on entre une commande sans devoir ou vouloir ouvrir une session avec le serveur.

La syntaxe de cette commande est la suivante :

```
rsh -l nom_d'utilisateur  nom_d'hôte  commande
```

Nom_d'utilisateur est le nom sous lequel on se présente au serveur, *nom_d'hôte* est le nom du serveur et *commande* exprime ce que l'on attend du serveur.

Le nom d'utilisateur (précédé de -l) est optionnel. S'il n'est pas spécifié, la commande se simplifie et devient :

```
rsh nom_d'hôte command
```

le nom d'utilisateur, par défaut, étant celui de l'hôte local.

Rexec

Rexec, comme Rsh, demande au serveur d'exécuter une commande, en mobilisant le démon rexecd

La syntaxe de cette commande est la suivante :

```
rexec nom_d'hôte - l nom_d'utilisateur
```

nom_d'hôte désigne l'hôte, *nom_d'utilisateur* définit le compte utilisateur sur le serveur, et *command* indique le travail à faire. Si l'on n'entre pas -1 *nom_d'utilisateur*, la commande se simplifie et devient :

le rexec *nom_d'hôte   command*

nom d'utilisateur, par défaut, étant celui de l'hôte local.

Ruptime

Ruptime affiche un tableau qui indique combien d'utilisateurs sont connectés à chaque machine du réseau. Cet utilitaire fait aussi état de la durée de connexion de chacune des machines, d'où son nom *r-up-time*, et affiche quelques informations système complémentaires.

On obtient un rapport ruptime en entrant :

```
ruptime
```

Ruptime et Rwho (voir le chapitre suivant) font appel au démon rwhod. De fait, chaque machine du réseau possède un démon rwhod qui édite à intervalles réguliers des rapports sur l'activité des utilisateurs. Chaque démon rwhod reçoit et stocke les rapports des autres démons de façon à disposer d'une vue d'ensemble de l'activité sur le réseau.

Rwho

Rwho rend compte de l'activité de toutes les machines qui travaillent sur le réseau, à savoir le nom d'utilisateur, l'heure de connexion et le temps qui s'est écoulé depuis le login.

La syntaxe est simple :

```
rwho
```

Le rapport, par défaut, élimine les utilisateurs qui se sont déconnectés depuis plus d'une heure. Si l'on veut l'historique complet, on entre la commande :

```
rwho -a
```

Rwho, comme Ruptime, met en action le démon rwhod.

Résumé

Nous avons vu, dans ce chapitre, quelques utilitaires d'accès distant qui ont évolué dans le contexte TCP/IP. Nous avons parlé en détail de Telnet et de Berkeley R*. Ces utilitaires vous donnent accès à toute machine distante, voire très lointaine, de votre site.

Questions-réponses

Q Telnet est-il une application serveur, une application client ou un protocole ?

R Telnet qualifie les machines qui travaillent sous Telnet (client ou seveur) ou le protocolc Telnet.

Q Quel fichier faut-il ouvrir pour vérifier l'accréditation d'un hôte ?

R Il s'agit du fichier /etc/hosts. equiv.

Q Quel utilitaire peut vous dire si l'utilisateur Graphitix est connecté au réseau en ce moment ?

R L'utilitaire Rwho donne la liste des utilisateurs en cours de connexion.

Mots clés

- **Rcp.** Utilitaire de transfert de fichier à distance.

- **Rexec.** Utilitaire d'exécution des commandes à distance.

- **Rlogin.** Utilitaire de connexion à distance.

- **Rsh.** Utilitaire d'exécution de commandes à distance.

- **Ruptime.** Utilitaire d'information sur la situation courante du réseau.

- **Rwho.** Utilitaire d'information sur les utilisateurs connectés.

- **Telnet.** Utilitaire pour terminal déporté.

- **Accréditation.** Système de sécurité fondé sur l'attribution par l'administrateur de réseau d'autorisations d'accès aux serveurs d'un réseau.

Chapitre 14

Utilitaires Internet

Au sommaire de ce chapitre

- A quoi servent un moteur de recherche Web, un e-mail et un Newsgroup

- Les protocoles SMTP, POP3, LDAP et IMAP4

- La localisation à travers le monde des fichiers sur des serveurs FTP anonymes

- Naviguer sur Internet pour accéder au contenu des serveurs FTP

- A quoi servent Archie, Gopher, Pine et Whois

Ce chapitre présente trois catégories d'utilitaires indissociables d'Internet : les moteurs de recherche (browsers), le courrier électronique (e-mail) et les services de messagerie (news). Nous parlerons aussi de quatre utilitaires vétérans : Archie, Gopher, Pine et Whois. Bien qu'ils ne soient plus très en vogue, ils continuent à fournir l'accès aux ressources disponibles sur Internet, sur les anciens systèmes.

Il ne faut pas perdre de vue qu'Internet est un grand réseau fonctionnant sous TCP/IP et que les utilitaires Internet dont nous allons parler sont, la plupart du temps, employés sur des réseaux locaux qui opèrent sous TCP/IP. Un nombre croissant de sociétés équipent leurs réseaux d'intranets pour accélérer les échanges d'informations et simplifier la tâche de leur personnel. Un *intranet* est un système qui exploite ces utilitaires Internet sur un réseau local. On peut ainsi installer la planification d'une entreprise, la formation ou toutes sortes de formulaires sur un serveur de Web interne. Le personnel accède à l'ensemble de ces informations au moyen d'un navigateur de recherche.

Les moteurs de recherche Web (browsers)

Le World Wide Web s'est emparé de la planète en envahissant tous les domaines d'activité, la croissance du nombre de serveurs est de ce fait exponentielle. Il est facile aujourd'hui pour une petite entreprise, et même pour un particulier, de créer un serveur Web.

Un moteur de recherche, sert à afficher des pages Web, que l'on appelle plus techniquement des documents HTML (*HyperText Marker Language*, langage d'annotation hypertexte). Les moteurs de recherche sont incontestablement les utilitaires les plus fréquentés sur Internet. Netscape Navigator est le moteur de recherche le plus couru d'Internet, talonné par Microsoft Internet Explorer. La compétition entre ces deux produits a porté le marché à un très haut niveau de performances. Heureusement pour le consommateur moyen, ces deux excellents moteurs de recherche sont gratuits et peuvent donc être téléchargés à partir du Web.

Les moteurs de recherche Web offrent une grande richesse de textes et d'images en couleur, parfois accompagnés de musique ou de sons divers. Les premiers moteurs de recherche montraient des pages statiques avec des hyperliens renvoyant le navigateur de pages en pages, au grés de son inspiration. Aujourd'hui ils activent des programmes qui s'exécutent sur la machine cliente ou sur le serveur Web qui les "joue" sur l'écran de la machine cliente.

Lorsqu'un moteur de recherche est installé, on peut l'invoquer depuis un point quelconque de la planète pour en obtenir des informations. Les moteurs de recherche Web fonctionnent en s'appuyant sur des URL (*Uniform Resources Locators*) indicateurs de ressources uniformes. Un URL est la combinaison du nom de domaine d'un protocole et d'un nom de fichier qui identifie de façon unique un document situé quelque part dans le monde. Muni d'un URL, votre moteur de recherche peut localiser le serveur Web qui héberge le document et en demander la copie. Par exemple l'URL **http://home.netscape.com/computing/download/index.html** (tel qu'on le voit dans la boîte Netsite de la Figure 14.1) résulte de la concaténation du protocole http://, du domaine home.netscape.com, de l'arborescence de répertoire /computing/download/ et du nom de fichier index/html. L'URL de la Figure 14.1 désigne la page Web qui s'affiche lors de l'invocation du moteur de recherche Web. Certains URL n'ont ni répertoire ni nom de fichier. Il s'agit de points de départ qui constituent la racine d'un site Web. Lorsqu'on les invoque, on obtient l'affichage par défaut de la documentation disponible sur le site Web concerné.

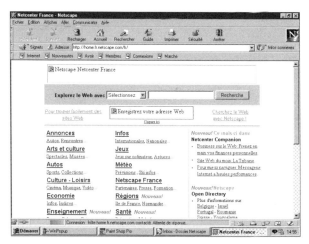

Figure 14.1 : Un navigateur Web affichant une page Web.

Les lecteurs de news (Newsreaders)

A côté des sites Web détenteurs de documentation, on trouve des sites qui détiennent une quantité prodigieuse d'informations stockées sur messagerie. A la différence des serveurs qui ne permettent pas à l'utilisateur de modifier ce qu'il reçoit du Web, les *serveurs de news* sont constitués de *newsgroups*, qui s'organisent chacun autour d'un sujet de discussion donné. Les participants font appel à un logiciel de lecture de news, un *newsreader* pour lister les newsgroups disponibles sur le réseau et s'inscrire (donc souscrire...) à ceux qui les intéressent. Ils peuvent ensuite accéder aux écrits déposés par les membres d'un groupe et déposer des réponses sur le serveur qui héberge les messageries.

Certains newsgroups sont filtrés, afin de rejeter les messages hors de propos ou incongrus et d'éviter leur diffusion publique. D'autres ne font l'objet d'aucun filtrage et vous pourrez prendre connaissance de messages plus qu'incongrus.

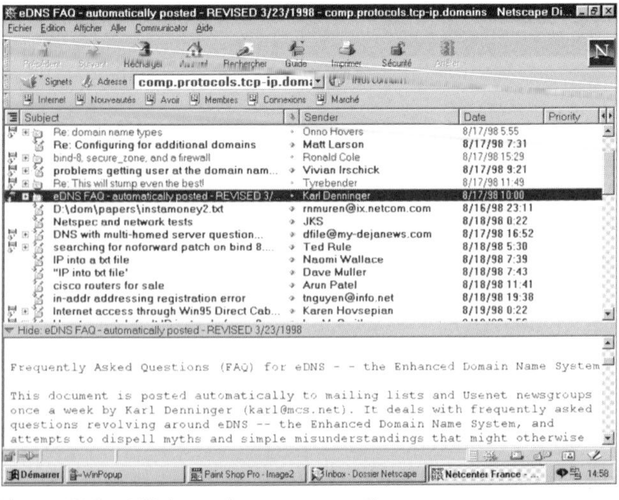

Figure 14.2 : Affichage des messages d'un newsgroup.

Un lecteur de news demande quelques précisions avant de pouvoir afficher des messages. Il faut d'abord télécharger les appellations des newsgroups existants, puis sélectionner ceux que l'on désire contacter. Les messages sont alors téléchargés par le serveur, comme le montre la Figure 14.2.

Les lecteurs d'e-mail

Avec un lecteur d'e-mail (courrier électronique), on peut afficher à l'écran les messages que l'on a reçus dans une boîte de message personnelle ainsi que ceux que l'on envoie. Plusieurs protocoles participent aux opérations du courrier électronique.

SMTP (Simple Message Transfer Protocol)

SMTP est un protocole d'échange de messages entre deux hôtes sur un réseau TCP/IP utilisé par la plupart des serveurs de messagerie électronique, sur et hors Internet. Les messages sont récupérés sur les serveurs grâce à POP (*Post Office Protocol*, protocole "bureau de poste", ou bien IMAP, *Internet Messaging Access Protocol*, protocole d'accès à la messagerie Internet.

POP3

La version 3 de POP, POP3, sert à récupérer les messages déposés dans une boîte de messagerie hébergée par un serveur. Si vous êtes équipé d'une messagerie sur Internet, il y a fort à parier que vous utilisez un logiciel client compatible de POP3.

Lors d'un login sur un serveur POP3, votre logiciel copie les messages qui vous sont destinés pour les placer sur votre machine et, optionnellement, les efface du serveur. Quand vous en prenez connaissance, vous traitez ces copies de la même façon. POP3 ne sert qu'à lire la messagerie. Ce protocole fait appel à STMP pour les envoyer.

IMAP4

La version 4 d'IMAP, IMAP4, opère comme POP3, mais présente plusieurs avantages par rapport à ce dernier. IMAP4 permet de parcourir des classeurs hébergés sur des serveurs et de déplacer, d'effacer et de lire des messages avant d'en ramener (éventuellement) la copie sur la machine locale. IMAP4, permet aussi de sauvegarder sur le serveur votre configuration d'écran e-mail, ce qui donne la possibilité d'accéder à la messagerie à partir de sites divers.

LDAP

Le protocole LDAP (*Lightweight Directory Access Protocol*, protocole allégé d'accès répertoire), permet d'obtenir des informations relatives aux répertoires des serveurs d'e-mail travaillant sous LDAP. Il s'agit, par exemple, de noms, d'adresses e-mail, d'adresses postales et de clés de sécurité d'accès public. La plupart des nouveaux logiciels clients POP et IMAP supportent LDAP

Anciens protocoles

Outre les trois protocoles dont nous venons de parler, certains protocoles en vogue lors des débuts d'Internet subsistent actuellement sur les réseaux, tandis que d'autres ont été remplacés par des utilitaires modernes, dont l'exploitation est plus facile. Voyons donc ces vétérans.

Archie

Le service Archie offre une possibilité de localiser des fichiers sur des serveur FTP *anonymes* situés n'importe où sur Internet. On parle de "serveur anonyme" pour désigner ceux qui autorisent des accès anonymes à leurs clients. Le Web permet ainsi de télécharger la dernière version d'un logiciel depuis le site du fabricant. S'il est inconnu de l'utilisateur, un moteur de recherche fournit une liste des sites Web qui hébergent le fichier.

Les serveurs Archie fonctionnent périodiquement, une fois par mois en général, partant à la recherche des nouveaux fichiers inscrits sur les serveurs connus (bien que dits anonymes...) de la planète. Les noms de ces fichiers sont ensuite triés par ordre alphabétique, assortis de leur site FTP d'hébergement d'origine et placés dans une base de données consultable par le client.

On peut interroger Archie de plusieurs façons. Le plus simple est de disposer d'un logiciel client qui supporte Archie. On peut aussi atteindre Archie *via* Telnet ou e-mail.

Tous les serveurs Archie hébergent les mêmes informations puisque chacun d'eux accède aux mêmes serveurs FTP anonymes. Il n'est donc pas important de savoir sur quel Archie on est connecté lorsqu'on tente de localiser un fichier. Il faut cependant prendre soin de limiter le trafic engendré lors de l'envoi d'une requête Archie. Il est avisé de contacter un serveur Archie situé à quelques sauts de routeurs, plutôt que d'en interroger un en Australie quand on habite en France.

Pour localiser un fichier, par exemple un nouveau driver pour une carte son de marque donnée, il faut identifier les serveurs qui sont susceptibles d'en exécuter le téléchargement. Lorsqu'on entre le nom du fichier, voire une partie du nom, Archie recherche dans son catalogue le fichier correspondant à la requête client. Il indique alors quels sont les fichiers et les serveurs FTP qui répondent à la description. Au moyen d'un logiciel client FTP, l'utilisateur télécharge "son" driver tout neuf.

La Figure 14.3 représente une requête Archie émise en vue de rechercher la police de caractères P9000.

Gopher

Le service Gopher a été largement dépassé par ce que peut offrir le World Wide Web. Gopher a vu le jour à l'université du Minnesota pour donner aux étudiants comme au personnel la possibilité de localiser et d'afficher ce qui circule sur Internet au moyen de menus. Gopher permet aussi de créer des catalogues mis à la disposition du public sur des serveurs Gopher.

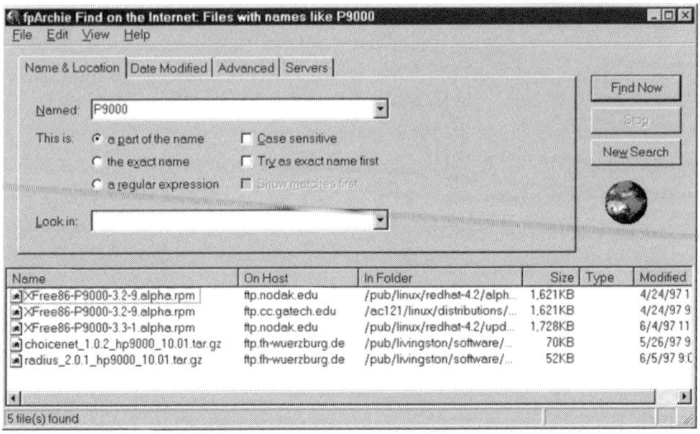

Figure 14.3 : Réponse Archie sur une recherche de police P9000.

De nombreux serveurs Archie sont désormais hors circuit, et, lorsqu'on tente de les atteindre, ils vous renvoient vers un navigateur www (World Wide Web) qui fera le travail demandé. Gopher existe encore et offre une rapidité qui résulte de son fonctionnement en mode texte. Il n'est pas ralenti par la mise en forme graphique (fenêtres) qui est la règle sur le www. On trouve Gopher implanté sur les machines en compagnie d'utilitaires clients divers, comme FTP ou Telnet.

Gopher détient des catalogues de ce qui est disponible sur Internet, classé par sujets, comme dans l'index d'une bibliothèque. Gopher propose au client des menus, le choix d'un item ouvrant un autre menu, et ainsi de suite jusqu'à obtenir un nom de fichier téléchargeable. S'il s'agit d'un fichier FTP, Gopher l'expédie sous protocole FTP.

La Figure 14.4 représente la réponse à une requête formulée à la bibliothèque du Congrès, aux Etats-Unis. Le site serveur se trouve à l'université de l'Iowa.

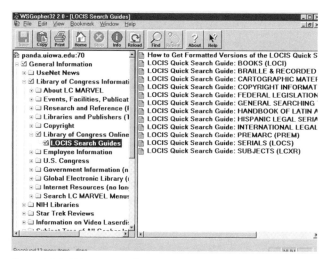

Figure 14.4 : Réponse Gopher à une requête sur la bibliothèque du Congrès.

Pine

Il s'agit d'un système développé par l'université de Washington, qui permet à l'utilisateur de correspondre par e-mail au moyen d'interfaces terminal simples, comme Telnet. Le service Pine est hébergé par des plates-formes UNIX, et on l'exploite au moyen de commandes d'une seule lettre précédées de la touche Ctrl. Pour rédiger un nouveau message, on entre Ctrl-C. On se rappellera qu'UNIX distingue majuscules et minuscules. Pine par lui-même ne fait aucune différence.

En se servant de Pine sur un terminal ou une émulation de terminal, on peut exploiter la messagerie, mettre à jour le carnet d'adresses, ouvrir et gérer des classeurs, associer des fichiers aux messages, corriger l'orthographe, etc.

Ces fonctions sont aujourd'hui gérées par des applications e-mail plus sophistiquées, mais lorsque le matériel se réduit à un simple terminal fonctionnant en mode texte, Pine est la solution idéale.

Figure 14.5 : Réponse d'un serveur Whois à la suite d'une recherche sur le nom "gopher".

Whois

L'utilitaire Whois se charge de trouver les noms de personnes ou de sociétés qui répondent à certains critères, que l'on soumet à un serveur Whois. Autrefois, un client Whois offrait une interface client de soumission de requête et d'affichage des résultats, Aujourd'hui, ce service est disponible sur le Web. Lorsqu'on navigue, la page Web comporte une boîte de dialogue où l'on entre le nom recherché. La Figure 14.5 représente le résultat d'une recherche Whois.

Résumé

Nous avons appris qu'Internet offre une grande diversité de services, qui mettent en œuvre des programmes serveurs et des programmes clients. Le World Wide Web est le plus fréquenté de ces services, ainsi que l'e-mail, courrier électronique, qui permet de correspondre d'un bout à l'autre de la planète. Les Newsgroups et forums divers, qu'exploitent des lecteurs de news, permettent aux gens de se rencontrer sur le réseau pour y discuter de leurs centres d'intérêt. Les anciens utilitaires Archie, Gopher, Pine et Whois offrent des services qui sont toujours appréciés dans l'environnement réseau moderne.

Questions-réponses

Q Qu'est-ce qu'un URL, quel service Internet lui est associé ?

R URL signifie Uniform Resources Locator, indicateur de ressources uniforme. Un URL se charge de rechercher des documents sur l'ensemble du Web.

Q Avant de prendre connaissance de vos nouveaux messages, que devez-vous faire ?

R Il faut vous joindre à un newsgroup.

Q Quel est le service Internet qui localise les serveurs FTP d'accès anonyme hébergeant les fichiers que vous cherchez ?

R Il s'agit d'Archie.

Q Si vous ne disposez que d'accès *via* Telnet, comment faire pour envoyer des messages par e-mail ?

R Pine peut être utilisé à cet effet.

Mots clés

- **Archie.** Utilitaire client/serveur qui localise les fichiers en accès anonyme sur les serveurs FTP.

- **Gopher.** Utilitaire client/serveur de navigation sur Internet et de présentation de documents à l'écran.

- **Pine.** Un lecteur d'e-mail par émulation de terminal rattaché à une plate-forme UNIX, qui permet de lire, écrire et échanger des messages.

- **URL.** Indicateur de ressources uniforme, qui s'invoque au moyen d'une adresse généralement en trois parties : un nom de protocole, comme http://, un nom de domaine, et optionnellement un chemin d'accès assorti du nom de fichier ou de document que l'on recherche.

Partie IV

Résolution de nom

Chapitre 15

Résolution des noms d'hôtes et domaines

Au sommaire de ce chapitre

- La résolution de nom

- Nom d'hôte, nom de domaine, FQDN

- Les résolutions de nom par Host files et sous DNS

La résolution de nom consiste à identifier l'adresse IP d'une machine à partir de son nom déclaré sur le réseau. Nous allons donc parler des noms d'hôtes, des noms de domaines et des FQDN (*Fully Qualified Domain Names*), noms de domaines complètement déterminés. Nous verrons quels sont les divers procédés de résolution de nom. Certains sont de caractère dynamique (mise à jour automatique) et d'autres de caractère statique (mise à jour manuelle).

Méthodes de résolution des noms d'hôtes et de domaines

Il est plus facile pour l'homme de mémoriser les mots que les nombres. A contrario, les ordinateurs manipulent les chiffres avec une agilité extrême. Pour communiquer, les ordinateurs utilisent des adresses sur 32 bits, appelées adresses IP, et il faut bien établir une correspondance entre ces valeurs binaires et les noms couramment utilisés — et mémorisables — par l'homme pour désigner un site connecté sur un réseau.

Un certain nombre de conventions sont couramment employées pour baptiser les ordinateurs et leur attribuer des noms d'hôtes, des noms DNS ou des noms NetBIOS. Ces derniers sont issus des systèmes d'exploitation Windows opérant en environnement LAN (voir Chapitre 17, "Résolution de noms NetBIOS"). Nous nous intéresserons dans ce qui suit aux noms d'hôtes et aux noms de domaines.

Noms d'hôtes

L'attribution de noms d'hôtes aux machines date des débuts d'ARPAnet. On assigne un nom unique à chaque ordinateur. On dit que ces noms d'hôtes forment un espace de dénomination *plat*, en ce qu'il n'y a pas d'organisation verticale, de hiérarchie, dans les noms de baptême affectés aux machines. Pour concrétiser ce concept, imaginez que les gens n'aient qu'un prénom. Ils seraient bien en peine de se différencier, à moins qu'ils ne se donnent un "pseudo" (langage de cébiste…) très inventif.

Lors des débuts d'ARPAnet, le nom de chaque ordinateur connecté au réseau était répertorié dans un fichier unique dénommé Hosts.txt. Ce fichier était sous administration centralisée, ce qui imposait un nom unique à chaque machine. Avec l'augmentation du nombre de machines, donc de noms, les appellations devinrent folkloriques, à seule fin d'être uniques, et finirent par être ingérables. L'espace de dénomination de type plat s'avérait inadapté à la croissance du parc machines…

DNS (Domain Name System)

On désigne sous cette appellation un processus de résolution de noms mis au point pour régler le problème des noms d'hôtes et du fichier Hosts.file. Le système DNS possède la structure hiérarchisée d'une base de données.

La structure de DNS est organisée en couches qui présentent une certaine arborescence. Si vous surfez sur le Web, vous utilisez DNS sans le savoir. Un nom de domaine se compose de deux parties. Il est géré par une autorité centrale, InterNIC, qui assure son unicité. La première composante du nom de domaine désigne une organisation ou une société. La deuxième composante est un suffixe qui permet la classification du domaine, comme com, gov ou edu. Ils sont parfois appelés TLD (*Top-Level Domains*), domaines de plus haut niveau. Le nom de domaine est déposé, il est la propriété de l'organisation ou de la société. Le nom `whitehouse.gov` est un exemple de nom de domaine.

La Figure 15.1 illustre la structure hiérarchisée de DNS. L'astérisque * placée au sommet représente la racine de l'arborescence DNS. Immédiatement en dessous apparaissent les TLD, puis viennent les noms de domaines déposés par diverses entités.

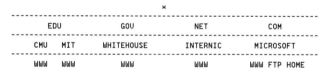

Figure 15.1 : Structure hiérarchisée de DNS.

Le fonctionnement du système DNS est extraordinaire. DNS emploie une multitude de serveurs pour accomplir ses tâches. Il constitue une base de données répartie sur plusieurs milliers de sites appelés serveurs DNS, ou serveurs de noms, dont chacun héberge une partie de la base (voir Chapitre 16, "Le système DNS, résolution de domaines"). Chaque possesseur d'un serveur DNS a pour obligation d'en rendre le contenu accessible à l'ensemble du système DNS.

Pour bien comprendre le système DNS, il faut d'abord savoir ce que sont les FQDN. Un serveur DNS fait appel aux FQDN pour localiser des machines appartenant à des domaines autres que le sien. On forme une FQDN en associant un nom d'hôte à un nom de domaine. Par exemple, le nom d'hôte *machine_paul* associé au domaine *club-radio.com* donnera l'adresse FQDN : **machine_paul.club-radio.com**.

DNS autorise la définition locale du nom d'hôte dont le domaine a été assigné. Les serveurs DNS disséminés dans le monde entier constituent une base de données regroupant l'ensemble des serveurs locaux d'entreprises ou d'organisations, dédiés à chacun des domaines dont elles possèdent les noms. DNS sait trouver une machine, où qu'elle se situe sur terre.

Les serveurs DNS sont aussi appelés *serveurs de noms*. Nous utiliserons donc indifféremment ces appellations. Un serveur qui reçoit une requête de résolution de nom, c'est-à-dire de traduction d'un nom en une adresse, répond à ces appellations.

Utilisation des Hosts files et de DNS

Bien que le fichier centralisé Hosts.txt d'InterNIC ne soit plus entretenu, les réseaux privés continuent d'exploiter ce genre de fichiers. L'emploi de DNS n'exclut nullement l'utilisation des *Hosts files*, fichiers d'hôtes, et réciproquement.

Le choix dépend de l'environnement réseau dont on dispose. Sur un réseau modeste, de configuration non évolutive, dont les machines conservent la même adresse IP et le même nom sur de longues durées, sans ajout ni retrait répété, les Hosts files sont tout à fait indiqués. Ils sont simples à éditer et à modifier une fois de temps en temps.

De même, lorsqu'un réseau privé utilise un Internet Service Provider (ISP), il peut faire appel aux serveurs DNS de l'ISP pour résoudre les adresses Internet et exploiter un fichier d'hôtes pour les adresses du réseau privé.

Un réseau très évolutif, de grande dimension, est en revanche obligé de faire appel au système DNS. La configuration et la gestion d'un tel système sont coûteuses en matériel et en heures de travail, mais les avantages sont considérables par rapport à l'entretien des Hosts files (voir le Chapitre 16, "Le système DNS, résolution de domaines").

Les Hosts files

Un Hosts file, fichier d'hôtes, permet de résoudre les noms d'hôtes, et optionnellement les FQDN, en adresses IP, lorsqu'on n'a pas accès au service DNS. Le Hosts file est souvent appelé Hosts, et, sur certaines implémentations, prend le nom de Hosts.txt.

Le fichier Hôtes d'une machine contient tout simplement la liste des hôtes avec lesquels la machine doit pouvoir communiquer. On entretient ce fichier de manière *statique*, ce qui veut dire qu'on entre les modifications au clavier sous forme de couples adresse IP/nom d'hôte ou FQDN (ou autres). Le fichier contient toujours l'adresse IP 127.0.0.1, qui est l'adresse de boucle, celle de la machine sur laquelle on est, sous la forme 127.0.0.1/tulipe, si vous travaillez sur la machine "tulipe".

 La gestion des adresses IP est dite *statique* lorsqu'on entre et modifie ces adresses manuellement, par le clavier.

Un fichier d'hôtes ressemble à ce qui suit. On peut y lire l'adresse IP et le(s) nom(s) qui lui correspond(ent), assortis d'un commentaire (en option).

```
127.0.0.1       tulipe  #le site d'ici/

198.1.14.0      machine_paul
```

```
#gigaHertz#club radio

198.1.14.128    centre_nodal_17          #passerelle
```

Lorsqu'une application en cours sur une machine a besoin d'une adresse IP, le système compare son propre nom au contenu de la requête. S'il n'y a pas coïncidence, le système explore le fichier d'hôtes (s'il est présent) pour y rechercher le nom qui lui est soumis.

Lorsque le couple a été trouvé dans le fichier, le système transmet l'adresse IP à l'application et, comme nous l'avons vu, fait appel à ARP pour obtenir l'adresse physique du site recherché. Une liaison peut être ouverte entre les deux machines.

Si aucune correspondance n'est trouvée dans le fichier d'hôtes, ou s'il n'y a pas de fichier d'hôtes, les noms de sites sont communiqués au service DNS, pour autant que le site local soit configuré pour interroger les serveurs DNS (voir Chapitre 16).

 Les fichiers hôtes sont souvent situés dans un répertoire appelé, etc. Sous Windows NT, par exemple, ce fichier est :

C:\Winnt\System32\drivers\etc\Hosts. Windows 95 et 98 placent ce fichier directement dans le répertoire Windows.

Edition des Hosts files

Pour modifier un fichier d'hôtes, il faut l'éditer à l'écran et faire sa mise à jour au clavier. On préfère le service DNS aux Hosts files, en raison de la diffusion rapide et simultanée de ses mises à jour sur un grand nombre de machines. De toute façon, TCP/IP n'interdit aucunement de se servir des Hosts files.

Tout éditeur peut modifier un fichier hôte. Sous UNIX, on utilise vi ou Pico. Sous Windows, Notepad est d'un usage courant, tandis que, sous DOS, Edit est un bon choix.

Lors de la création d'un fichier d'hôtes, on tiendra compte des remarques suivantes :

- L'adresse IP doit être au fer gauche et séparée du nom par un ou plusieurs espaces.

- Les noms doivent être séparés au moins d'un espace.

- Les noms ajoutés à la suite d'un nom en deviennent des alias.

- Le fichier est parcouru de haut en bas par la machine. L'adresse IP de la première correspondance rencontrée sera utilisée, la machine cessera alors de parcourir le fichier ; de ce fait, il est sage de placer en tête de liste les sites le plus souvent visités, ce qui accélère le processus de recherche.

- Les commentaires doivent être précédés d'un dièse (#).

- C'est un fichier statique qu'il faudra modifier à la main lors de tout changement d'adresse IP.

- Un fichier d'hôtes mal écrit peut causer des erreurs d'adressage ou de "plantage" des applications en cours.

- Bien que les FQDN soient acceptées dans les fichiers d'hôtes, leur utilisation peut poser des problèmes sournois. Si un serveur se voit attribuer une nouvelle adresse IP et si son FQDN local n'est pas mis à jour, il continue à pointer vers l'ancienne adresse IP.

Utilitaires de test pour la résolution d'adresses

Puisque Ping, les explorateurs Web, les clients FTP et Telnet utilisent tous des Hosts files ou DNS pour la résolution de noms, on peut les mettre à profit pour vérifier que cette fonction marche correctement. Si vous avez entré des modifications sur un fichier d'hôtes ou sur DNS, il est avisé de faire quelques vérifications de la mise à jour.

Prenez soin de désactiver le système Hosts files (si ce système est présent sur la machine) pour vérifier des modifications apportées à DNS, cela parce que la machine va en priorité sur le fichier d'hôtes lorsque vous invoquez un nom de site. Vous pouvez, par exemple, renommer momentanément le fichier. Il en est de même si c'est le fichier d'hôtes qui est à tester, auquel cas il faut empêcher la machine d'utiliser prioritairement DNS. Cela pose quelques problèmes à l'utilisateur isolé, mais, rassurez-vous, c'est la même chose sur les systèmes multi-utilisateurs comme UNIX.

Les utilitaires que nous avons vus jusqu'à présent peuvent être mis en œuvre pour tester les modifications introduites dans le système de résolution que votre machine exploite. Avec un appel FTP ou Telnet sur nom d'hôte ou FQDN, on tente une liaison avec le site concerné. Si tout se passe bien, c'est que les entrées sont correctes (voir Chapitre 12, "Utilitaires d'accès et de transfert fichiers" et Chapitre 13, "Utilitaires d'accès distant").

Ping se révèle aussi fort utile pour ce genre de test (voir Chapitre 11,"Utilitaires de connexion"). On entre une commande ping suivie du nom d'hôte ou du FQDN du site à atteindre. Par exemple :

```
Ping machine_paul.club-radio.com
```

La réponse ne tarde pas :

```
Pinging machine_paul.club-radio.com [198.1.14.2]
with 32 bytes of data

Reply from 198.1.14.2 : bytes= 32 time<10ms ttl=128

Reply from 198.1.14.2 : bytes= 32 time<10ms ttl=128

Reply from 198.1.14.2 : bytes= 32 time<10ms ttl=128

Reply from 198.1.14.2 : bytes= 32 time<10ms ttl=128
```

On fait souvent appel à Ping pour savoir si une machine est active, ce qui est le cas ici, vu les quatre réponses obtenues. Observez cependant la ligne qui précède les réponses ; elle indique l'adresse IP associée à **machine_paul.club-radio.com**. On voit donc immédiatement si la traduction du nom d'hôte est correcte. Ping ne demande ni ID utilisateur ni mot de passe, ce qui peut poser un problème si vous faites appel à d'autres utilitaires de test qui nécessitent un compte de prise en charge. Il faut dire aussi que certains réseaux commerciaux du Web ainsi que des réseaux privés ont désactivé le port ICMP utilisé par Ping pour se protéger des intrusions des pirates qui pratiquent ce port. Dans ce cas, Ping s'avère inefficace et il convient de recourir à d'autres utilitaires.

Résumé

La résolution de noms permet à chacun de donner à sa machine des noms commodes à lire, écrire et mémoriser, au lieu de manipuler ses adresses IP. Quand le nom d'une machine se compose d'un nom de domaine assorti d'un nom d'hôte, on dit qu'elle possède un FQDN (*Fully Qualified Domain Name*), nom de domaine complètement défini. La résolution de ces noms, c'est-à-dire leur traduction en adresses IP, se fait au moyen de fichiers d'hôtes (Hosts files) ou du système en ligne DNS.

Questions-réponses

Q Qu'est-ce qu'un nom de domaine ?

R Il s'agit d'un nom à deux composantes octroyé par un administrateur centralisé comme InterNIC sous garantie d'unicité. La première composante définit la société ou l'organisation, tandis que la seconde est un suffixe de domaine tel que com, gov ou edu qui permet une classification d'ensemble.

Q Qu'est-ce qu'un nom d'hôte ?

R C'est le nom attribué à une machine. Il est généralement créé avec un souci d'identification de son emplacement, de sa fonction, de son utilisateur, etc.

Q Qu'est-ce qu'une FQDN ?

R C'est la concaténation d'un nom d'hôte et d'un nom de domaine réunis par un point. C'est ainsi que le nom d'hôte *tulipe* et le domaine *compagnie.com* donnent le FQDN de la machine : *tulipe.compagnie.com*

Atelier

- Entrez sur votre clavier la commande `ping localhost` et notez l'adresse affichée.

- Entrez la commande `hostname` et notez le nom d'hôte obtenu. Sous Windows, invoquez WinIPCfg.

- Entrez une commande `ping` suivie du nom d'hôte de votre machine.

- Si votre machine possède un nom de domaine, entrez une commande `ping` suivie de votre FQDN.

- Ajoutez une ligne à votre fichier hôtes du genre : `10.59.66.200 - routeur - paserelle - rampe de sortie` en remplaçant, bien sûr, la valeur 10.59.66.200 par votre adresse IP.

- Entrez les commandes : `ping routeur`, `ping passerelle`, `ping rampe de sortie`

- Déterminez si votre machine est configurée pour travailler avec un serveur DNS Si c'est le cas, émettez les commandes suivantes :

`ping www.internic.net`

`ping www.whitehouse.gov`

Mots clés

- **DNS.** Base de données répartie qui centralise la gestion des noms de domaines et décentralise la gestion des ressources locales.

- **Nom de domaine.** Catégorie d'appellations enregistrées sur InterNIC avec garantie d'unicité.

- **FQDN.** Nom issu de la concaténation d'un nom d'hôtes et d'un nom de domaine.

Chapitre 16

Le système DNS, résolution de domaines

Au sommaire de ce chapitre

- Descrption de DNS

- Fonctionnement de DNS

- Fichiers de zone et enregistrements de ressources

- Utilisation de NSLookup pour visiter les serveurs DNS

Le système DNS, *Domain Name System,* est un outil de conversion de noms de domaines, tels que www.whitehouse.gov ou rs.inter-nic.net, en adresses IP. Sur requête d'une application cliente, géné-ralement un moteur de recherche, le serveur DNS fournit l'adresse sur 32 bits du site recherché.

Le dictionnaire définit le mot *domaine* en termes de propriété, de possession et de sphère d'influence. Ces mots décrivent parfaite-ment les attributs d'un domaine tel que le conçoit le système DNS.

Le droit d'utiliser ou de posséder un nom de domaine est attribué à un pays, une société, une institution, une organisation ou une entité. Lorsqu'un nom de domaine lui a été affecté, l'attributaire dispose librement de ce nom et de ses déclinaisons.

Nous verrons dans ce chapitre que DNS est une base de données à l'échelle de la planète dont les services sont fournis par des milliers de serveurs. Nous apprendrons comment mettre en œuvre un serveur DNS. Nous nous servirons de l'utilitaire NSLookup pour analyser la configuration de divers serveurs DNS.

DNS (Domain Name System)

DNS est une base de données répartie, équipée de logiciels de service, qui détient les listes de milliers de sites. Comme nous l'avons vu au Chapitre 15, DNS assume la tâche essentielle d'établir une correspondance entre adresse IP et nom d'hôte. Lorsque les premiers réseaux ont vu le jour, le SRI-NIC, *Stanford Research Institute Network Information Center*, disposait d'un fichier Hosts.txt entretenu manuellement. Ce fichier contenait le nom et l'adresse IP de toutes les machines d'ARPAnet. Il était périodiquement mis à jour et distribué aux administrateurs de réseaux. Ce processus était cependant un peu rigide et présentait certains inconvénients :

- Une machine ne pouvait avoir qu'un seul nom, et il devenait donc difficile de concilier originalité et spécificité pour "baptiser" un site.

- SRI-NIC était contraint d'entretenir à grand peine un fichier Hosts.txt de plus en plus gros.

- Les administrateurs de réseaux locaux passaient leur temps à charger les nouvelles versions de ce fichier.

- L'exploration du fichier Hosts.txt, de type séquentiel, demandait de plus en plus de temps, ce qui ralentissait les serveurs qui l'hébergeaient.

DNS a donc été développé pour libérer la gestion des réseaux de ces contraintes. Les administrateurs ne se chargent que de mises à jour "régionales", ce qui dispense d'une centralisation. Chaque société, organisme, institution sur réseau qui possède un nom de domaine met sa part de DNS à la disposition de tout un chacun. DNS est donc parfaitement décentralisé, et il n'y a plus de fichier central des sites. Les serveurs de réseaux dialoguent entre eux pour trouver les adresses IP qui correspondent à un nom de domaine.

DNS au travail

Les noms de domaines ont une structure hiérarchisée (à la différence des noms d'hôtes). Les différents niveaux d'un nom de domaine sont séparés par un point (.). Le nom le plus à droite, tel que com, edu, gov, etc., est le nom du TLD (*Top Level Domain*), domaine de plus haut niveau qui sert à la classification générale des sites. Les TLD apparaissant en fin d'adresse, on les appelle des suffixes. Les sociétés commerciales ont un suffixe com, les université de cycle quadriennal ont le préfixe edu et les autorités fédérales américaines le suffixe gov. Ces suffixes sont de niveau proche du sommet de la hiérarchie, la *racine* de l'arborescence DNS, représentée par une simple astérisque.

Ce qui précède le suffixe est déposé auprès d'une autorité centrale qui garantit son unicité. Par exemple, internic.net, white-house.gov et samspublishing.com sont des noms de domaines déposés.

Lorsqu'une entité dispose d'un nom de domaine, elle est habilitée à le fractionner comme elle l'entend. Tout ce qui précède le nom de domaine, comme www, ftp, home, machine_paul, etc., est défini par le possesseur du nom de domaine. Si l'administrateur d'une base de données qui travaille pour Sams veut créer un nouveau site Web appelé home.samspublishing.com, il lui sufit d'entrer une ligne à l'intention du serveur DNS qui gère le domaine samspublishing.com, appelée *enregistrement de ressource*, pour que quiconque sur terre puisse se connecter au nouveau site.

Un certain nombre de serveurs DNS sont gérés de façon centralisée par l'ISI aux Etats-Unis et par d'autres autorités dans les autres pays. Les serveurs DNS au sommet de la hiérarchie sont connus sous le nom de *serveurs racines*. Il sont identifiés par une lettre de l'alphabet.

Les serveurs DNS racines contiennent les adresses IP des serveurs DNS suffixes, au niveau hiérarchique immédiatement inférieur. Les serveurs suffixes, à leur tour, contiennent les adresses IP des serveurs gérés par les entités détentrices d'un nom de domaine, qui sont au deuxième niveau sous la racine. Les serveurs DNS locaux contiennent les adresses des serveurs appartenant à l'entité qui lui fournissent des services tels que l'accès au Web, l'Email, FTP, Gopher et autres. Les serveurs DNS locaux peuvent éventuellement détenir les adresses d'autres serveurs DNS de niveau hiérarchique inférieur qui œuvrent au sein de l'entité.

Imaginons, par exemple, que vous dirigiez une société commerciale appelée Lasting Impressions et que vous désiriez créer un serveur Web et un serveur e-mail sous votre nom de domaine. Vous contacterez InterNIC pour être sûr que l'appellation lastingimpressions est libre, auquel cas vous en ferez le dépôt, avec un suffixe com. InterNIC ajoutera une ligne correspondant au serveur DNS responsable de votre tout nouveau domaine sur les serveurs DNS qui gèrent les requêtes relatives à l'ensemble des domaines de suffixe com.

Vous créez ensuite sur votre serveur DNS des *fichiers de zone* relatifs aux machines et aux services que vous êtes disposé à rendre accessibles au reste du monde (ces fichiers de zone renseignent le service DNS sur la façon de répondre aux requêtes des clients locaux et des autres serveurs DNS — voir plus loin). Une fois ces tâches accomplies, et pourvu que vos serveurs DNS locaux soient bien configurés, les habitants de Tombouctou comme ceux de La Ferté-sous-Jouarre seront à même d'interroger DNS pour localiser vos serveurs Web, FTP, Gopher et Email.

Maintenant que vous êtes enregistré, comment ça marche ? Quelqu'un qui surfe sur le Web entre au clavier l'adresse **www.home.lastingimpressions.com/default.htm** dans un moteur de recherche. Les trois lettres *www* indiquent que l'on recherche un fichier sur un site Web, *home* est le nom du serveur Web du domaine *lastingimpressions* et *default/htm* est le nom du fichier auquel le surfeur désire accéder. Pour être capable d'afficher la page Web default/htm, le moteur a besoin de l'adresse IP du serveur Web qui l'héberge. Il contactera ensuite ce serveur et demandera la page en question.

Voici un exemple de ce qui se passe lorsqu'une application fait appel à DNS pour obtenir une adresse IP.

1. Le moteur extrait le nom de domaine *lastingimpressions* de l'adresse de page Web **www.home.lastingimpressions.com/default/htm.**

2. Le moteur contacte le serveur DNS local dont dépend, de par sa configuration, la machine du demandeur.

3. Ce serveur cherche d'abord dans ses propres fichiers le nom qui lui est soumis. S'il ne trouve rien, il interroge le serveur racine "responsable" du TLD com, qui détient la liste de tous les sites dont le suffixe est "com".

4. Le serveur racine n'a rien sous home.lastingimpressions.com ; par contre, il connaît lastingimpressions.com et renvoie l'adresse IP du serveur DNS responsable du domaine lastingimpressions.com.

5. Le serveur local contacte le serveur DNS lastingimpression.com et réclame l'adresse de l'ordinateur home.lastingimpressions.com, où se trouve la page Web recherchée par le moteur.

6. Lorsque le serveur DNS local est en possession de l'adresse IP de home.lastingimpressions.com, il fait parvenir cette adresse au moteur de recherche Web. Muni de cette adresse, le moteur contacte le serveur Web pour en extraire le document convoité.

Il y a trois types de requêtes invoquées lorsqu'on mobilise DNS ; l'exemple que nous venons de voir en met deux à exécution. En ce qui concerne le premier type, le client fait une requête *récursive* à son serveur de nom local. Ce genre de requête aboutit soit à une fin de non-recevoir — le domaine cherché n'existe pas —, soit à la communication de l'information demandée.

Le deuxième type de requête, dite *itérative*, correspond à ce qui se passe entre le serveur local DNS et les autres serveurs de noms. Si le serveur sollicité ne connaît pas l'adresse IP de l'hôte recherché, il fait de son mieux pour orienter l'utilisateur vers un serveur spécialiste du domaine. La phase 4 de l'exemple qui précède correspond à ce schéma.

Le troisième type de requête, dite *inverse*, consiste à demander un nom de site à partir de son adresse IP, ce qui peut se faire au moyen de fichiers de recherche inverse, reverse lookup files, que nous verrons dans quelques paragraphes.

Gestion DNS

L'Internet Assigned Numbers Authority, IANA, a la responsabilité d'élaborer de nouveaux suffixes TLD (com, edu, etc.). Le site Web de IANA a pour nom www.iana.org. Voici la liste des services qui s'occupent de l'enregistrement des divers TLD :

- **com, edu, org et net.** InterNIC se charge de ces quatre familles. Le domaine edu correspond aux cycles d'études universitaires quadriennaux. L'adresse d'InterNIC est `www.internic.net`.

- **gov.** Le domaine gov est réservé aux autorités fédérales des Etats-Unis. Les Etats et administrations locales sont en arborescence à partir de ce TLD. L'enregistrement se fait auprès de **www.registration.fed.gov.**

- **mil.** Le domaine mil appartient à l'armée américaine. Enregistrement auprès de **www.nic.mil.**

- **us.** Ce suffixe appartient à l'Information Service Institute (ISI), organisme américain. Enregistrement auprès de **www.isi.edu/in-note/usdnr.**

Outre le TLD qui comporte trois lettres, les pays sont désignés par un code à deux lettres : *us* pour les Etats-Unis, *fr* pour la France, *it* pour l'Italie, *uk* pour le Royaume-Uni, *es* pour l'Espagne. Chaque pays désigne une autorité responsable de l'enregistrement des noms de domaines sous leur code. C'est l'ISI qui se charge de cette tâche aux Etats-Unis. En France, c'est InterNIC qui assume cette responsabilité.

Installation d'un service DNS

Nous allons parler de l'installation d'un serveur et d'un client DNS. Pour installer un serveur DNS, il faut en choisir le type, créer les fichiers de zone et les enregistrcments de ressources, puis tester la mise en place du serveur. L'installation du DNS client, qui fait appel au serveur pour la résolution d'adresse est plus simple.

Les types de serveurs DNS

Lorsque vous installez DNS sur un réseau, vous choisissez au moins un serveur de gestion de votre domaine. C'est le *serveur principal* ; il extrait les informations des fichiers locaux dans les zones dont il est responsable. Toute modification affectant votre domaine est stockée sur ce serveur.

Beaucoup de réseaux ont un serveur de secours, le *serveur secondaire*. En cas de panne du serveur principal, ce serveur de secours continue à satisfaire les requêtes. Le serveur secondaire prend ses information dans le fichier de zone du serveur principal. On dit dans ce cas qu'il y a *transfert de zone*.

Le troisième type est ce qu'on appelle un *serveur cache seulement*. La mémoire cache d'un ordinateur mémorise des données employées de façon répétitive et qui doivent donc se trouver "à portée de main". Dans son rôle de cache, ce serveur répond aux demandes de résolution de noms des clients du réseau local. Il interroge les autres serveurs DNS sur les domaines et les machines qui offrent des services (Web ou FTP, par exemple). A leur réception, ces informations sont placées dans la cache pour répondre rapidement à une nouvelle interrogation.

Les *serveurs cache seulement* sont mis à contribution par les machines clientes du réseau local pour la résolution de noms. InterNIC ne les enregistre pas en tant que serveurs DNS, ils travaillent donc incognito et ne seront pas inquiétés par DNS. Cela est intéressant si l'on veut "étaler" la charge des serveurs dont on dispose. Un serveur cache est facile d'entretien, en particulier si l'on dispose d'un site distant où les machines clientes n'ont besoin de rien d'autre que d'une résolution de noms.

Le contenu de la cache est préconfiguré avec les adresses IP de neuf serveurs racines DNS. Si ce serveur accède à Internet via un routeur, il est prêt à fonctionner. Les machines clientes pourraient inclure l'adresse IP de ce serveur dans leur liste de recherche. Ce serveur répondrait aux requêtes en contactant d'autres serveurs DNS, ajoutant automatiquement des lignes à la mémoire cache.

Sous Windows NT, DNS est implanté comme un service. Sur la plupart des plates-formes UNIX, la fonction DNS a pour nom *named*, acronyme de *name daemon*. Les Démons sont des procédures (travaillant en arrière-plan) de fourniture de services aux utilisateurs et aux machines. Les sites qui hébergent DNS peuvent jouer — et jouent souvent — d'autres rôles vis-à-vis du réseau.

Les fichiers de zone

Les *fichiers de zone* indiquent aux services DNS comment répondre aux requêtes des clients locaux et autre serveurs DNS. Le fichier de zone sert à définir une *zone d'autorité*, une *sphère d'influence*. Il s'agit d'un fichier texte standard qui détient la liste de toutes les machines et de tous les services dont le serveur est "responsable". On enrichit ce fichier lorsque de nouvelles machines doivent se faire connaître de DNS.

Lorsqu'un domaine ne conprend qu'un petit nombre de machines, le fichier de zone répertorie exhaustivement toutes ces machines. Cette situation est fréquente, d'où la tendance à confondre zone et domaine. On peut très bien avoir une répartition des machines d'un domaine sur deux zones, chacune étant rattachée à un serveur distinct.

Supposons que la société Lasting Impressions, à la suite de son succès, soit devenue un groupe avec un siège à New York et un autre siège à Los Angeles. Les deux ordinateurs de ce groupe appartiennent au même domaine **lastingimpressions.com**, mais leurs inscriptions DNS doivent être traitées localement. La solution est de créer un fichier de zone sur un serveur DNS de New York pour prendre en compte toutes les machines du siège new-yorkais et un fichier de zone sur un serveur DNS de Los Angeles pour gérer les machines de cet autre siège. Chaque serveur ne répondrait qu'aux requêtes concernant sa zone.

Enregistrements de ressources

Les lignes entrées dans un fichier de zone sont appelées enregistrements de ressources. Il existe divers types d'enregistrements selon les caractéristiques des ressources que l'on déclare. Le type *A*, par exemple, contient la correspondance entre nom d'hôte et adresse IP. Le type *CNAME* (Canonical Name) concerne les alias. Si un surfeur a entré au clavier `Webserver.lastingimpressions.com`, votre serveur DNS lui fournira l'adresse IP correspondante. Si la divulgation des noms de vos machines ne vous plaît pas, vous ferez appel à des alias qui renvoient à votre site. Dans ce cas, un appel **www.lastingimpressions.com** serait dirigé sur Webserver.lastingimpressions.com. Citons d'autres types d'enregistrements : NS pour les noms de serveurs, MX pour les échanges de courrier électronique et RP pour les personnes responsables d'un serveur DNS.

Un type d'enregistrement existe sur tous les serveurs DNS ; il s'agit du SOA (*Start Of Authority*). Il se situe en tête du fichier de zone et déclare qui est le responsable hiérarchique de l'arborescence descendante. Trois enregistrements de ressources apparaissent sur la

Figure 16.1 obtenue sur un serveur DNS fonctionnant sous Windows NT. L'enregistrement NS désigne la machine nommée dnsserver.lastingsimpressions.com comme étant un serveur DNS. L'enregistrement de type SOA désigne votre serveur de noms comme ayant autorité sur le domaine lastingimpressions.com. Un enregistrement de type A donne la correspondance entre le nom d'hôte *s* et son adresse IP.

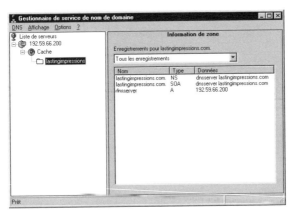

Figure 16.1 : Enregistrements de ressources lors d'une création de zone.

Fichier de zone inverse

Les serveurs DNS utilisent des fichiers de zone inverses. Ils donnent le nom d'hôte correspondant à une adresse IP. Une adresse IP se compose d'une partie de caractère générique (à gauche) et d'une partie spécifique (à droite). C'est l'inverse en ce qui concerne les noms de domaines : les suffixes com et edu sont génériques, ce qui les précède est spécifique. Pour créer un fichier inverse, on symétrise l'adresse réseau pour qu'elle soit ordonnée de la même façon que son nom de domaine. C'est ainsi que la zone du réseau 192.59.66.0 serait référencée 66.59.192.in-addr.arpa. Toutes les ressources d'un tel fichier se terminent par .in-addr (inverse address) et arpa, un autre TLD, une réminiscence du réseau ARPAnet qui préluda à Internet

Les réseaux de classes A et B ont des noms de zone plus courts, dans le fichier inversé, en raison du faible nombre de bits définissant l'adresse réseau. Par exemple le réseau de classe A 43.0.0.0 sera libellé 43.in-addr.arpa dans le fichier inversé, et le réseau de classe C 172.58.0.0 sera libellé 58.172.in-addr.arpa.

Test d'installation du serveur

Une fois le serveur DNS configuré, il convient d'en vérifier le fonctionnement et de voir si les fichiers de zone et les enregistrements de ressources sont corrects. Ping est utile pour ce contrôle (voir Chapitre 11 "utilitaires TCP/IP de connexion"). Entrez donc la commande

```
ping nom-d'hôte.nom_de_domaine
```

Si tout est normal, vous obtiendrez l'adresse IP demandée.

Configuration DNS chez le client

Il faut aussi donner au client la faculté d'invoquer DNS.

Lorsqu'on entre le nom d'un site pour activer un moteur de recherche ou une application, ce nom doit être converti en adresse IP. Après une comparaison par défaut avec le nom de l'hôte local, la machine parcourt le fichier d'hôtes ; s'il est présent, et si elle ne trouve rien, elle s'adresse au service DNS, pour autant qu'on lui ait appris à le faire.

Lorsqu'un client est configuré DNS, il devient un *résolveur*. Un résolveur expédie des requêtes de résolution de noms vers les serveurs DNS.

Pour cela, il suffit d'enregistrer dans cette machine, au bon endroit, les adresses IP d'un ou de plusieurs serveurs DNS. Voici un exercice de configuration DNS d'un ordinateur sous Windows NT.

1. Cliquer sur l'icône Réseau du panneau de commande. Choisissez, dans la boîte de dialogue réseau, l'onglet Protocoles, puis TCP/IP, puis Propriétés. Sélectionnez ensuite le feuillet Propriétés DNS dans la boîte de dialogue Propriétés TCP/IP Microsoft.

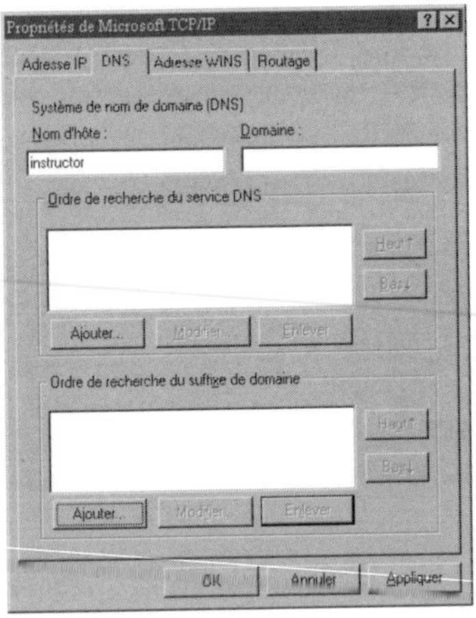

Figure 16.2 : Le feuillet Propriétés DNS sous Windows NT.

2. Ce feuillet se présente comme sur la Figure 16.2. Si vous ne l'avez déjà fait, entrez le nom d'hôte et le nom de domaine dans les champs adéquats.

3. Pour ajouter les adresses IP d'un ou de plusieurs serveurs, cliquez sur le bouton Ajouter sous le cadre Ordre de recherche des services DNS.

Une boîte de dialogue apparaît (voir Figure 16.3) dans laquelle on peut entrer une adresse IP, l'ajoutant ainsi à la liste existante des serveurs DNS. Lorsqu'il y a deux serveurs, ou plus, dans la liste, on peut définir l'ordre dans lequel ils seront appelés.

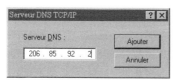

Figure 16.3 : La boîte de dialogue Ordre de recherche des services DNS.

Lors d'une requête, les serveurs seront appelés dans l'ordre qui vient d'être défini, jusqu'à trouver l'adresse demandée.

L'utilitaire NSLookup

Cet utilitaire permet d'interroger les serveurs DNS et d'examiner leurs enregistrements de ressources, ce qui est utile lors des dépannage DNS. NSLookup opère de deux façons.

- **Batch.** On active NSLookup et on fournit les paramètres d'entrée. NSLookup effectue le travail demandé, affiche les résultats et rend la main.

- **Interactif.** On active NSLookup sans fournir de paramètres. NSLookup demande des paramètres, on les lui fournit ; il exécute la tâche correspondante, affiche les résultats et rend la main en demandant de nouveaux paramètres, qu'on lui fournit, et ainsi de suite. Les administrateurs de réseaux préfèrent le mode interactif, plus commode à exploiter : NSLookup offre de nombreuses options de travail.

Pour démarrer NSLookup, on entre nslookup au clavier.

La réponse obtenue commence par le nom et l'adresse IP du serveur avec lequel la machine a l'habitude de travailler. Par exemple :

```
Default server:    dnsserver.Lastingimpressions.com

Address:    192.59.66.200

>
```

Le curseur prend la forme d'un chevron.

NSLookup demande 15 paramètres que l'on adapte aux préoccupations du moment.

- **?; help.** Permettent d'avoir la liste des commandes de NSLookup.

- **server.** Précise le serveur que l'on va interroger.

- **ls .** Liste les noms d'un domaine, comme on le voit sur la partie médiane de la Figure 16.4.

- **ls -a.** Liste les noms et alias des machines d'un domaine, comme l'indique la Figure 16.4.

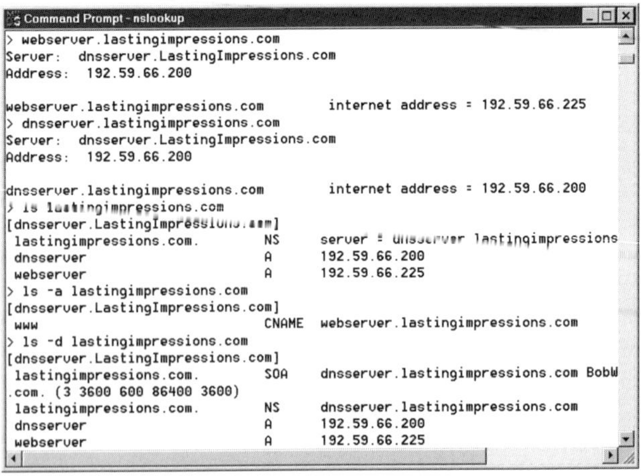

Figure 16.4 : Réponses de NSLookup.

- **ls -d.** Liste tous les enregistrements ressources, comme le montre la partie basse de la Figure 16.4.

- **set all.** Affiche les valeurs courantes de tous les paramètres.

NSLookup ne se limite pas à l'affichage des informations qui concernent votre serveur DNS, il peut faire de même pour n'importe quel serveur du réseau. Si vous avez un ISP, vous devez avoir les adresses d'au moins deux serveurs DNS. NSLookup travaille sur le nom de domaine ou sur l'adresse IP d'un site. On change de serveur en entrant la commande **server** suivie de son adresse IP ou de son FQDN. C'est ainsi que, pour connecter NSLookup au serveur racine E, on spécifiera l'adresse 192.203.230.10. Ainsi accède-t-on à tous les domaines de la planète et obtient-on leurs adresses IP. Notons que la plupart des serveurs DNS de caractère commercial refusent la commande ls, qui risque de provoquer un trafic très intense mettant en cause la sécurité du réseau.

Résumé

Nous avons vu dans ce chapitre la structure hiérarchisée de la base de données répartie DNS. L'enregistrement des noms de domaines est l'apanage de quelques agences centralisées qui en assurent l'unicité. Chaque nom de domaine est déposé sur un serveur principal au moins, parfois épaulé par un serveur secondaire, en cas d'indisponibilité. Il y a autant de serveurs que de noms de domaines dans la hiérarchie de DNS.

Les informations de DNS sont stockées dans des fichiers de zone, dont les entrées sont des enregistrements de ressources. Lorsque ces informations sont passées d'un serveur principal à un serveur secondaire, on dit qu'il y a transfert de zone.

NSLookup est un utilitaire qui se connecte à un serveur DNS et permet d'en analyser le contenu.

Questions-réponses

Q Qui gère l'enregistrements des noms de domaines de suffixe com ?

R InterNIC.

Q Quels sont les trois types de requêtes que l'on peut faire pour une résolution de nom ?

R Une requête récursive, une requête itérative ou une requête inverse.

Q Qu'est-ce qu'un enregistrement de ressource ?

R Il s'agit des entrées d'un fichier de zone. Chaque enregistrement identifie une machine ou un service.

Q Quel est le type d'enregistrement des alias d'une machine donnée, à quoi sert-il ?

R C'est un enregistrement CNAME. Il sert à masquer le nom d'une machine vis-à-vis du monde extérieur.

Q Qu'est-ce qu'un serveur du type cache seulement ?

R C'est un serveur qui répond aux requêtes de résolution de noms issues des clients d'un réseau et stocke ces informations dans sa mémoire cache pour une éventuelle réutilisation à court terme. Les serveurs de type cache seulement ne sont pas enregistrés auprès d'InterNIC en tant que serveurs DNS, ils restent donc inconnus des autres serveurs DNS.

Q Qu'est-ce qu'un résolveur ?

R Ils 'agit du module DNS installé chez le client pour élaborer les requêtes de résolution d'adresse.

Atelier

1. Utilisez NSLookup pour vous connecter aux serveurs de votre ISP.

2. Localiser les enregistrements de type A du www, du FTP et du site Email de votre ISP.

Mots clés

- **Enregistrement de ressource.** Une entrée d'un fichier de zone, dont il existe plusieurs types, suivant le contenu.

- **Fichier zone.** Fichier de configuration exploité par DNS. Il s'agit de fichiers textes créés pour chaque nom de domaine. Un serveur DNS supporte une multiplicité de domaines, est donc en mesure d'exploiter simultanément une multiplicité de fichiers de zone.

Chapitre 17

La résolution de noms NetBIOS

Au sommaire de ce chapitre

- Définition de NetBIOS

- Les méthodes de résolution des noms NetBIOS : diffusion, LMHosts et WINS

- Savoir tester la résolution de noms NetBIOS

- Désactiver LMHosts et WINS

La résolution d'un nom NetBIOS consiste à obtenir l'adresse IP d'un site dont on fournit le nom NetBIOS. Parler de NetBIOS revient à parler des systèmes d'exploitation Windows, puisque Microsoft a décidé très tôt de fonder sa technologie réseau sur son fenêtrage. La plupart des machines actuelles travaillant sous sytème d'exploitation Microsoft, et Windows NT étant de plus en plus populaire, il semble logique d'examiner ici cette technologie dans un environnement TCP/IP.

Nous verrons, dans ce chapitre, des techniques statiques et dynamiques de résolution de noms NetBIOS en adresses IP.

Qu'est-ce que NetBIOS ?

Procédons à un rapide historique pour bien comprendre NetBIOS et son importance vis-à-vis de TCP/IP. NetBIOS (*Network Basic Input/Output Operating System*), système d'exploitation d'entrées/sorties sur réseau. Il s'agit d'une couche session qui réside dans la couche application de l'API TCP/IP développée par IBM au début des années 80. On se rappelle qu'une API (*Application Programming Interface*), est un ensemble de règles qu'utilisent les applications pour s'interfacer. NetBIOS possède sa propre méthode d'adressage et d'appellation des machines sur un réseau, à l'écart du système d'adressage IP. NetBIOS a ensuite enfanté NetBEUI (*NetBIOS Extended User Interface*), Interface utilisateur étendue NetBIOS, protocole très efficace d'acheminement du trafic NetBIOS sur réseau. Les applications Microsoft ont donc très tôt utilisé NetBIOS pour connecter les machines sur réseau sous protocole "standard" NetBEUI.

Devant la prédominance de TCP/IP, Microsoft fut contraint de modifier sa stratégie de gestion de réseau. La quasi-totalité des applications écrites pour des machines travaillant sous Windows l'avaient été pour incorporer NetBIOS. NetBEUI présentait donc un défaut rédhibitoire : ce n'était pas un protocole routable, ils restait donc confiné aux petits réseaux.

Pour permettre aux machines sous Windows d'exploiter leurs applications sur les grands réseaux, Microsoft développa NetBIOS over TCP/IP, NetBT, qui permettait de "faire tourner" NetBIOS en utilisant la fonction Transport de TCP/IP. On doit donc tenir compte de NetBIOS (standard de facto...) quand on parle de résolution de noms, processus essentiel des techniques de communication des applications sur réseau sous TCP/IP.

Le système UNIX et les autres systèmes d'exploitation peuvent être inclus dans un environnement NetBIOS, mais cela demande un travail qui n'est pas à la portée de tout le monde ; nous n'en parlerons pas ici.

Résolution des noms NetBIOS

La résolution des noms NetBIOS, dans son principe, ne diffère pas des méthodes de résolution des noms d'hôtes et de domaines, telles que nous les avons vues au Chapitres 15, "Résolutions des noms d'hôtes et de domaines" et 16, "Le système DNS, résolution de domaines".

NetBIOS possède ses propres conventions de dénomination des machines sur réseau. Les noms NetBIOS sont "d'une seule pièce" et d'une longueur maximale de 15 caractères. Des appellations telles que Station_Un, HRscrveur et Commun_24 sont valides au sens NetBIOS.

 En fait, un nom NetBIOS comprend 16 caractères, dont le seizième est utilisé par l'application en cours et généralement inaccessible à l'utilisateur (voir plus loin, dans ce chapitre).

Un réseau local, un LAN, ne fédère pas une foule de machines ; il est donc facile d'allouer à chacune une appellation unique. Les problèmes apparaissent pour les appellations NetBIOS sur un grand réseau, un WAN. Le nombre de machines augmentant, il est difficile d'imaginer des noms qui allient unicité et représentativité. Les noms NetBIOS, comme les noms d'hôtes, ne sont pas "hiérarchisables" au moyen de qualificatifs. Dans ce qui suit, nous allons donc nous intéresser à la résolution des noms NetBIOS afin d'en extraire l'adresse IP, et cela dans trois cas :

- la résolution des noms par diffusion ;
- la résolution de noms au moyen des LMHosts files ;
- la résolution des noms WINS.

Résolution de noms par diffusion

La résolution de noms s'opère en émettant un appel général, une diffusion, une machine annonçant à l'ensemble des autres machines de son segment de réseau qu'elle recherche une adresse pour y expédier un message. Toutes les machines du voisinage vont entendre cet appel, mais l'une d'entre elles seulement se manifestera.

Cette méthode de résolution, connue également sous le nom de résolution de noms B-node, fonctionne bien sur un LAN, mais pas au-delà, puisque, par principe, les routeurs bloquent les diffusions. Une diffusion risquerait, dans ce cas, de provoquer de tels encombrements que le réseau pourrait se bloquer. Les routeurs écartent tout risque de blocage en interdisant le transit des diffusions.

Ce système de résolution de noms n'implique aucune adaptation particulière des machines qui la pratiquent. Il suffit de mettre en place une carte réseau et le logiciel de gestion de réseau sous TCP/IP pour Worksgroup, Windows 95/98 ou Windows NT.

Résolution de noms par LMHosts files

Les LMHosts files sont semblables aux Hosts files dans leur principe de résolution et leur format. Les adresses IP sont en colonne de gauche, les noms de machines en colonne de droite, avec un espace de séparation et les commentaires se placent à leur suite, le séparateur étant un dièse (#).

Le fichier LMHosts est inclus dans l'implémentation TCP/IP de Microsoft Corporation, dans la même répertoire que le fichier Hosts (Windows 95/98 et Windows NT). Lorsqu'on installe les composants réseau, on trouve un fichier exemple LMHosts.sam dans ce répertoire. On peut l'éditer à l'écran, mais il faut supprimer son extension pour le rendre opérationnel. Les lettres L et M de LMHosts viennent de LAN Manager, gestionnaire de réseau local, un produit antérieur à Windows NT.

Voici un exemple de fichier LMHosts :

```
192.59.66.205  marketserv  #serveur de fichier du
marketing
```

```
192.59.66.206   marketapp   #serveur applications du
marketing

192.59.66.207   machine_paul   #station de travail
de Paul
```

Les fichiers LMHosts et Hosts doivent être mis à jour manuellement. Les technologies récentes proposent le remplacement ou la mise à hauteur des fichiers LMHosts ; c'est le cas de WINS, *Windows Internet Name Service*, service de noms Internet sous Windows, que nous verrons dans la suite. LMHosts et WINS permettent de localiser des machines sur réseau distant, ce qui n'est pas possible en diffusion.

Sous Windows NT, l'emploi du fichier LMHosts peut être activé ou désactivé. Il est actif par défaut. Pour positionner cette option, on agit sur Enable LMHOSTS dans la boîte Lookup sur la page WINS Propriétés adresses, qui paraît sur la Figure 17.1.

Les noms NetBIOS récemment résolus sont stockés dans la cache de noms NetBIOS, pour réutilisation éventuelle à court terme. Cela permet de gagner un temps précieux, en ne reconsultant le fichier LMHosts que si l'exploration de la cache a été infructueuse. On peut ainsi précharger la cache avec les sites que l'on sait devoir être souvent appelés, en ajoutant le mot clé #PRE (voir Figure 17.2). Le fichier LMHosts est parcouru une fois lors d'une connexion réseau et les lignes qui comportent le mot clé #PRE sont généralement placées en fin de fichier, où elles ont peu de chance d'être lues, puisqu'elles sont déjà dans la cache.

 On peut faire appel à NBTStat, que nous avons vu au Chapitre 11, "Utilitaires de connexion", pour examiner et modifier les noms de la cache. Pour examiner la cache, on entre la commande nbtstat -c.

La maintenance de fichiers statiques comme LMHosts et Hosts est difficile : décentralisés, ils sont stockés sur chaque machine. Les fichiers LMHosts contournent la difficulté au moyen d'un mot clé #INCLUDE, suivi du chemin d'accès vers les fichiers LMHosts des autres machines. Le fichier local LMHosts peut ainsi détenir

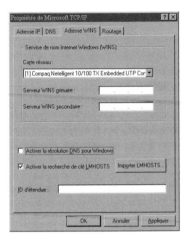

Figure 17.1 : La commande Enable LMHosts dans le tableau de propriétés des adresses Wins.

l'adresse de serveurs de fichiers LMHosts. La localisation de ces serveurs est entrée sous la forme d'un nom UNC (voir Chapitre 11). Cela permet d'éditer le fichier au niveau du serveur, les modifications étant accessibles depuis la machine de l'utilisateur.

S'il existe plus d'une entrée #INCLUDE, celles-ci doivent être encadrées par les mots clés #BEGIN ALTERNATE et #END ALTERNATE, comme le montre la Figure 17.2.

Résolution WINS

WINS (*Windows Internet Name Service*), Service de noms Internet sous Windows — qui peut être installé sur les serveurs Windows NT — a été créé pour corriger dans le système LMHosts le même genre d'inconvénients que devait corriger DNS s'agissant des Hosts files. Lorsqu'une application cliente a besoin de l'adresse IP d'une machine, elle peut invoquer le service WINS. On dit aussi qu'on fait une résolution p-node.

```
Imhosts - Notepad                                                    _ □ ×
File  Edit  Search  Help
10.22.2.250      SFPrintServer          #Occasional use entries          ▲
10.47.5.250      NYPrintServer
10.98.2.250      LAPrintServer
10.17.2.10       Mercury        #PRE    #the remaining entries
10.17.2.11       Venus          #PRE    #are preloaded
10.17.2.12       Earth          #PRE
10.17.2.13       Mars           #PRE
10.17.2.14       Jupiter        #PRE
10.17.2.15       Saturn         #PRE
10.17.2.19       Pluto          #PRE
10.17.6.10       OCServer       #PRE    #DOM:CorpDomain
10.17.6.178      InstructorX    #PRE    #My computer

#BEGIN ALTERNATE
#INCLUDE  \\Mainserver\public\lmhosts    #use a centralized LMHosts file
#INCLUDE  \\Backupserver\public\lmhosts  #alternate centralized LMHosts file
#END ALTERNATE
```

Figure 17.2 : Contenu d'un fichier LMHosts.

> **WINS est le nom que l'on a donné à l'implémentation Microsoft de ce que l'on connaît généralement sous l'appellation serveur de noms NetBIOS, soit NBNS, *Net-BIOS Name Server*. Les serveurs de noms NetBIOS sont décrits dans les RFC 1001 et 1002.**

Il existe deux autres modes de résolution de noms, appelés m-node et h-node. Les machines en m-node utilisent la diffusion pour résoudre un nom, puis WINS si la démarche a été infructueuse, tandis que c'est l'inverse en h-node. Lorsqu'un client Windows est configuré pour travailler avec un serveur WINS, ce client, par défaut, devient un client h-node.

WINS entretient une base de données de noms NetBIOS déposés pour une grande diversité d'objets : utilisateurs, ordinateurs, services disponibles sur ces ordinateurs et workgroups. Au lieu d'entrer à la main les lignes du fichier texte de cette base de données, comme c'est le cas de DNS, les machines clientes téléchargent la totalité du fichier que leur transmet WINS lors de leur démarrage. Les mises à jour sont donc infiniment plus rapides qu'avec un serveur DNS.

La configuration d'une machine en vue d'utiliser WINS est simple : il suffit d'entrer l'adresse IP d'un (ou de deux) serveur(s) WINS sous l'onglet propriétés des adresses WINS (voir Figure 17.1). Après redémarrage de la machine, elle se trouve être un client WINS.

Lors du démarrage d'une machine configurée en client WINS, les choses suivantes se passent :

1. Activation des services. Lors du boot, les services offerts par la machine se mettent en place. Certains doivent manifester leur présence auprès des autres machines, comme la messagerie et le serveur NT.

2. Requête d'enregistrement. Le service résident doit se faire enregistrer pour se faire connaître des autres machines du réseau. Un client WINS "emballe" son nom NetBIOS et son adresse IP dans une requête d'enregistrement envoyée au serveur WINS. A réception, WINS vérifie dans sa base de données si ce nom lui est connu.

   S'il est inconnu au bataillon, WINS ajoute la paire nom Net-BIOS/Adresse IP dans sa base de données et expédie un avis d'enregistrement. Si le nom NetBIOS proposé dans la requête est inscrit au fichier, WINS effectue un test en envoyant un message à l'adresse IP Inscrite au fichier. S'il y a une réponse, WINS refuse une nouvelle immatriculation sous le nom proposé. En l'absence de réponse, WINS valide l'immatriculation et "écrase" l'immatriculation précédente.

3. Allocation. En supposant que la machine ait pu enregistrer ses noms et ses services NetBIOS auprès de WINS, les appellations sont considérées comme allouées pour une durée limitée. La machine peut utiliser son nom NetBIOS sur une durée prédéterminée — par exemple six jours. Elle peut bien sûr renouveler son bail avant expiration, typiquement lorsque 50 % de cette durée s'est écoulée — tous les trois jours.

Nous avons dit plus haut que le seizième caractère d'un nom Net-BIOS échappe à l'utilisateur. Lors du processus d'enregistrement WINS, le seizième caractère est adjoint au nom NetBIOS à titre de classification du service proposé par le client, avant inscription dans la base de données. Il n'est pas inhabituel qu'une machine ait de cinq à dix noms dans la base de données WINS, suivant qu'elle se présente comme un ordinateur courant, comme le membre d'un workgroup ou comme le fournisseur de différents services.

Autre exemple de résolution de nom sous WINS : on choisit l'utilitaire Network Neighborhood pour se connecter à une autre machine du réseau, ou la commande net assortie du nom de la machine (nous l'avons utilisée au cours du Chapitre 11). Une requête d'allocation de nom NetBIOS est élaborée, puis expédiée au serveur WINS, qui interroge la base de données. Si WINS trouve ce nom dans la base de données, l'adresse IP correspondante est retournée dans le paquet réponse. La machine cliente, en possession de l'adresse IP, peut entamer le dialogue avec la machine visée.

WINS a la qualité de fonctionner en local et sur réseau distant ; il peut aussi être intégré à DNS, ce qui sort du cadre de cet ouvrage.

Test de résolution des noms NetBIOS

Un test de résolution des noms NetBIOS peut s'effectuer au moyen des utilitaires NetBIOS, dont nous avons vu quelques spécimens au Chapitre 11, en particulier Net View — nous allons en reparler ici. Network Neighborhood et Windows Explorer sont aussi des applications NetBIOS.

La commande view permet de tester la résolution de noms et d'examiner les noms de share-points que détient un serveur (on se rappelle qu'un share-point est un répertoire grâce auquel une machine cliente peut se connecter à une autre machine cliente pour échanger ou visionner un fichier. La syntaxe de cette commande est la suivante :

```
net view \\nom_de_machine
```

nom_de_machine définit l'ordinateur que vous voulez atteindre. Si net view est capable d'obtenir l'adresse IP de la machine citée par son nom, vous devriez lire la liste des noms des share-points, comme le montre la Figure 17.3. Dans le cas contraire, la réponse ressemblera aux dernières lignes qui paraissent sur ladite figure.

Désactivation de LMHosts et de WINS

Il est parfois nécessaire de désactiver LMHosts et WINS pour isoler une méthode de résolution de noms. Si vous suspectez, par exemple, que votre serveur WINS contient une entrée erronée, il faudra désactiver le fichier LMHosts pour ne travailler que sur WINS (ne pas oublier de réactiver LMHosts ensuite).

```
Command Prompt                                              _ □ ×
C:\>Net view \\instructorx
Shared resources at \\instructorx


Share name    Type        Used as  Comment
-----------------------------------------------------------------
CD-ROM        Disk
ClassSchedul  Disk
COLLWIN       Disk
Downloads     Disk
OkiOL-41      Print                 Oki OL-410
Program       Disk
Setup         Disk
TCP-IP        Disk
UTILITY       Disk
The command completed successfully.


C:\>Net view \\instructory
System error 53 has occurred.

The network path was not found.

C:\>
```

Figure 17.3 : Commande et réponses net view.

Pour désactiver le fichier LMHosts, procéder comme suit :

1. Renommer le fichier LMHosts avec une extension, du genre LMHosts.sav.

2. Entrer la commande nbtstat -R. Cette commande provoque la purge de la cache de noms NetBIOS et son rechargement (Attention, R majuscule). Cela s'effectue automatiquement lors

du chargement de nouvelles entrées dans le fichier LMHosts. Comme vous l'avez renommé, il n'a plus d'existence pour les applications et on aboutira à la purge des entrées préchargées de la cache NetBIOS.

Pour désactiver WINS sur les machines dont les adresses et les masques de sous-réseaux sont configurés manuellement, on supprime les adresses IP de la page "Properties" des adresses WINS. On peut alors entrer la commande nbstat -R pour purger la cache.

 Comme les protocoles dynamiques de configuration d'hôtes (DHCP) des clients ont une capacité d'autoconfiguration avec les informations WINS, il faut tromper la résolution de noms NetBIOS afin de désactiver WINS sur les DHCP clients. Pour ce faire, on profite de ce que les adresses configurées manuellement pour WINS ont priorité sur les entrées WINS dynamiques. On entre les adresses IP de deux machines qui *ne sont pas* des serveurs WINS dans les champs "serveur principal "et "serveur secondaire" de l'onglet Properties des adresses WINS (voir Figure 17.1). Au sujet de DHCP, on se reportera au Chapitre 21, "DHCP, protocole dynamique de configuration d'hôtes".

Résumé

On peut allouer plusieurs noms à une machine donnée. Elle peut avoir un nom NetBIOS, un nom d'hôte, un nom de domaine et un FQDN. Ces appellations sont prises en charge par divers procédés d'enregistrement et de résolution de noms en adresses IP.

La méthode par diffusion est la plus simple, elle est intégrée à la pile de protocoles TCP/IP installée sur les machines qui ont des noms NetBIOS.

Les machines dont le système d'exploitation est d'origine Microsoft sont capables de résoudre les noms NetBIOS en utilisant les fichiers LMHosts ou en faisant appel aux services d'un serveur NetBIOS tel que WINS.

Questions-réponses

Q Comment gérer de façon centralisée les entrées d'un fichier LMHosts ?

R Il suffit d'ajouter plusieurs lignes au fichier LMHosts installé sur toutes les machines. Une ligne qui commence par #INCLUDE et contient le nom UNC d'un fichier LMHosts résidant sur un serveur donne accès au fichier central.

Q Comment créer des entrées statiques NetBIOS dans la cache de noms NetBIOS ?

R On place le mot clé #PRE sur les lignes correspondant aux entrées visées.

Atelier

Déterminez le nom NetBIOS de votre machine, et écrivez-le sur un petit bout de papier. Pour cela, cliquez sur la petite pomme Réseau sur l'écran de commande et passez sur l'onglet Identification.

- Le nom NetBIOS est-il le même que le nom d'hôte ?

- Si ces noms sont différents, envoyez une commande ping suivie du nom NetBIOS.

- Si vous avez un nom NetBIOS, entrez la commande net view, suivie du nom NetBIOS.

Mots clés

- **Api** (*Application Programming Interface*). Un ensemble de règles d'interfaçage des applications entre elles.

- **NBNS** (*NetBIOS Name Server*). Un serveur de noms NetBIOS donne les noms NetBIOS correspondant aux adresses IP qu'on lui fournit.

- **Nom NetBIOS**. Un nom monolithique de 15 caractères (le seizième est inaccessible) qui nomme une machine dans le système NetBIOS.

- **WINS** (*Windows Internet Naming Service*). Un serveur WINS est l'implémentation Microsoft d'un serveur de noms NetBIOS.

Partie V

TCP/IP dans les environnements Network

Chapitre 18

TCP/IP sur UNIX et Linux

Au sommaire de ce chapitre

- Installation de TCP/IP sous UNIX SVR4
- Les fichiers d'UNIX qui hébergent TCP/IP
- Définition d'un Démon…
- Comment UNIX invoque TCP/IP
- Installation de TCP/IP avec Red Hat Linux
- Mise en œuvre de l'utilitaire Linux Network Configurator

UNIX est le système d'exploitation le plus puissant et le plus populaire au monde. TCP/IP fait partie de la gestion réseau d'UNIX. Ce chapitre traite de la configuration de TCP/IP sous UNIX et sous Linux, système d'exploitation dérivé d'UNIX.

TCP/IP sous UNIX

TCP/IP et UNIX ont des liens étroits. Le développement de TCP/IP s'est fait en grande partie dans les environnements UNIX. Le système d'exploitation Windows 95 offre le protocole TCP/IP en option, tandis que la gestion de réseau sous UNIX n'est autre que TCP/IP lui-même.

Les chapitres suivants développent abondamment la question de TCP/IP sous UNIX. Les utilitaires de TCP/IP (voir Chapitres 11 à 14) sont presque tous d'origine UNIX, et la résolution de domaines (voir Chapitres 15 et 16) est un bon terrain pour la compréhension du fonctionnement de TCP/IP sous UNIX.

UNIX est plus orienté texte que Windows, Macintosh ou NetWare, et requiert plus d'interventions manuelles pour sa configuration. Son automatisation progresse, les vendeurs de matériel et de logiciel conciliant désormais puissance, facilité d'installation et rapidité de configuration.

L'interface utilisateur X Windows (voir plus loin dans ce chapitre) doit une partie de son succès aux possibilités de simplification qu'elle apporte à la configuration des réseaux.

Il existe de nombreuses versions d'UNIX qui ne sont ni totalement différentes ni vraiment semblables. Nous verrons comment installer et configurer TCP/IP sous UNIX, pour la version SVR4 de ce système. Nous passerons ensuite à TCP/IP sous Linux, un système d'exploitation très populaire qui s'apparente à UNIX. L'objectif de ce chapitre est de donner un bref aperçu du fonctionnement de TCP/IP sous UNIX et systèmes analogues.

Qu'est-ce qu'UNIX ?

UNIX a vu le jour au sein d'un petit groupe de programmeurs des laboratoires Bell à la fin des années 60. Il s'agissait à l'origine d'une curiosité, d'un jouet bricolé par le groupe de recherche en informatique qui faisait ses travaux courants avec un système déjà ancien, s'appelant Multics. Il devint rapidement évident qu'UNIX était bien plus performant que Multics, peu rapide et d'utilisation coûteuse. UNIX se forgea bientôt une excellente réputation parmi les scientifiques des laboratoires Bell.

Les Bell Labs, qui faisaient partie d'AT&T, ne pouvaient commercialiser UNIX ; ils en firent donc cadeau pour un prix symbolique aux universités et aux organismes de recherche. UNIX avait été développé en langage C, dont l'élégance et la rapidité avaient séduit les professionnels de l'informatique. Les universitaires qui travaillaient avec UNIX se mirent à l'enrichir et à communiquer leurs trouvailles aux autres possesseurs de ce système, créant ainsi une communauté UNIX. En raison de sa grande souplesse d'extension, UNIX devint le système d'exploitation puissant que l'on connaît aujourd'hui.

UNIX a été développé dans un langage indépendant de la plate-forme d'accueil (c'est l'avantage de C) ; il est portable. UNIX "tourne" sur les PC à processeurs Intel (ceux qui supportent Windows 95), comme sur les unités centrales, et tout ce qui existe entre ces deux extrêmes…

Il existe de nombreuses versions d'UNIX tournant sur une quantité de systèmes différents. Pour des questions de droit commercial, elles ne sauraient toutes se prévaloir de la marque UNIX. L'Open Group gère désormais la marque déposée UNIX.

Configuration de TCP/IP

UNIX se configure au moyen de fichiers ad hoc. Les systèmes UNIX et apparentés offrent une aide automatisée à la configuration de TCP/IP. Point n'est besoin d'entrer au clavier ni de configurer tous les fichiers. Il est bon, cependant, d'en connaître le contenu.

 Avant d'installer TCP/IP, on s'assurera que la machine possède une carte réseau, convenablement installée et configurée.

Cela permet, en cas de problème, de savoir quel utilitaire employer et où intervenir. Nous verrons plus loin le contenu des fichiers de configuration.

Certains composants logiciels de UNIX SVR4 sont sous forme de packages qui s'installent individuellement. L'un de ces packages concerne TCP/IP. On entre donc la commande :

```
pkgadd ñd device_name tcpset
```

où *device_name* est l'alias du support qui héberge les fichiers d'installation. Pendant la procédure, on vous demandera de préciser des paramètres de configuration, comme l'adresse IP et le masque de sous-réseau.

Un package d'installation contient les utilitaires de support (tels qu'**iconfig**, que nous verrons plus loin), nécessaires à la gestion et à la maintenance du réseau.

On le charge ainsi :

```
pkgadd -d device_name nsu
```

L'installation de TCP/IP crée ou modifie quelques fichiers de configuration importants qui résident dans le répertoire/etc. On ouvre et on modifie ces fichiers au moyen d'un éditeur de texte. Passons en revue quelques-uns de ces fichiers.

 Les différentes versions d'UNIX présentent des variations dans le format de leurs fichiers de configuration

/etc/ethers

Sur les réseaux Ethernet, le fichier /etc/ethers contient la correspondance entre adresse physique de la carte réseau et son nom d'hôte. Ce fichier est exploité par les protocoles RARP et BOOT.

Format du fichier /etc/ethers :

```
#
# ether_mac_addr.   hostname
#
00:55:ac:b2:32:17   mattie
32:4c:19:31:a6:10   brigitte
```

/etc/hosts

Le fichier d'hôtes sert pour la résolution de noms. Il établit la correspondance entre adresse IP et nom d'hôte. Sous UNIX, le fichier d'hôtes s'appelle /etc/hosts (voir Chapitre 15)

Format du fichier /etc/hosts

```
#
# IP addresse   hostname    aliases
#
127.0.0.1              localhost
111.121.131.141        mattie          pentium 2
111.121.131.146        brigitte
```

/etc/hosts.equiv

Le fichier /etc/hosts.equiv liste les hôtes et utilisateurs accrédités. Nous avons parlé de ce sujet au Chapitre 13.

Format du fichier /etc/hosts.equiv :

```
#
#trusted hosts
#
+brigitte
+barbie    user1
-monica
```

Dans cet exemple, les utilisateurs qui travaillent sur l'hôte brigitte sont habilités s'ils disposent de comptes utilisateurs de même dénomination sur l'hôte local. user 1 sur barbie est habilité. Par contre, aucun accès n'est autorisé sur le site monica.

Rappelons-nous (voir Chapitre 13) que les informations d'autorisation d'accès personnalisées peuvent être regroupées dans le fichier .rhosts, dans le répertoire personnel de l'utilisateur.

/etc/netmasks

Le fichier /etc/netmasks associe les sous-masques de réseaux aux numéros de réseaux (voir Chapitres 4 et 5 au sujet des numéros de réseaux et masques de sous-réseaux).

Format A du fichier /etc/netmasks

```
#

#Masques de sous-réseaux

#

#Réseau            Masque de sous-réseau

133.15.0.0        255.255.255.0

195.42.0.0        255.255.224.0
```

/etc/protocols

Le fichier /etc/protocols énumère les protocoles utilisés avec la configuration TCP/IP. UNIX utilise ce fichier pour associer le champ "numéro de protocole" des datagrammes à un protocole donné.

Format du fichier /etc/protocols

```
#-

#Internet (IP) protocoles

#

ip    0    IP      #protocole internet, numéro
de pseudo-protocole

icmp  1    ICMP    #protocole de contrôle
message internet

igmp  2    IGMP    #protocole de multidiffusion
groupe
```

```
ggp     3     GGP     #protocole passerelle à
passerelle

tcp     6     TCP     #protocole de contrôle de
transmission
```

/etc/services

Le fichier /etc/services contient la correspondance entre service et numéro de port TCP ou UDP (voir Chapitres 6 et 7).

Format du fichier /etc/services

```
# service        port/protocole

ftp             21/tcp

telnet          23/tcp

time            37/udp

finger          79/tcp
```

Démarrage des services TCP/IP

UNIX démarre habituellement TCP/IP au cours du boot système. UNIX exécute ces scripts-ci :

- **/etc/init.d/inetinit.** Ce script configure les piles de protocoles et les drivers réseau (en fait, il établit des liens avec /etc/rc2.d/s69init avant son exécution).

- **/etc/confnet.d/inet/config.boot.sh.** Ce script configure les interfaces réseau (les informations réseau sont mises en place dans le fichier /etc/confnet.d/line/interface).

Après que les drivers et les interfaces ont été configurés, UNIX active les démons chargés d'assurer les services réseau. Le script rc.inet invoque donc ceux qui se chargent des services de base, comme DNS, PPP et le routage.

Un autre démon, appelé *inetd*, s'active lors du boot système. Ce démon est appelé *Internet supervisor daemon*. Il traite les requêtes des autres services TCP/IP, comme ftp et les invoque si nécessaire.

291

Dans le monde UNIX, le terme démon désigne un programme qui effectue des tâches en arrière-plan
lorsqu'on le sollicite. Il reste à l'écoute de certains types
de requêtes et mobilise les ressources qui permettent de
les satisfaire.

Contrôle de la configuration de TCP/IP

UNIX possède divers utilitaires de vérification, de maintenance et
de dépannage de TCP/IP. Nous en avons vu quelques-uns au
Chapitre 11, "Utilitaires de connxion TCP/IP".

L'utilitaire IPConfig permet d'examiner et de modifier les paramètres de configuration de TCP/IP. On entre :

```
ifconfig
```

pour obtenir un listage de ces paramètres.

On peut effectuer des modifications temporaires de configuration,
par exemple :

```
ifconfig interfaceID ipaddress netmask broadcast
baddress
```

où *interfaceID* est le nom de l'interface de la carte réseau (défini lors
de sa configuration — le nom d'interface apparaît habituellement
dans le listing *ifconfig*), *ipaddress* est l'adresse IP, *netmask* est le
masque de sous-réseau et *baddress* est une adresse de multidiffusion pour le réseau.

TCP/IP sous Linux

Linux est un système d'exploitation dérivé d'UNIX dont la popularité va en croissant. Ce n'est d'ailleurs pas le seul "produit dérivé"
qui tourne sur les systèmes à base de processeurs Intel, mais il a
attiré l'attention des utilisateurs parce qu'il supporte une grande
diversité d'équipements et de systèmes de fichiers. Linux, tout
comme UNIX, est le résultat d'une coopération entre programmeurs
au niveau mondial. Linux profite de sa conception très ouverte et de

la volonté affirmée des participants d'y incorporer le meilleur d'UNIX.

Comme UNIX, Linux est un système partagé muni d'une interface utilisateur très facilement extensible. Au fil des ans, de nombreux composants gratuits d'UNIX se sont frayé un chemin dans Linux, qui entretient avec TCP/IP les mêmes rapports qu'UNIX. La plupart des fichiers dont on vient de parler (/etc/hosts, /etc/services et /etc/protocols) font aussi partie de Linux.

Comme Linux a démarré sa carrière en tant que logiciel gratuit (freeware) modifiable par l'utilisateur, les premières versions ne se souciaient pas d'offrir des interfaces conviviales pour la configuration des réseaux. Certaines implémentations de Linux, qui restent dans la tradition du roue-libre, hors des circuits commerciaux d'UNIX, demandaient à l'utilisateur de se procurer le code source et d'en recompiler le *noyau* pour installer une gestion de réseau. Ces versions l'obligeaient aussi à manipuler les fichiers de configuration dont nous venons de parler.

 Le *noyau* est la partie la plus interne d'un système d'exploitation qui se charge du lancement des applications, de l'allocation des ressources et de la gestion de la mémoire.

Ces dernières années, quelques sociétés privées ont voulu apporter de la valeur ajoutée à Linux en lui donnant plus de convivialité. Le freeware Linux s'est donc sophistiqué avec le temps. L'interface graphique X Window, désormais compatible UNIX et Linux, a bien amélioré l'interface, autrefois traîtresse, de Linux.

L'implémentation très connue Red Hat Linux offre une panoplie complète pour la gestion de réseau ainsi qu'une facilité d'installation et de configuration jusqu'alors inconnue.

Sous Red Hat Linux, le programme d'installation vous guide pour l'entrée des paramètres de configuration. Les étapes de l'installation réseau sont les suivantes (les autres sont ignorées).

Après avoir choisi une méthode et un équipement à installer :

1. Le programme d'installation tente de localiser et d'identifier votre logiciel réseau. S'il n'y arrive pas, il vous faut spécifier un driver accompagné des paramètres qui conviennent, avant de passer au point 2.

2. Dans la boîte de dialogue Boot Protocol, spécifiez si vous voulez attribuer une adresse statique IP ou si vous préférez que la machine reçoive ses adresses sous protocole BOOTP ou DHCP.

3. Si vous avez choisi le mode statique lors de l'étape 2, entrez les informations relatives à l'adresse IP dans la boîte de dialogue Configure TCP/IP, c'est-à-dire l'adresse IP, le sous-masque de réseau, la passerelle par défaut et le nom du serveur principal.

4. Dans la boîte de dialogue Configure Network, entrez un nom de domaine, un nom d'hôte, le nom d'un serveur secondaire et d'un serveur tertiaire.

 Pour démarrer X Window, entrer startX à la suite du curseur. L'écran ressemblera alors à ce que représente la Figure 18.1.

Red Hat v5.1 offre quelques options de configuration réseau utiles que l'on peut mettre en place au moyen de l'interface graphique X Window et de l'utilitaire Network Configurator, qui fonctionne en interface contrôlée par menu avec les fichiers de configuration TCP/IP.

Pour modifier une configuration réseau au moyen de Network Configurator :

1. On clique sur Network configuration sur le panneau de configuration (quatrième bouton en bas de la Figure 18.1) pour invoquer Network Configurator, qui propose l'écran représenté par la Figure 18.2.

   Network Configurator fournit des informations sur les noms de réseau, les hôtes, les interfaces et les routages. Cet utilitaire sert d'interface combinée aux fichiers de configuration Linux/TCP/

IP, identiques aux fichiers de configuration UNIX. Le bouton Hosts permet d'examiner le contenu du fichier /etc/hosts (voir Figure 18.3).

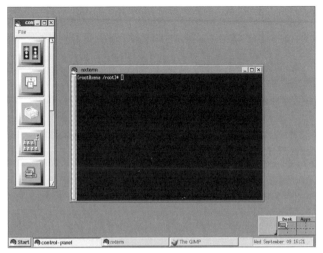

Figure 18.1 : Linux sous X Window.

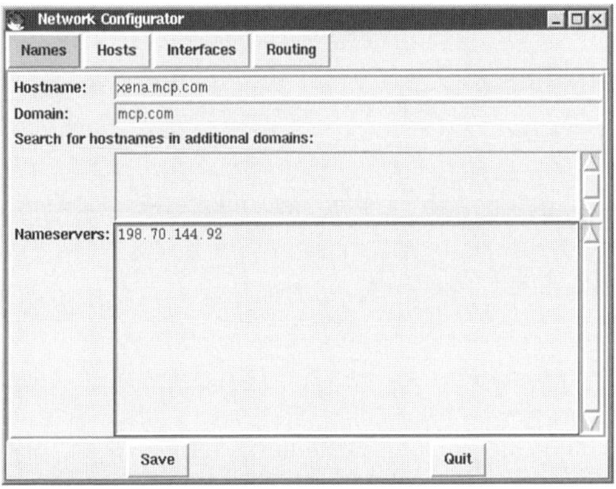

Figure 18.2 : Network Configurator.

2. On clique sur Add pour ajouter un nouvel hôte dans le fichier
/etc/hosts, puis on ajoute une nouvelle entrée hôte dans la boîte
de dialogue Edit/etc/hosts, comme le montre la Figure 18.4. On
clique sur Done puis sur Save sur le feuillet Hosts pour sauvegarder cette nouvelle ligne dans le fichier.

Les autres feuillets de Network Configurator permettent d'examiner
et de modifier de façon similaire d'autres paramètres de configuration.

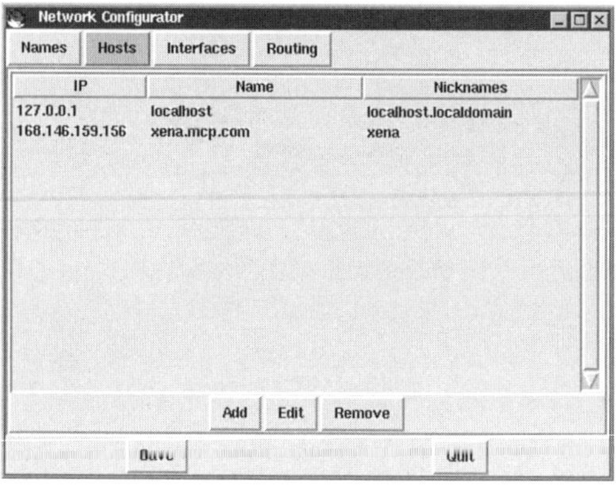

Figure 18.3 : La page Hosts de Network Configurator.

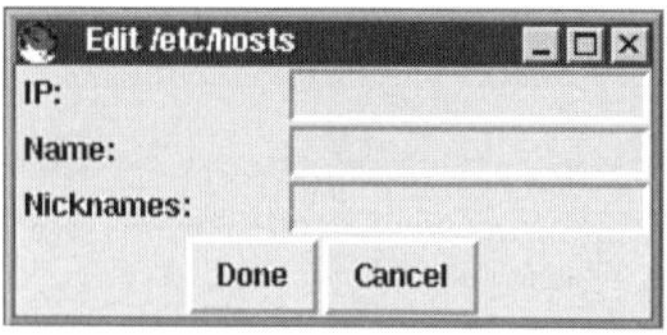

Figure 18.4 : La boîte de dialogue Edit /etc/hosts.

Résumé

Ce chapitre a permis de comprendre la configuration de TCP/IP
sous les systèmes d'exploitation UNIX et Linux. Il existe de nombreuses versions de ces deux systèmes ; il s'agissait donc d'une

introduction de caractère général, la lecture de la documentation utilisateur de la version que vous possédez est donc indispensable.

Questions-réponses

Q Quelle est la raison du succès d'UNIX sur une multitude de systèmes ?

R La portabilité d'UNIX, développé en langage C, est la raison de ce succès.

Q Quel est le démon qui active le service Telnet ?

R C'est le démon Inetd qui écoute les requêtes et invoque les services demandés.

Q Dans quel fichier se trouvent les informations sur les ports TCP et UDP ?

R Elles se trouvent dans le fichier /etc/services.

Mots clés

- **Démon.** Un programme qui tourne en arrière-plan en assurant les services demandés par l'utilisateur.

- **Noyau.** Le cœur d'un système d'exploitation qui se charge du lancement des applications, de l'allocation des resssources et de la gestion de la mémoire.

- **Network Configurator.** Un utilitaire de configuration de TCP/IP que l'on trouve dans Red Hat Linux.

- **X Window.** Une interface utilisateur de type graphique souvent associée à UNIX et à Linux.

Chapitre 19

TCP/IP sous Windows

Au sommaire de ce chapitre

- Installation du protocole TCP/IP sous Windows NT 4.0

- Modification des paramètres de configuration sous Windows NT

- Installation du protocole TCP/IP sous Windows 95/98

- Modification des paramètres de configuration sous Windows 95/98

Le système d'exploitation Windows supporte plusieurs protocoles de gestion de réseau. Le protocole réseau par défaut de Windows NT version 3.5 est NetBEUI ; la version 3.51 supporte NWLink, compatible avec IPX/SPX. La version 4 de Windows supporte TCP/IP par défaut. Quant à Windows 98, c'est TCP/IP qui est supporté par défaut.

Ce choix confirme la popularité croissante de TCP/IP, désormais protocole en titre d'Internet. TCP/IP est devenu un standard dans le monde des affaires. Ce chapitre s'intéresse à l'installation et à la configuration de TCP/IP sur les machines qui travaillent sous système d'exploitation Windows.

Quand utiliser TCP/IP ?

Il est souhaitable d'équiper sa machine avec TCP/IP lorsqu'on fait appel à des services en ligne qui pratiquent ce protocole. C'est le cas des moteurs de recherche sur le Web, des transferts de fichier FTP, du courrier électronique sous SMTP et POP. D'autres applications n'ont pas été conçues pour TCP/IP, comme Explorer, File Manager et Server Manager. Malgré cela, rassurez-vous, ces applications fonctionnent très bien sous TCP/IP.

Il est facile d'installer TCP/IP sous Windows. Si la carte réseau est détectée lors de l'installation de Windows NT ou de Windows 98, l'installation de TCP/IP est automatique. Il faut spécifier si la machine doit recevoir ou non son adresse d'un serveur DHCP (*Dynamic Host Configuration Protocol*). Un serveur DHCP a pour rôle de configurer les protocoles TCP/IP installés sur les machines d'un réseau (voir Chapitre 21, DHCP, protocole dynamique de configuration d'hôtes").

Si l'on choisit l'option DHCP, l'installation se poursuit sans autre intervention. Dans le cas contraire, un écran de configuration apparaît, sur lequel on remplit les boîtes de dialogue avec l'adresse IP, le masque de sous-réseau et — optionnellement — la passerelle par défaut. Plus bas, nous allons voir les détails d'installation et de configuration de TCP/IP.

Lorsque l'installation est terminée et que TCP/IP est opérationnel, son utilisation est "transparente". Toute application invoquée, qu'il s'agisse de l'e-mail ou d'une recherche sur le Web au moyen d'Internet Explorer, se déroule sous TCP/IP sans nécessiter aucune intervention de l'utilisateur, qui — à l'instar de M. Jourdain avec la prose — fait du TCP/IP sans le savoir.

Installation manuelle de TCP/IP sous Windows NT

Si TCP/IP n'a pas été installé lors de la mise en place de Windows NT sur votre machine pour une raison quelconque (absence de carte réseau, ou mise à jour d'une version antérieure de Windows NT), vous serez peut-être amené à intervenir manuellement pour effectuer cette installation.

On suppose que la carte réseau est donc en place, munie de son driver.

 Le processus d'installation qui suit concerne Windows NT 4.0. Si vous avez une version antérieure, vous ferez l'équivalence entre les actions décrites ci-dessous et les actions correspondantes listées dans votre documentation.

1. Double-cliquez sur l'icône Réseau, du panneau de configuration.

   Le feuillet Propriétés apparaît (voir Figure 19.1). Cliquez sur l'onglet Protocoles.

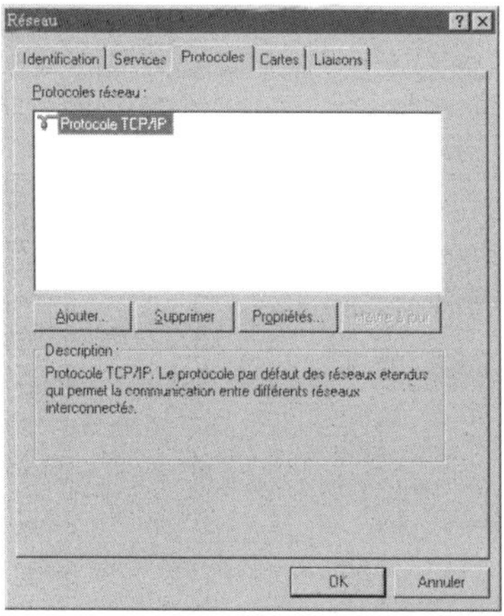

Figure 19.1 : Le feuillet Propriétés protocoles.

2. Cliquez sur Ajouter, si le protocole TCP/IP n'apparaît pas dans la liste des protocoles.

La boîte de dialogueSélection de protocole réseau s'affiche (voir Figure 19.2).

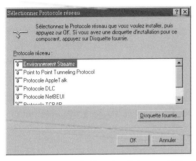

Figure 19.2 : La boîte de dialogue Sélection de protocole réseau.

3. Cliquez sur la ligne Protocole TCP/IP, puis sur OK.

Une boîte de dialogue apparaît, qui demande s'il existe un serveur DHCP sur le réseau et si on désire l'utiliser (voir Figure 19.3).

4. Répondre en cliquant oui ou non. Si vous avez répondu positivement, le serveur configurera votre adresse IP. Sinon, il vous faudra entrer plus tard cette information. Nous supposerons que c'est le cas ici.

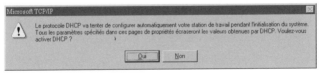

Figure 19.3 : Choix de configuration manuelle ou DHCP.

5. Le programme d'installation vous demandera d'insérer le CD-ROM NT dans le lecteur, puis de lui dire dans quel répertoire se trouvent les fichiers d'installation. Vous répondrez, par exemple, D:\I386. Cliquez alors sur Suivant. Si Windows NT localise les fichiers, il ne vous demandera plus rien.

6. Si la procédure d'installation détecte un modem, en plus de votre carte réseau, il vous sera demandé si vous désirez configurer le service RAS, *Remote Access Service,* pour qu'il supporte TCP/IP. Vous pouvez répondre OK ou Annuler, si ça ne vous plaît pas. Si vous avez répondu oui, une boîte de dialogue Configuration accès distant apparaît, vous donnant la main pour choisir le type de modem à configurer en mode RAS (voir Figure 19.4).

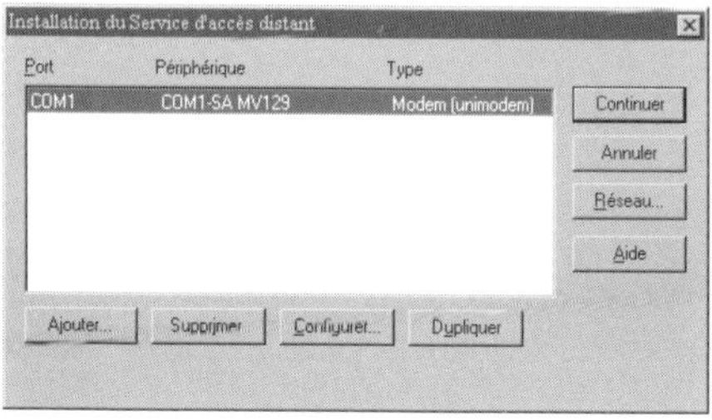

Figure 19.4 : Boîte de dialogue Accès distant.

7. Cliquez sur Ajouter ou Supprimer pour ajouter ou supprimer des modems.

8. Cliquez sur Configurer, pour préciser si vous désirez seulement Appeler out, Recevoir, ou si vous retenez les deux options.

9. Cliquez sur le bouton Réseau pour choisir le protocole sous lequel fonctionnera RAS, probablement TCP/IP...

10. Cliquez sur Suivant pour poursuivre l'installation de TCP/IP.

11. Vous êtes revenu sur le feuillet Propriétés, vous cliquerez sur Terminer.

Les fichiers TCP/IP sont alors chargés et les protocoles TCP/IP sont configurés (voir Figure 19.5).

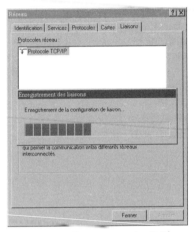

Figure 19.5 : Chargement des fichiers et établissement des liens.

12. Comme vous n'avez pas retenu l'option de configuration d'adresse sous DHCP, il vous faut compléter à la main l'installation, en entrant quelques paramètres supplémentaires sur le feuillet Adresse IP (voir Figure 19.6). Entrez l'adresse IP de votre machine dans le champ prévu à cet effet. Il vous faudra peut-être changer le masque de sous-réseau pour l'adapter au réseau sur lequel vous désirez travaillez. Si vous utilisez les services d'un routeur, entrez son adresse IP dans le champ Passerelle par défaut.

13. Il vous est possible, à ce niveau, de préciser des informations complémentaires sur les autres feuillets. Si vous n'avez rien d'autre à configurer, cliquez sur OK pour poursuivre.

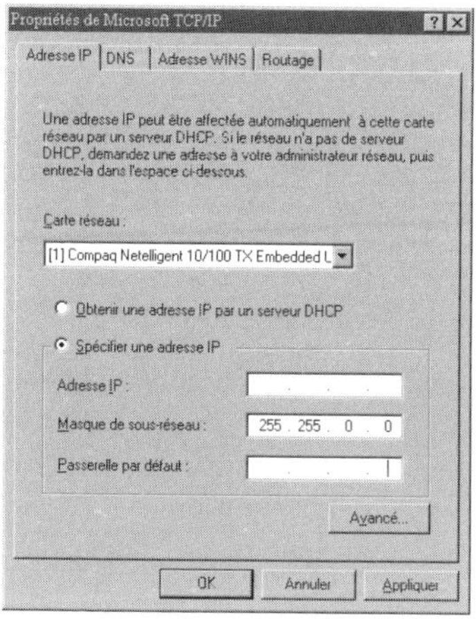

Figure 19.6 : Le feuillet Adresse IP.

14. Cliquez enfin sur Oui pour provoquer le reboot de la machine, ce qui rendra TCP/IP définitivement opérationnel.

Modification de configuration TCP/IP sous Windows NT

A côté de l'installation simple de TCP/IP, de nombreuses options demeurent accessibles sur le feuillet Propriétés, telles que l'adressage IP évolué, DNS, WINS, les relais DHCP et le routage. Ces options peuvent être fixées en cours d'installation ou postérieurement. En cliquant sur l'icône Réseau, sur le panneau de configuration, on accède à ces diverses options.

Nous allons traiter désormais d'adressage IP évolué, de DNS et de WINS. Nous laisserons de côté les relais DHCP et le routage, qui s'éloignent des préoccupations de cet ouvrage. Le feuillet DHCP Relais concerne l'émission de diffusions sur d'autres sous-réseaux par les machines qui sont dotées d'un agent relais DHCP. Le feuillet

Routage vous permet de transformer votre machine NT en routeur s'il dispose de deux cartes réseau, ou plus.

Si vous dotez votre machine d'une capacité de routage IP, il ne peut s'agir que de routage statique. Il faudra investir dans un logiciel si vous voulez faire de votre site un routeur dynamique. Voir à ce sujet le Chapitre 9.

Adressage IP évolué

L'installation de certains sites demande quelques efforts complémentaires pour configurer d'autres paramètres que leur adresse IP, leur masque de sous-réseau et leur passerelle par défaut. Pour atteindre d'autres options d'adressage, cliquer sur le bouton Avancées, du feuillet Propriétés, ce qui ouvre une boîte de dialogue (voir Figure 19.7).

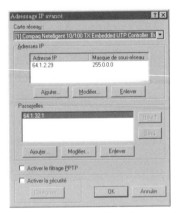

Figure 19.7 : Le feuillet Adressage IP avancé.

Les options offertes sont les suivantes :

- **IP adresses.** Le bouton Ajouter donne la possibilité de déclarer quatre adresses IP supplémentaires en plus de celles que vous avez fixées lors de l'installation normale, ainsi que des combinaisons de sous-masques à l'intention de la carte réseau retenue. Les ISP ont souvent recours à des adresses multiples pour installer des sites Web multi-utilisateurs sur une machine unique qui ne dispose que d'une carte réseau.

- **Passerelles.** Si votre segment de réseau a plusieurs routeurs, entrez leurs adresses en cliquant sur le bouton Ajouter, sous la fenêtre Passerelles.

- **Activez le Filtrage FPTP.** Cette option n'autorise le traitement que de paquets arrivant sous le protocole PTP Tunneling. Les paquets arrivant sous d'autres protocoles ne seront donc pas traités.

- **Sécurité.** Si vous cliquez sur l'option Sécurité, vous pouvez restreindre l'accès de ports UDP ou TCP particuliers et durcir certains protocoles IP.

Propriétés DNS

Le feuillet Propriétés DNS, qui apparaît sur la Figure 19.8, sert à configurer les paramètres relatifs au système DNS (que l'on a vu au Chapitre 16, "Le système DNS").

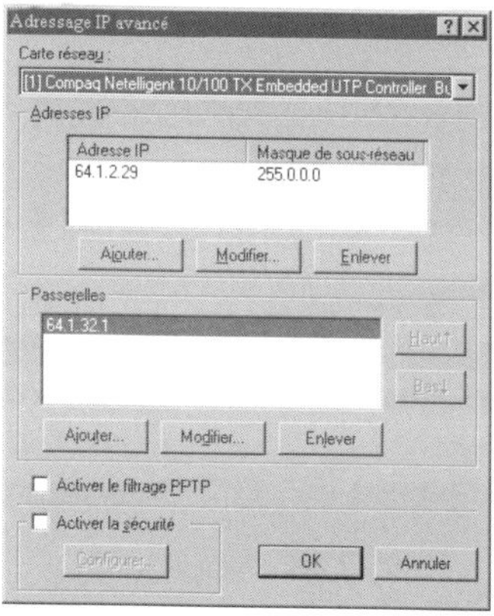

Figure 19.8 : Configuration du DNS client.

Les paramètres proposés sont les suivants :

- **Nom d'hôte.** Ce champ est rempli par défaut avec le nom Net-BIOS assigné à votre machine. Il est modifiable, ce qui est inhabituel et risque de prêter à confusion.

- **Domaine.** Entrez dans ce champ votre nom de domaine, qui se compose d'un nom suivi d'un suffixe.

- **Ordre de recherche DNS.** Vous pouvez ajouter ici les adresses IP de serveurs supplémentaires, par ordre décroissant de préférence.

- **Ordre de recherche par suffixes.** On entre dans cette boîte les suffixes des noms de domaines par ordre décroissant de préférence. C'est le cas pour des suffixes non standards (com, edu, gov, mil, etc., sont des suffixes standards).

Adresses WINS

Le feuillet de configuration des adresses WINS (voir Figure 19.9) sert à enregistrer votre machine auprès d'un serveur WINS ou Net-BIOS (NDNS). Nous avons parlé de ces types de serveurs au Chapitre 17, "Résolution des noms NetBIOS". Le choix vous est offert de vous inscrire auprès d'un ou de deux serveurs. Pour ce faire, on entre les adresses des serveurs WINS préférés dans les champs Serveur principal et Serveur secondaire.

Les options de ce feuillet sont les suivantes :

- **DNS Windows.** On sélectionne cette option de résolution des noms NetBIOS si l'on est utilisateur de DNS Microsoft.

- **Fichier Hôtes.** Désélectionner cette case si vous ne voulez pas exploiter le fichier LMHOSTS pour la résolution d'adresses NetBIOS.

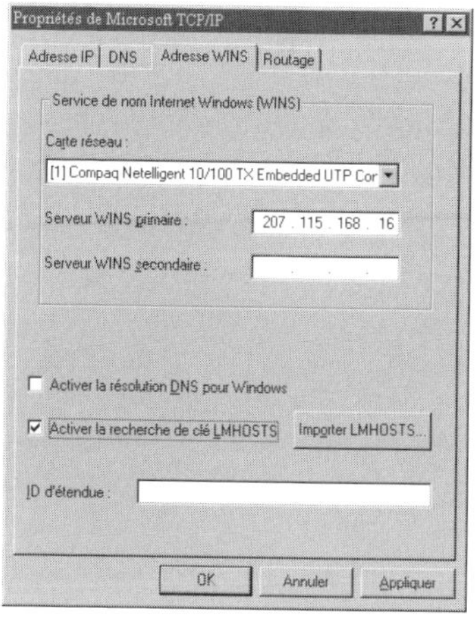

Figure 19.9 : Le feuillet adresses WINS.

- **Tranche d'adresses.** Une étiquette est ajoutée au nom NetBIOS, qui permet de masquer les machines dont l'adresse n'est pas située dans la tranche définie par cette étiquette.

> Ne rien entrer dans ce champ avant d'avoir compris l'effet de cette option.
>
> Seules les machines qui sont dans la même tranche d'adresse peuvent communiquer entre elles.

Adjonction de services TCP/IP à un serveur sous Windows NT

Windows NT 4.0 offre divers services aux machines qui travaillent sous protocole TCP/IP. Tous ces services peuvent être activés en choisissant l'option Ajouter sur le feuillet Propriétés service après avoir cliqué sur l'icône Réseau du panneau de configuration.

309

Il est courant d'installer les trois services DHCP, DNS et WINS sur les serveurs NT.

- Le service DHCP assure la configuration IP automatique des machines clientes qui travaillent sous DHCP. Le serveur DHCP, au minimum, assigne une adresse IP et un sous-masque de réseau. D'autres paramètres peuvent être fixés. Par exemple, les adresses IP de la passerelle par défaut, du serveur WINS et du serveur DNS.

- Le serveur DHCP détient une tranche d'adresses pour chaque segment de réseau. C'est avec cette tranche d'adresses que DHCP attribue une étiquette, un *scope*, aux machines clientes DHCP autorisées à communiquer entre elles.

- Le serveur DNS Microsoft a été totalement refondu pour Windows NT 4.0. Il est simple à configurer, si on le compare aux autres serveurs DNS. La configuration se fait au moyen d'un GUI, *Graphic User Interface*, interface graphique utilisateur. Nous n'irons pas plus loin dans cette opération, qui sort du cadre de cet ouvrage.

- Le Windows Internet Name Service (WINS) est une implémentation Microsoft de serveur de noms NetBIOS. Les machines clientes auxquelles on a donné l'adresse d'un serveur WINS enregistrent leur adresse IP, leur nom NetBIOS, leur workgroup, leur domaine NT, leurs utilisateurs et leurs services auprès de ce serveur, qui place tout cela dans une base de données. Lorsqu'un client WINS désire localiser un autre client, la requête est soumise au serveur, qui renseigne le demandeur. Celui-ci peut alors établir une communication directe avec son interlocuteur.

Installation manuelle de TCP/IP sur Windows 95/98

Il y a moins d'options à configurer sur Windows 9x que sur Windows NT, système que Microsoft entend commercialiser comme le *must* de l'exploitation réseau. Une machine sous Windows 9x peut jouer le rôle de serveur WINS, DNS ou DHCP. Elle peut, bien sûr, n'être que la cliente d'un tel serveur.

TCP/IP est installé par défaut sur Windows 95. S'il a été désinstallé pour une raison quelconque, on peut le réinstaller manuellement. Si votre carte réseau est en place et bien configurée, cette opération est facile, bien que quelques différences existent entre Windows 95 et Windows 98, que nous signalerons.

La procédure est la suivante :

1. Cliquer sur l'icône Réseau du panneau de configuration. La boîte de dialogue de configuration réseau apparaît (voir Figure 19.10).

2. Choisissez le bouton Ajouter. La boîte de dialogue de sélection des composants réseau s'affiche.

3. Cliquez sur Protocole dans la liste de quatre lignes qui paraît dans la fenêtre, puis sur Ajouter. La boîte de sélection protocoles apparaît.

4. Dans la liste des fabricants, choisissez Microsoft, et dans la liste des protocoles cliquez sur TCP/IP, puis sur OK. Vous êtes de retour dans la boîte de configuration réseau, où il ne reste plus que des lignes relatives au protocole TCP/IP (voir Figure 19.11).

5. Cliquez sur OK. Windows lira les fichiers du CD-ROM, que vous n'aurez pas oublié de placer dans le lecteur... La boîte de dialogue Modification paramètres système apparaît. Elle vous demande de rebooter la machine pour que le système d'exploitation prenne en compte l'installation.

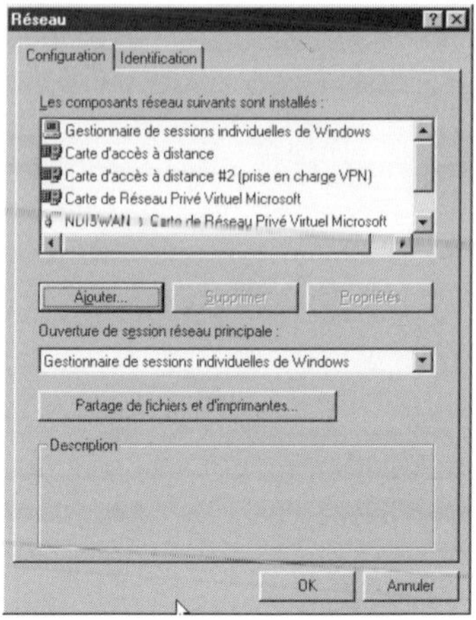

Figure 19.10 : Boîte de dialogue de configuration réseau Windows 9x avant installation de TCP/IP.

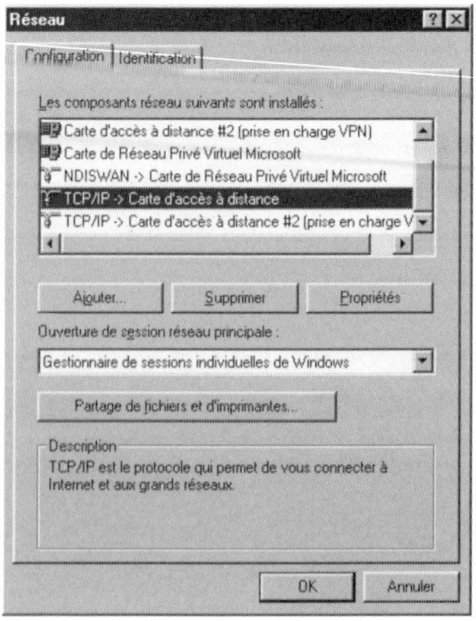

Figure 19.11 : Boîte de dialogue de configuration réseau Windows 9x après installation de TCP/IP.

Modification de la configuration de TCP/IP sous Windows 9x

On suppose, ici, que la carte réseau est installée et correctement configurée.

Pour modifier les paramètres de configuration de TCP/IP, on procède de la façon suivante :

1. Cliquez sur l'icône Réseau du panneau de configuration. Une fenêtre apparaît : Les composants suivants sont installés. On choisit le protocole TCP/IP qui convient à la carte réseau que l'on désire configurer.

2. Plusieurs entrées TCP/IP sont affichées si, par exemple, vous avez un modem et une carte réseau. Après avoir choisi, cliquez sur le bouton Propriétés. Il y a six onglets disponibles dans le cas de Windows 95 et sept pour Windows 98. Les feuillets Adresse IP, Liens, Avancées, Configuration DNS, Passerelle et Configuration Wins sont communs aux deux versions. Nous allons les passer en revue.

Adresse IP

On dispose de deux options pour obtenir une adresse IP, et un masque de sous-réseau : manuel ou via DHCP (voir Figure 19.12).

Sous Windows 98, l'option automatique fait intervenir un serveur DHCP. Si aucun serveur n'est trouvé, Windows 98 se configure d'office en se donnant une adresse IP de caractère privé. Cette pratique est destinée aux petits réseaux dotés d'une dizaine de machines, tout au plus. On ne peut se connecter aux grands réseaux (Internet) sous ce mode d'adressage automatique.

Passerelle

Ce feuillet est destiné à l'ajout d'adresses IP de passerelles. On entre l'adresse ou les adresses en question, puis on clique sur Ajouter. La première adresse IP de la liste sera toujours prise par défaut.

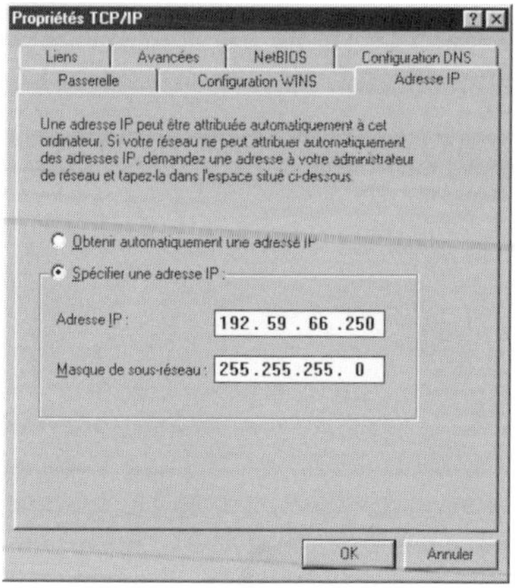

Figure 19.12 : La boîte de dialogue Propriétés TCP/IP.

Configuration DNS

Ce feuillet permet de configurer DNS. On entre le nom d'une machine et son nom de domaine dans les champs appropriés (voir Chapitre 15, "Résolution des noms d'hôtes et de domaines").

- La case Ordre de recherche DNS vous donne la possibilité d'entrer les adresses IP de trois serveurs au maximum ; ils seront recherchés par ordre d'apparition sur la liste (voir Figure 19.13). Le serveur DNS d'adresse 206.85.92.79 sera sollicité avant le serveur DNS d'adresse 206.85.92.2

- La case Ordre de recherche par suffixes n'est pas toujours configurée. Elle est destinée à recevoir des noms de domaines supplémentaires, du genre *société.com* ou *intranet.com*. Si votre machine s'appelle *ma_machine*, le serveur DNS l'appellera *ma_machine.société.com* ou *ma_machine. intranet.com*.

Configuration WINS

On configure ce feuillet si l'on désire qu'une machine s'enregistre sur un serveur WINS (voir Chapitre 17, "La résolution de noms NetBIOS"). On peut y activer ou y désactiver la résolution WINS. Pour l'activer, on entre les adresses IP d'un ou de deux serveurs WINS dans les champs serveur principal et serveur secondaire (voir Figure 19.14).

Liens

Ce feuillet, représenté sur la Figure 19.15, configure les liens de TCP/IP avec des serveurs de fichiers de niveau plus élevé et des imprimantes réseau.

Figure 19.13 : Configuration DNS.

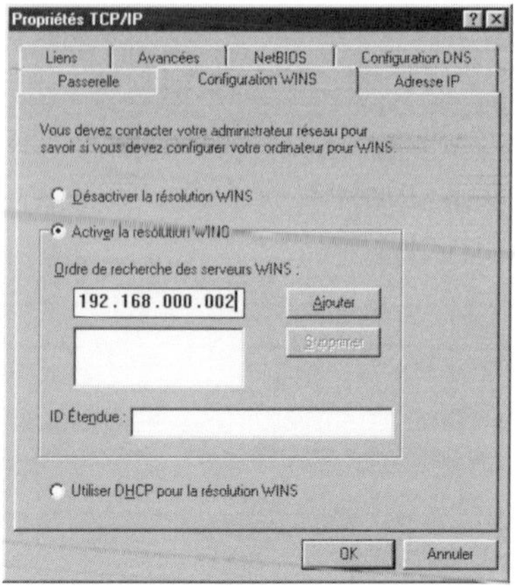

Figure 19.14 : Configuration WINS.

Figure 19.15 : Liens.

NetBIOS

On ne trouve ce feuillet (voir Figure 19.17) que sur Windows 98 (NetBIOS a été vu au Chapitre 17). Il concerne NetBIOS sous

TCP/IP, toujours actif par défaut. Sur la plupart des réseaux, il n'y a pas lieu de faire de modification.

Résumé

On a vu dans ce chapitre comment installer TCP/IP sur les machines qui travaillent sous Windows NT et Windows 9x. Nous avons vu aussi comment dialoguer avec les services DNS, WINS et DHCP, et comment configurer leur client local. L'installation de TCP/IP est plus simple sur Windows 9x que sur NT.

Questions-réponses

Q Quelle version de Windows NT travaille sous TCP/IP (par défaut) ?

R Il s'agit de Windows NT 4.0.

Q Quels sont, parmi les paramètres qui suivent, ceux qui sont requis pour configurer IP : l'adresse IP, le sous-masque de réseau, la passerelle par défaut ?

R L'adresse IP et le masque de sous-réseau.

Q Votre société désire installer trois sites Web sur votre serveur Web, qui ne dispose que d'une carte réseau. Comment en configurer les adresses IP ?

R Au moyen du feuillet Avancées des propriétés d'adresses IP, on ajoute les adresses IP et les masques de sous-réseau qui vont bien.

Q Quel feuillet de configuration est spécifique à Windows 98 ?

R Il s'agit du feuillet Propriétés NetBIOS, qui permet d'activer NetBIOS sous TCP/IP (il est actif par défaut).

Mots clés

- **Adresses IP avancées.** Un feuillet de configuration d'une machine sous Windows NT pour l'adressage IP multiple et la sécurité renforcée.

- **Serveur DHCP.** Un serveur qui configure automatiquement les paramètres TCP/IP d'autres machines.

- **Configuration DNS.** Un feuillet de configuration pour entrer le nom de votre ordinateur et son nom de domaine.

Chapitre 20

TCP/IP sous Macintosh et Netware

Au sommaire de ce chapitre

- Décider de l'opportunité d'installer TCP/IP sur un système d'exploitation Macintosh, sur un serveur ou un client Novell

- Examiner et éventuellement modifier la configuration de TC/IP sur un Macintosh ou un serveur Novell

- Installer le protocole TCP/IP sur un serveur Novell

Les machines Macintosh sont mises sur le marché avec un logiciel réseau qui s'appelle Open Transport, mais TCP/IP n'est pas installé dans le setup du système d'exploitation NetWare. La popularité de TCP/IP et la généralisation d'Internet conduisent à installer de plus en plus souvent TCP/IP avec NetWare. Ce chapitre est donc consacré à la configuration de TCP/IP sur un système d'exploitation Macintosh, sur un serveur et un client Novell NetWare.

Dans quel cas installer TCP/IP ?

Si votre ordinateur Macintosh, votre serveur ou votre client Novell doivent communiquer avec des machines qui fonctionnent sous TCP/IP, vous avez besoin de TCP/IP en tant que protocole additionnel à AppleTalk (le protocole réseau Macintosh) ou à IPX/SPX (protocole réseau Novell). TCP/IP s'est en effet généralisé sur les systèmes UNIX, les serveurs Web et FTP, les serveurs e-mail ainsi que toutes les machines qui se connectent à Internet.

Il y a d'autres situations où TCP/IP s'impose :

- l'utilisation d'applications clientes comme les moteurs de recherche ou les FTP clients ;

- l'impression de documents sur des imprimantes réseau qui utilisent TCP/IP comme protocole par défaut ;

- l'exécution sur un client d'applications qui doivent communiquer avec un serveur UNIX, dont TCP/IP est le protocole par défaut.

Une fois TCP/IP installé et configuré, ce protocole est quasi transparent pour l'utilisateur qui a lancé une recherche sur un moteur Web ou qui exécute une application chargée par un serveur distant.

TCP/IP sur Macintosh

TCP/IP est disponible sur les machines récentes, mais si vous faites appel à DHCP (*Dynamic Host Configuration Protocole*, protocole dynamique de configuration hôte), le protocole TCP/IP n'est pas initialisé lors du premier démarrage de la machine. Ce n'est que lors du lancement d'une application cliente qui requiert TCP/IP, et pourvu que l'option Chargement sur demande, ait été activée lors de la configuration, que TCP/IP sera lui-même activé.

L'installation de TCP/IP sur Macintosh se fait de la façon suivante :

1. Cliquer sur le menu Apple, descendre sur le menu Panneaux de configuration, et choisir TCP/IP.

2. Le panneau de configuration TCP/IP apparaît (voir Figure 20.1). Si TCP/IP a déjà été configuré pour votre réseau, l'adresse IP, le masque de sous-réseau et l'adresse d'un routeur s'affichent dans la fenêtre.

Si vous avez un Macintosh déjà ancien, tournant sous système d'exploitation Mac de version antérieure à 7.6, il se peut que vous soyez obligé d'installer TCP/IP indépendamment, au cas où vous n'utilisez pas le logiciel Open Transport d'Apple (introduit en version 7.5.2). Au lieu d'effectuer des mises à jour de vos logiciels, il est conseillé d'installer la version 7.6 ou une version postérieure pour bénéficier de toutes les fonctions de TCP/IP et de sa simplicité d'installation.

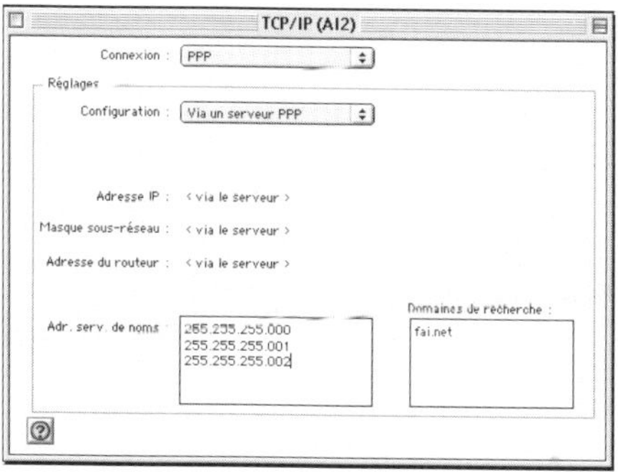

Figure 20.1 : Panneau de configuration de TCP/IP sur Macintosh.

Configuration de TCP/IP sur Macintosh

On peut choisir le mode de configuration, manuel ou dynamique, de l'adresse IP, du masque de sous-réseau et de la passerelle par défaut. Un serveur DHCP, s'il en existe un, peut prendre en charge cette opération (voir Chapitre 21, "DHCP, protocole dynamique de configuration d'hôtes").

Sur Macintosh, on dispose en outre de deux autres possibilités : faire appel à un serveur BOOT ou à un serveur RARP. Comme on fait rarement appel à ces possibilités, nous n'en parlerons pas ici.

La configuration manuelle de TCP/IP s'effectue ainsi :

1. Ouvrir le panneau de configuration de TCP/IP en cliquant sur le menu Apple. Choisir Panneaux de configuration, puis TCP/IP Panneau de configuration de TCP/IP.

   Ce panneau apparaît (voir Figure 20.1.)

2. Dans la liste Connexion via, choisir la connexion réseau ainsi que le type de réseau physique désirés, par exemple AppleTalk (MacIP), Ethernet ou MacPPP.

3. Dans la liste Configurer, choisir Manuellement.

4. Entrer l'adresse IP dans le champ adresse (voir Figure 20.2).

5. Entrer le masque de sous-réseau dans le champ masque.

6. Entrer (optionnellement) dans la fenêtre Adresses routeurs une ou plusieurs adresses de routeurs. La première adresse de la liste sera considérée comme étant celle de la passerelle par défaut.

7. Entrez, en option, dans la fenêtre Adresses serveurs une ou plusieurs adresses de serveurs DNS, dans l'ordre de recherche qui vous convient.

8. Entrez, en option, dans la fenêtre Domaines, la liste des suffixes à parcourir.

9. Cliquer sur le bouton Fermer, dans le coin supérieur gauche du panneau de configuration de TCP/IP.

   Une boîte de dialogue vous demande si vous voulez sauvegarder la configuration. Vous choisirez donc Sauvegarder, Ne pas sauvegarder ou Annuler. Sauvegarder rend votre configuration immédiatement opérationnelle.

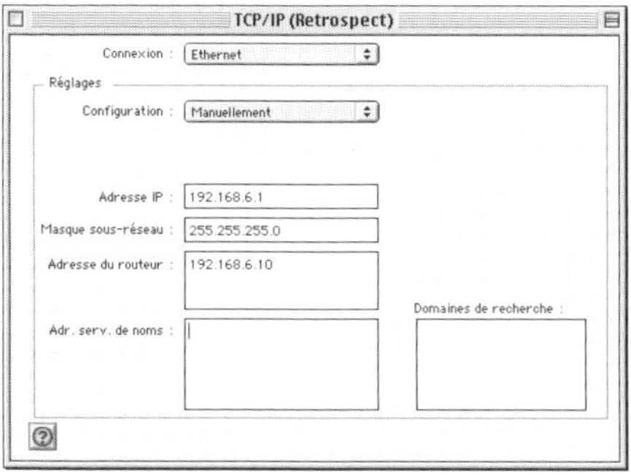

Figure 20.2 : Reconfiguration manuelle de TCP/IP, ici configuré pour une sauvegarde réseau automatique.

Pour obtenir une configuration de TCP/IP au moyen d'un serveur DHCP, procéder comme suit :

1. Sur le panneau de configuration, cliquer sur Connexion via, choisir la connexion et le réseau physique désirés, par exemple AppleTalk (MacIP), Ethernet ou MacPPP.

2. Dans la liste Configurer, choisir Serveur DHCP.

   Les champs adresse IP, masque de sous-réseau et passerelle affichent tous *<will be supplied by the server>*: sera fourni par le serveur.

3. Entrez, optionnellement, dans la boîte Domaines, la liste des suffixes à parcourir.

4. Cliquez sur Fermer, en haut à gauche du panneau de configuration (ou faire Ctrl-W). Une boîte de dialogue vous demande si vous désirez sauvegarder cette configuration. Sauvegarder rend votre configuration immédiatement opérationnelle.

Votre Macintosh est maintenant configuré en client DHCP. Lancer une application comme Netscape Navigator pour provoquer une demande d'adresse IP auprès d'un serveur DHCP.

TCP/IP et NetWare

Si vous possédez un serveur Novell muni de deux cartes réseau, ou plus, elles sont sûrement configurées pour faire automatiquement du routage sous IPX/ISX. Si vous le désirez, il est possible d'installer le protocole TCP/IP sur ce serveur et de lui faire acheminer des paquets sous ce protocole.

Avant de configurer NetWare, il est nécessaire de vérifier si TCP/IP est présent. Une première méthode consiste à examiner le fichier autoexec.ncf, dans le volume SYS du sous-répertoire système. Chercher le message "bind iP" associé à un type de carte réseau (la version Novell de TCP/IP s'appelle NetWare IP, ou IP en abrégé). On peut procéder de façon différente, au moyen de la commande CONFIG, Configurer, sous curseur écran, qui provoque l'affichage des cartes réseau installées ainsi que les protocoles sous lesquels elles travaillent.

Si aucune de ces démarches ne montre la présence de TCP/IP, il faut passer à l'action. C'est ce que nous allons voir dans la section suivante.

Installation de TCP/IP sur NetWare

L'installation et la configuration de TCP/IP sur un serveur Novell 4.x s'effectue comme suit. On suppose que la machine est munie d'une carte réseau, que le système d'exploitation réseau Novell est installé et qu'il est opérationnel.

1. Entrer la commande LOAD INSTALL à la suite du curseur. Cela a pour effet de charger le NLM (Netware Loadable module), un affichage en mode texte qui énumère les option de setup qui vous sont offertes.

2. Dans le menu d'installation, on met en surbrillance <other optional installation items>, puis on actionne la touche Entrée.

   Deux menus apparaissent, celui qui est en bas nous intéresse : Other Installation actions.

3. Dans ce menu, mettre en surbrillance Choose an item or product listed above, puis la touche Tab pour remonter au menu du haut : Other Installation Items/products.

4. Dans ce menu, choisir NetWare IP (voir Figure 20.3), puis appuyer sur Entrée pour commencer l'installation

Un fenêtre s'ouvre, qui indique les répertoires où le programme d'installation recherchera les fichiers qui lui sont nécessaires (voir Figure 20.4).

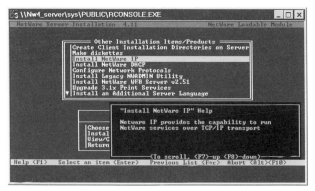

Figure 20.3 : Sélectionner Install NetWare IP.

5. Si les fichiers sont bien localisés, faites Entrée pour en effectuer la copie dans le volume Netware.

Si ces fichiers sont situés sur un CD-ROM ou sur le disque C:\, il faut appuyer auparavant sur la touche F3 puis changer le chemin d'accès pour aller sur C:\ ou sur le lecteur de CD-ROM.

La Figure 20.5 montre comment effectuer cette modification. Lorsque les fichiers d'installation sont localisés, faites Entrée pour en lancer la copie dans le volume Netware.

Figure 20.4 : La boîte de dialogue de localisation des fichiers sources.

 Si vous installez TCP/IP depuis un CD-ROM, une boîte de dialogue apparaît, pour vous mettre en garde contre un conflit possible entre le DOS et NetWare lors de l'accès au CD-ROM. Le résultat est un blocage du clavier qui oblige à rebooter la machine. Pour savoir s'il y a conflit, appuyer sur la touche fonction F1.

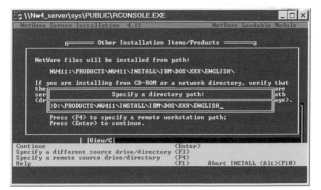

Figure 20.5 : Modification de chemin d'accès.

L'installation se fait plus facilement si l'on copie les fichiers suivants du CD-ROM vers le disque C:

\PRODUCTS\NW411\INSTAL\IBM\DOS\XXX\ENGLISH

\PRODUCTS\NWIPSRV

Configuration de TCP/IP sur NetWare

Lors de l'installation des fichiers de TCP/IP, une boîte de dialogue apparaît, qui vous propose de lire le fichier readme.txt, expliquant comment configurer TCP/IP. Après l'installation de TCP/IP, un écran s'affiche (voir Figure 20.6), qui vous rappelle que TCP/IP n'est pas configuré et qu'il vous faut retourner dans Other Installations Item/Products.

Figure 20.6 : Bandeau réclamant la configuration de TCP/IP.

Pour configurer TCP/IP, procéder de la façon suivante :

1. Appuyer sur les deux touches Alt et Esc pour changer d'écran et accéder au menu Other Installations/Products.

2. Choisir Configure Network Protocols, ce qui fait apparaître le menu Internetwork Configuration.

3. Mettre en surbrillance le mot Protocoles, puis taper sur Entrée. Le menu de configuration Protocol apparaît.

4. Mettre TCP/IP en surbrillance et taper sur Entrée. La boîte de dialogue Protocol Configuration s'ouvre, indiquant si TCP/IP est actif.

5. C'est ici que l'on peut transformer le serveur Novell en routeur au moyen de l'option d'expédition IP Packet. Dans ce cas, vous pouvez choisir un protocole de routage comme RIP ou OSPF, ou entrer manuellement des informations concernant le routage (voir Figure 20.7). Une fois que les choix présentés sur ce menu

ont été satisfaits, presser Esc pour retourner au menu Internetworking Configuration.

```
╔═══════════════════════════════════════════════════════╗
║         TCP/IP Protocol Configuration                 ║
╠═══════════════════════════════════════════════════════╣
║ TCP/IP Status:             [Enabled]                  ║
║ IP Packet Forwarding:      Disabled("End Node")       ║
║                                                       ║
║ RIP:                       Enabled                    ║
║ OSPF:                      Disabled                   ║
║ OSPF Configuration:        <Select to View or Modify> ║
║                                                       ║
║ Static Routing:            Disabled                   ║
║ Static Routing Table:      <Select For List>          ║
║                                                       ║
║ SNMP Manager Table:        <Select For List>          ║
║                                                       ║
║ Filter Support:            Disabled                   ║
║ Expert Configuration Options: <Select to View or Modify> ║
╚═══════════════════════════════════════════════════════╝
```

Figure 20.7 : Menu de configuration du protocole TCP/IP.

6. Mettre en surbrillance Bindings et faire Entrée.

7. Le menu Binding TCP/IP to a LAN Interface apparaît (voir Figure 20.8). On remplit le champ IP Address avec l'adresse désirée pour le serveur Novell.

Figure 20.8 : Le menu Binding TCP/IP to a LAN Interface.

Le masque de sous-réseau par défaut apparaît dans le champ Subnetwork Mask of Connected Network. Le masque de sous-réseau par défaut, correspondant à la classe d'adresses que vous avez entrée, est affiché (en format hexadécimal ; vous pouvez changer de masque et entrer le vôtre).

8. Appuyer plusieurs fois sur Esc jusqu'à obtenir une boîte de dialogue vous demandant si vous voulez sortir du programme d'installation ; cliquez sur Yes.

TCP/IP est installé et configuré comme serveur Novell NetWare.

Résumé

Ce chapitre vous a permis de configurer TCP/IP sur un ordinateur Macintosh, d'installer et de configurer ce protocole sur un serveur Novell NetWare. Vous savez aussi dans quelles circonstances il s'avère nécessaire d'effectuer ces opérations.

Questions-réponses

Q Est-il nécessaire d'acheter un logiciel pour travailler sous protocole TCP/IP sur un serveur Novell ?

R Non. Le support TCP/IP est inclus dans Novell NetWare.

Q Est-ce qu'un ordinateur Macintosh peut recevoir son adresse IP d'un serveur DHCP ?

R Oui, un ordinateur Macintosh peut jouer le rôle de client DHCP.

Q Lorsqu'un Macintosh est configuré en client DHCP, le protocole TCP/IP est-il accessible immédiatement après le boot ?

R Non, TCP/IP n'est pas configuré tant qu'un programme client réclamant TCP/IP n'a pas été lancé.

Atelier

Mots clés

- **AppleTalk.** Le protocole originel de gestion de réseau d'Apple.
- **NetWare.** Système d'exploitation commercialisé par Novell.
- **NetWare Loadable Module (NLM).** Module d'installation qui fait partie du setup NetWare.

Partie VI

Exploitation
évoluée de TCPIP

Chapitre 21

DHCP, protocole dynamique de configuration d'hôtes

Au sommaire de ce chapitre

- Description de DHCP et présentation de ses avantages
- Comment un client DHCP emprunte une adresse IP
- Qu'est-ce qu'un scope et comment le configurer
- Installation et configuration d'un serveur DHCP

Le protocole de configuration dynamique DHCP, *Dynamic Host Configuration Protocol,* permet à une machine d'effectuer automatiquement la configuration TCP/IP d'autres machines. Celles-ci sont donc des clients d'un serveur DHCP. Le serveur DHCP, au minimum, donne une adresse IP et un sous-masque de réseau à la machine qui dépend de lui. On peut obtenir d'autres paramètres de configuration, comme l'adresse IP de la passerelle par défaut, des serveurs DNS et des serveurs WINS.

Nous allons voir dans ce chapitre comment DHCP fonctionne, quelle est sa raison d'être et dans quelles circonstances il est utile de recourir à ses implémentations. Vous apprendrez aussi à installer et à configurer les services de DHCP.

Qu'est-ce que DHCP ?

DHCP est un protocole d'assignation automatique des paramètres de configuration TCP/IP des machines informatiques connectées à un réseau. La RFC 1531 décrit le standard DHCP. Trois autres RFC, 1534, 2131 et 2132, définissent les améliorations et certaines implémentations spécifiques de DHCP. Le protocole DHCP est capable de configurer les paramètres obligatoires :

- l'adresse IP ;
- le masque de sous-réseau.

Ainsi que les paramètres en option :

- les adresses IP DNS ;
- les adresses IP WINS.

Grâce à TCPIP, la configuration d'un grand nombre de machines devient une opération très facile.

 Lorsque certaines machines ont été configurée en atelier au lieu de l'être sur le site, on peut rencontrer des problèmes d'adressage, même lorsque des adresses IP valides leur ont été assignées. Le déplacement d'une machine provoque ce genre de dysfonctionnement puisque ses paramètres adresse IP et passerelle par défaut, corrects sur le réseau d'origne, ne sont plus valables sur le réseau d'accueil.

On économise l'intervention d'un technicien sur chaque site pour configurer individuellement les machines.

DHCP a pris une importance considérable du fait que les gens sont munis de machines portables d'un site à l'autre d'une société. La configuration manuelle d'une telle machine ne lui permet de fréquenter que son réseau de rattachement, la connexion sur un autre réseau nécessitant une reconfiguration. En revanche, la disponibilité de DHCP sur l'ensemble des sites de la société permet au voyageur de se connecter au réseau sur n'importe quel site et de travailler normalement sous TCP/IP, comme si de rien n'était (il peut cependant se poser un problème de duplication de nom NetBIOS s'il y a recouvrement du nom NetBIOS de la machine en voyage avec le nom NetBIOS d'une machine déjà rattachée au réseau d'accueil).

Les piles de logiciels TCP/IP ne supportent pas toutes DHCP. Vérifier ce point dans la documentation de votre package TCP/IP.

Comment marche DHCP ?

Pour faire travailler DHCP, on installe TCP/IP sur une machine sans aucune configuration.

Lorsqu'on lance une application client DHCP, TCP/IP est chargé en mémoire vive et passe à l'action. Comme aucune adresse IP ne lui a été donnée, il est impossible au logiciel d'envoyer ou de recevoir des datagrammes. TCP/IP peut, tout au plus, envoyer ou recevoir des diffusions générales (broadcasts). Cette faculté de communiquer par diffusion est à la base du fonctionnement de DHCP. Le protocole BOOTP travaille de la même façon, en envoyant des broadcasts. DHCP et BOOTP utilisent, en fait, le même port UDP, c'est-à-dire le port 67 pour le client DHCP, et 68 pour le serveur DHCP.

L'emprunt d'une adresse auprès d'un serveur DHCP se fait en quatre temps.

1. Recherche DHCP. Le client en quête de configuration émet un datagramme de caractère général destiné au port 68 (utilisé par DHCP et BOOTP) de n'importe quel serveur à la ronde, susceptible de lui fournir cette configuration. Ce datagramme de recherche renferme de nombreux champs, dont l'un contient la propre adresse physique du client.

2. Offre DHCP. Si un serveur DHCP reçoit le datagramme et dispose d'adresses non allouées aux machines du réseau auquel est rattaché le client, ce serveur élabore un datagramme de réponse, une offre DHCP, et l'envoie par diffusion à la machine qui a émis la recherche DHCP. Ce datagramme est adressé au port 67 de la machine cliente identifiée par son adresse physique. Ce datagramme comporte l'adresse IP du serveur DHCP ainsi que l'adresse IP et le masque de sous-réseau proposés par le serveur au client.

3. Requête DHCP. Le client retient une offre, élabore un datagramme de requête DHCP et le diffuse sur le réseau. Ce datagramme contient l'adresse IP du serveur et l'adresse IP du client. Cette requête a deux objectifs : demander au serveur l'attribution d'une adresse IP (et accessoirement la configuration d'autres paramètres) ; et notifier aux autres serveurs DHCP du réseau, qui eux aussi ont fait une offre, que le client ne donne pas suite, ce qui libère les adresses IP proposées. Elles redeviennent disponibles pour d'autres clients.

4. Accusé Réception DHCP. Quand le serveur DHCP dont l'offre a été retenue reçoit la requête de son client, il élabore le datagramme d'allocation de l'adresse proposée. Ce datagramme est appelé DHCP ack, pour acknowledgement : accusé de réception DHCP. Il comporte l'adresse IP et le masque de sous-réseau attribués au client. Optionnellement, les adresses IP de la passerelle par défaut, de plusieurs serveurs DNS et, éventuellement, d'un ou deux serveurs WINS. Le client DHCP peut aussi se voir attribuer un type de nœud NetBIOS, qui peut modifier l'ordre prédéterminé de la résolution de noms NetBIOS.

Trois autres champs apparaissent dans l'accusé de réception DHCP ; ce sont des indications de durée : le premier indique la durée du prêt d'adresse, les deux autres, nommés T1 et T2 servent au "renouvellement de bail". Nous reverrons ces champs, plus loin dans ce chapitre.

Les relais

Lorsque le serveur DHCP et son client "habitent" sur le même segment de réseau, le processus se déroule comme on vient de le décrire. Si le serveur et son client sont sur des réseaux disjoints, distants d'un ou de plusieurs routeurs, les choses se compliquent. C'est parce que les routeurs n'acheminent pas les broadcasts vers les autres réseaux. Pour que DHCP fonctionne, il faut un intermédiaire, configuré pour faire aboutir le processus DHCP. Cet "homme de paille" peut être un hôte du réseau auquel est connecté le client, et souvent le routeur du réseau lui-même. La machine qui se charge de ce truchement est appelée agent relais BOOTP ou DHCP.

Un relais est configuré avec une adresse fixe et connaît, bien sûr, l'adresse du serveur DHCP. En raison de leur configuration qui les dote d'un ensemble d'adresses IP, ils peuvent constamment échanger des datagrammes d'adresses définies avec le serveur DHCP. Comme le relais partage le même réseau que le client DHCP, il peut communiquer avec lui par broadcast. Les relais écoutent les broadcasts destinés au port UDP 68.

 Tous les routeurs ne sont pas capables de fournir les services d'un agent relais BOOTP. Les routeurs qui assurent ces services sont dits à la norme RFC 1542.

Lorsqu'un datagramme est reçu, il est retransmis avec l'adresse qui convient vers le serveur DHCP. Lorsque les datagrammes d'adresse explicite destinés au port UDP 67 sont reçus par le relais, ils sont rediffusés sur le réseau. Ce développement a passé quelques détails sous silence, par souci de clarté, mais il explique bien le fonctionnement d'un relais. Pour plus de détail sur les relais, on consultera la RFC 1542.

Champs temporels

Les clients DHCP ne louent leurs adresses IP auprès du serveur que pour une durée limitée, qui est une valeur de configuration du serveur DHCP. Les valeurs T1 et T2 placées dans l'accusé de réception DHCP dont nous avons parlé sont utilisées lors du "renouvellement de bail" de l'adresse IP. T1 définit la date de demande de renouvellement, généralement fixée à 50 % de la durée totale d'allocation prévue. Dans notre développement, nous supposerons que cette allocation est faite pour huit jours.

Lorsque, donc, quatre jours se sont écoulés, le client envoie une requête de prolongation au serveur DHCP qui lui a alloué son adresse. Si le serveur est en ligne, le bail est renouvelé par un accusé de réception. Cette fois-ci, la requête et l'accusé de réception sont émis avec des adresses figées, puisque chaque machine connaît désormais l'adresse IP de l'autre — ainsi que la sienne propre, ce qui était l'objectif du client.

Si le serveur n'est pas en ligne lorsque son client expédie sa requête au bout de quatre jours, le client patiente et renouvelle sa demande de prolongation à 75 % de la durée du bail, soit six jours. Si cette requête reste encore sans réponse, le client essaie une troisième fois à 87,5 % de la durée de vie de son adresse (7/8 du bail). Jusque-là, le client a expédié des datagrammes d'adresse figée, à savoir l'adresse du serveur "sourd" pour la troisième fois. C'est à ce point critique qu'intervient la période T2. Pendant cette période, le client peut émettre des requêtes sans adresse, pour trouver un serveur capable de lui allouer une adresse IP. Si le client ne peut renouveler son allocation d'adresse ni obtenir d'un serveur quelconque une nouvelle adresse IP avant la date d'expiration de cette adresse, le client ne peut plus l'utiliser ni opérer sur le réseau de façon normale sous protocole TCP/IP.

Installation de DHCP

Le logiciel serveur DHCP est communément installé sur les plates-formes UNIX ainsi que sur les systèmes d'exploitation réseau, comme NetWare 4.x et Windows NT. Les exemples d'installation, de configuration et d'option, donnés ici, concernent un serveur sous Windows NT.

On s'assure tout d'abord que la machine qui va jouer le rôle de serveur a été manuellement configurée avec une adresse IP, un masque de sous-réseau et une passerelle par défaut. Un serveur DHCP ne peut en effet être un client DHCP...

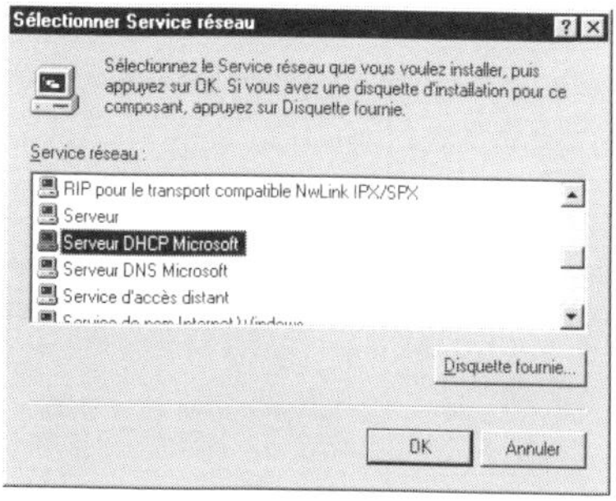

Figure 21.1 : La boîte de dialogue Sélectionner Service réseau.

On procède ainsi :

1. Cliquer sur l'icône Network du panneau de configuration, puis sur Services quand la boîte de dialogue Network apparaît, puis sur Ajouter. La boîte de dialogue Sélection Service réseau apparaît.

2. On clique sur Serveur DHCP Microsoft, puis sur OK, ce qui a pour effet de fermer la boîte.

   Une fenêtre s'ouvre, qui vous indique que, si l'une de vos cartes réseau est configurée DHCP, il faut la reconfigurer manuellement. On clique sur OK pour la supprimer. Les fichiers requis pour assurer les services DHCP sont alors copiés sur le disque et la boîte de dialogue Réseau apparaît de nouveau en arrière-plan.

3. On fait OK pour fermer la boîte.

   Windows NT reconfigure les paramètres réseau pour assurer les services DHCP. Une boîte de dialogue Modifications paramètres réseau apparaît, vous demandant de redémarrer la machine (reboot) pour que le nouveau paramétrage soit pris en compte.

4. Cliquer sur Oui.

Tous les fichiers sont installés et le service DHCP sera actif dès le reboot de la machine.

Configuration des tranches DHCP

A la suite du reboot, DHCP est activé, mais incapable de distribuer des adresses IP. C'est qu'il n'est pas encore configuré pour cela. Il faut lui désigner des blocs d'adresses dans lesquelles il pourra puiser pour satisfaire la demande. Chaque bloc d'adresse est appelé un *scope*, une tranche. Si le serveur DHCP attribue des adresses IP à sept réseaux, il vous faudra définir sept tranches DHCP. Chacune contient les adresses de configuration de clients de chaque réseaux.

La configuration d'un serveur DHCP, sous Windows, se fait de la façon suivante :

1. On lance l'utilitaire Gestionnaire DHCP, en cliquant sur Démarrer, Programmes, Administration DHCP, Gestionnaire DHCP, dans le menu Start.

   L'utilitaire Gestionnaire DHCP (local) s'affiche, avec une seule case libellée Machine locale ; si l'on double-clique sur cette case, un caractère apparaît à gauche, oscillant entre + (expansion) et – (contraction). S'assurer que la case Machine locale affiche le caractère –, ce qui indique que l'on est en cours d'expansion.

2. Cliquer sur Tranche puis sur Créer.

   Une fenêtre de configuration de tranches d'adresses apparaît (voir Figure 21.2), Créer étendue (Local). L'adresse de début et l'adresse de fin définissent le bloc d'adresses IPO que vous allez placer sous contrôle de DHCP. La Figure 21.2 représente un bloc qui commence en 192.59.66.10 et se termine en 192.59.66.254. Si une adresse assignée statiquement appartient à cette tranche, il faut la déclarer comme non disponible lors des affectations dynamiques et l'inscrire dans la case prévue à cet effet, à droite de la page. Ici, le serveur a été configuré avec une adresse IP 192.59.66.200, cette adresse a donc été retirée de la tranche.

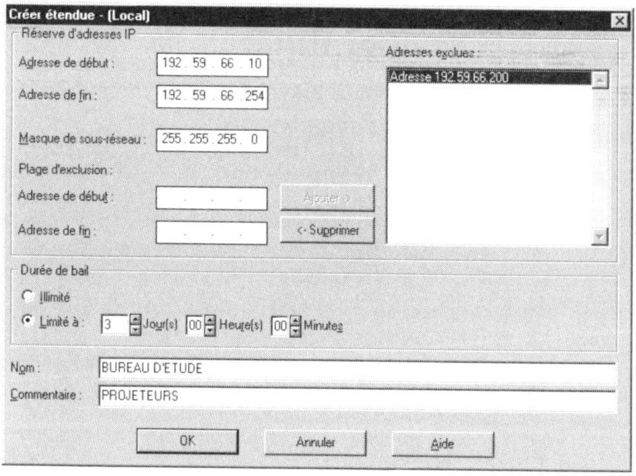

Figure 21.2 : L'utilitaire de gestion DHCP.

3. On configure alors le masque de sous-réseau, puis la durée d'allocation des adresses, on peut éventuellement remplir les cases Nom et Commentaires. Il s'agit d'informations qui ne rentrent pas dans le paramétrage.

> Il arrive parfois que deux serveurs ou plus soient configurés avec des tranches d'adresses pour servir un réseau. Cette redondance permet de pallier une défaillance d'un (ou de plusieurs moins un) serveur(s) et de ne pas interrompre le service d'adresses. Il faut savoir que les serveurs DHCP n'échangent pas d'information sur les adresses qu'ils attribuent. Il faut donc les configurer avec des tranches qui ne soient pas en recouvrement pour éviter tout problème dans l'exploitation du réseau.

Pour terminer, cliquez sur OK. On revient alors à la boîte de dialogue Gestionnaire DHCP, qui annonce que la tranche a bien été créée, mais qu'elle n'est pas active. Elle vous demande de répondre

Oui pour l'activer, ou Non. Il faut répondre négativement si l'on veut définir d'autres paramètres, comme les adresses IP de la passerelle par défaut ou de serveurs DNS.

Configuration des options DHCP

On demande habituellement aux serveurs DHCP de configurer les machines avec des paramètres supplémentaires, ne se limitant pas à l'adresse IP et au masque de sous-réseau. Sous Windows NT, de nombreux autres paramètres sont disponibles. Ces options se répartissent en deux niveaux. Le premier concerne les options de tranches, dont les paramètres changent d'une tranche à l'autre. Le second concerne les options globales, indépendantes de la configuration des tranches.

Options de niveau Tranche

Il s'agit de paramètres qui varient d'une tranche à l'autre. La passerelle par défaut, par exemple, est différente d'un réseau à l'autre, donc pour chaque tranche. La passerelle par défaut est une option de niveau Tranche. Pour atteindre les options de tranches sous Windows NT, on procède comme il suit.

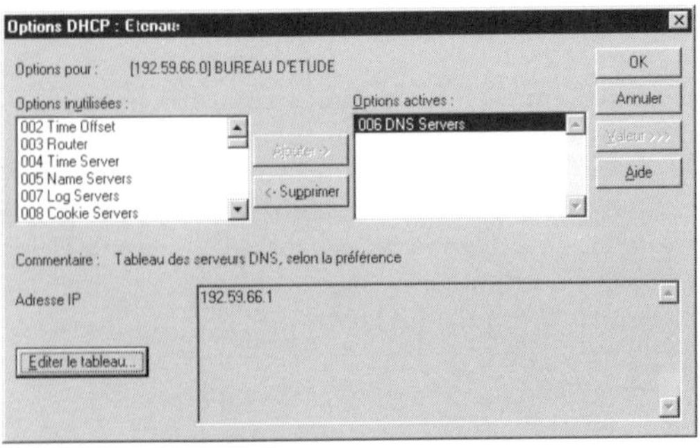

Figure 21.3 : Boîte de dialogue Options DHCP.

1. Choisissez Options DHCP puis Tranche dans le menu Gestionnaire DHCP.

   La boîte de dialogue Options DHCP: Tranches apparaît.

2. Dans la liste Options disponibles, sélectionnez ce que vous désirez configurer au niveau Tranches. Ici la route 003 a été sélectionnée et inscrite dans la case Options actives.

3. Cliquez sur le bouton Valeur >>> pour obtenir l'expansion de la boîte de dialogue (voir Figure 21.3).

4. Choisissez alors le bouton Edition Tableau et ajoutez l'adresse de la passerelle par défaut au moyen de la boîte ad hoc. Cliquez sur OK lorsque toutes les options au niveau tranche ont été entrées et sont listées comme "Actives".

Options de niveau Global

On entre dans ce menu pour configurer des paramètres indépendants des tranches d'adresses gérées par le serveur DHCP. Les machines de chacun des réseaux sous le même serveur DHCP fréquentent les même serveurs DNS. Leurs adresses sont donc entrées au niveau des options globales.

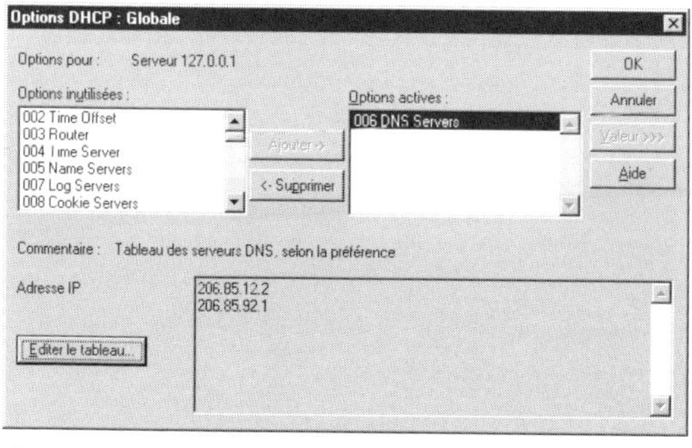

Figure 21.4 : Boîte de dialogue Options DHCP : Globale.

Pour entrer la configuration globale du serveur DHCP, on procède ainsi :

1. Choisissez Options DHCP puis Global dans le menu Gestionnaire DHCP.

   La boîte de dialogue Options DHCP: Global apparaît.

2. Dans la liste Options disponibles, sélectionnez ce que vous désirez configurer au niveau Tranches. Ici le serveur DNS 006 a été sélectionné et inscrit dans la case Options actives.

3. Cliquez sur le bouton Valeur >>> pour obtenir l'expansion de la boîte de dialogue (voir Figure 21.5).

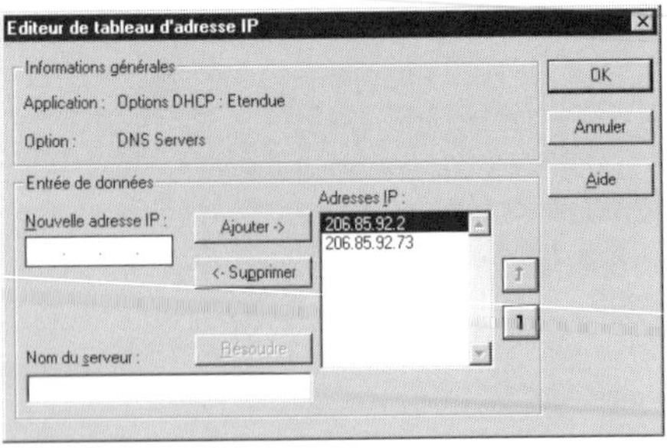

Figure 21.5 : La boîte de dialogue Editeur de tableau d'adresse IP.

4. Choisissez alors le bouton Edition tableau, qui va vous permettre d'entrer des adresses IP.

5. Entrez les adresses IP de plusieurs serveurs DNS adresses IP au moyen de la case adéquate. Cliquez sur OK lorsque toutes les options au niveau Tranches ont été entrées et sont listées comme "Actives". La fenêtre se ferme.

Arrivé là, on peut dire que l'on a rempli les options d'une tranche DHCP. Pour activer la tranche d'adresse maintenant configurée, on procède ainsi :

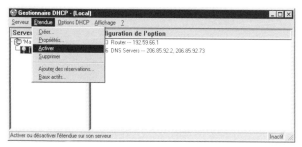

Figure 21.6 : Le menu Etendue.

1. Choisissez la tranche à activer, cliquez sur Scope/Tranche, puis sur Activate/Activer (voir Figure 21.6).

Le serveur DHCP est désormais opérationnel et peut (enfin) allouer des adresses à ses clients. On peut tester le fonctionnement du serveur à partir d'une machine cliente en lançant la commande ipconfig ou winipconfig, avec les Options Release et Renew, comme on l'a vu au Chapitre 11.

Résumé

DHCP est un protocole d'allocation d'adresses IP très pratique en cas de modification d'un réseau. Si vous changez d'ISP, de fournisseur d'accès, changez aussi les adresses de serveurs DNS. Si votre société possède 5 000 machines configurées manuellement, réparties sur 10 sites géographiquement éloignés, les modifications peuvent coûter très cher. Si les machines sont rattachées à un serveur DHCP, une simple modification de paramètres au niveau global suffit. Lors de la première connexion de chacun des clients DHCP après modification, celui-ci recevra sa nouvelle adresse IP de son nouveau serveur DNS.

Nous savons désormais comment fonctionne DHCP, comment en configurer les tranches d'adresses et comment installer un DHCP sur un serveur sous Windows NT.

Questions-réponses

Q Que doit-on créer, configurer et activer avant qu'un serveur DHCP puisse fournir une adresse IP à ses clients ?

R Une tranche DHCP.

Q Comment un client communique-t-il avec le serveur DHCP lors de sa première mise en route ?

R En émettant et en recevant des datagrammes en mode diffusion (broadcast).

Q Si aucune option Tranche ni Globale n'a été configurée, que fournit un serveur DHCP à son client ?

R Il ne lui fournit qu'une adresse IP et un masque de sous-réseau.

Q Que faut-il faire pour qu'un client d'un réseau emprunte une adresse auprès du serveur DHCP d'un autre réseau ?

R Il faut qu'il contacte un relais DHCP.

Q a. Est-ce qu'un routeur peut jouer le rôle de relais BOOTP ?

b. Est-ce que tout routeur peut être un relais ?

R a. Oui, un routeur peut jouer le rôle d'un relais BOOTP.

b. Non, pour cela, il faut que le routeur soit au standard RFC 1542.

Mots clés

- **Client DHCP.** Machine qui travaille sous TCP/IP et dont les paramètres TCP/IP ne sont pas configurés manuellement.

- **Serveur DHCP.** Machine dotée des capacités d'allouer des adresses IP et un masque de sous-réseau à une clientèle DHCP, et de fixer d'autres paramètres de configuration TCP/IP.

- **Tranche.** Bloc d'adresses sous contrôle d'un serveur DHCP. Ces adresses sont destinées à être allouées aux machines clientes qui en font la demande.

Chapitre 22

Protocoles d'administration de réseaux

Au sommaire de ce chapitre

- L'importance de l'administration d'un grand réseau

- Enumération des composants logiciels d'un système de surveillance de réseau

- Le rôle de SNMP dans les échanges d'informations entre moniteur réseau et administrateur

- Définition et fonctionnement d'une *Management Information Base* (MIB), base de données gestion de réseau.

- Définition de RMON et comparaison avec SNMP

- Description des opérations que l'on peut effectuer à partir de la console d'un administrateur de réseau

Les sociétés, organismes officiels, firmes commerciales et autres, qui exploitent des réseaux d'une certaine dimension emploient des *administrateurs de réseaux,* terme devenu courant pour ceux dont la mission est de gérer un réseau, d'en assurer la disponibilité et la maintenance pour le plus grand bien de l'utilisateur. Lorsque le réseau atteint des dimensions nationales ou internationales, l'administrateur doit identifier les anomalies survenant dans des segments distants de "son" réseau. Il dispose donc de logiciels de servitude avec lesquels il prend connaissance, de façon systématique, des risques d'avaries et des problèmes qui se manifestent sur le réseau. En plus du *reporting* sur les événements anormaux, ces logiciels lui permettent d'interroger à distance le matériel du réseau, c'est-à-dire les routeurs, les hubs et les serveurs de sous-réseaux. Ces "bilans" à distance informent si tous les ports d'une machine sont opérationnels ou évaluent le trafic en nombre de datagrammes traités par seconde.

Ce chapitre s'intéresse aux diverses méthodes d'administration des réseaux, en particulier SNMP, *Simple Network Management Protocole*, protocole simplifié d'administration de réseau, et RMON, *Remote MONitoring*, administration à distance, dont nous comparerons les caractéristiques.

SNMP (Simple Network Management Protocol)

L'administration d'un réseau se fait par échange d'informations entre logiciels d'exploitation implantés sur deux machines distantes. Le logiciel de l'administrateur qui opère depuis un point central du réseau est appelé un moniteur de réseau. Il affiche à l'écran des informations générales sur l'état du réseau, des sous-réseaux et alerte l'administrateur lorsque surviennent des anomalies. La plupart des matériels du réseau, qu'il s'agisse des routeurs, des hubs, des passerelles ou des serveurs, sont eux aussi munis de logiciels de surveillance — des agents —, qui généralement travaillent avec l'utilitaire RMON et jouent donc le rôle d'espion.

Le moniteur et son agent local échangent donc des informations en utilisant le protocole SNMP, protocole simplifié de gestion réseau, une des composantes de la suite de protocoles TCP/IP. SNMP fonctionne sur le port de communication UDP 161. Comme il s'agit d'un port UDP, il n'y a pas d'ouverture de session (c'est-à-dire pas de poignée protocolaire en trois temps) avant la transmission des données, donc pas de login ni de mot de passe. Ce qui est une lacune dans la sécurité du réseau, puisque l'échange de datagrammes s'opère sans déclaration d'origine. SNMP fait cependant un effort en s'appuyant sur la notion de communauté. Lors de l'installation du moniteur et de ses agents, on spécifie une ou plusieurs appellation(s) communautaire(s), par exemple le mot *publique*. Les logiciels d'administration sont donc configurés pour ne traiter en réception et n'émettre que les datagrammes circulant sous couvert d'une communauté bien définie. De plus, leur configuration filtre les adresses des interlocuteurs, ne retenant que les adresses IP qui leur sont spécifiées. Les agents connaissent, bien évidemment, les adresses du moniteur du réseau auquel ils peuvent envoyer des messages sans sollicitation préliminaire.

L'espace d'adressage SNMP

La procédure de travail SNMP partagée entre le moniteur et ses agents, dont les adresses sont bien identifiées, exploite une structure de données appelée MIB, *Management Information Base*, base de données d'administration. La MIB (voir Figure 22.1) permet au moniteur et à l'agent d'échanger des informations sans aucune ambiguïté. Le moniteur et l'agent doivent avoir la même structure de MIB pour être capables d'identifier de façon unique une information donnée.

La MIB est un espace d'adressage hiérarchique qui fait appel à une adresse unique pour chaque fragment d'information. MIB ressemble fortement à DNS dans sa structure hiérarchisée, les niveaux les plus hauts étant gérés de façon centralisée, tandis que les groupes qui constituent cet arbre s'occupent localement de leur "case" dans la MIB. On utilise dans la MIB une notation pointée pour identifier chacune des adresses uniques qui la constituent.

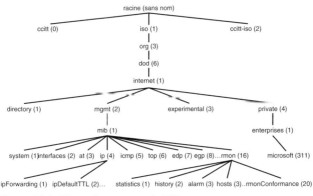

Figure 22.1 : Un petit morceau de MIB.

La plupart des emplacements adressables de la MIB sont des compteurs numériques. Par exemple, ipForwarding (voir Figure 22.1) ou ipInReceives (non représenté), qui comptent des nombres de datagrammes parce qu'ils ont été activés par le gestionnaire de réseau ou viennent d'être remis à zéro.

Le reste est constitué d'informations de configuration à l'intention du logiciel de gestion réseau ou de SNMP lui-même. Plusieurs types d'informations sont échangés sous forme numérique ou alphabétique. ipDefaultTTL est un exemple d'information numérique ; on y conserve le TTL, durée de vie d'un datagramme, valeur insérée dans tout datagramme émis par une machine.

Chaque élément de la structure MIB est atteint à partir de la racine par concaténation des niveaux successifs de la MIB, jusqu'à atteindre la case voulue. Pour atteindre les valeurs ipDefaultTTL et inIn-Receives, le protocole SNMP enverra à ses agents une demande dont les adresses seront ainsi libellées :

```
.iso.org.dod.internet.mglt.mib.ip.ipDefaultTTL

.iso.org.dod.internet.mglt.mib.ip.ipInReceives
```

Il est possible de remplacer les dénominations par des valeurs numériques, ce qui donnerait dans le cas présent :

```
.1.3.6.1.2.1.4.2
.1.3.6.1.2.1.4.3
```

Commandes SNMP

L'agent (l'espion local) répond à quatre commandes : `get`, `getnext`, `walk` et `set`.

- `get`. Demande à l'agent de lire et de transmettre un élément d'information donné.

- `getnext`. Demande à l'agent de lire et de transmettre l'élément d'information immédiatement suivant de la MIB.

- `walk`. Demande à l'agent de lire en séquence et de transmettre toutes les informations à partir d'une case donnée.

- `set`. Demande à l'agent de configurer un paramètre ou de restaurer quelque chose, comme une interface réseau ou un compteur particulier.

Le logiciel SNMP fonctionne, en fait, de diverses façons, suivant les besoins de l'administrateur du réseau. Donnons une liste de ces styles de travail.

- Les agents opèrent toujours en dialoguant par questions-réponses avec le moniteur. L'agent reçoit une commande `get` ou `getnext` et renvoie l'information contenue dans la (les) case(s) désignée(s). La commande `walk` provoque l'envoi de multiples informations de la part de l'agent qui relève toutes les boîtes aux lettres à partir de celle qu'on lui a spécifiée...

- Les agents sont parfois configurés pour envoyer spontanément des messages au moniteur lorsque survient un événement anormal. Ces messages sont appelés messages *trap* ou *traps*. Ils sont émis lors d'une *capture* (trap), une *détection* d'anomalie.

SNMP travaille habituellement sur détection de seuil, c'est-à-dire sur déclenchement d'une alarme lorsque certaines valeurs sont franchies. L'agent local — l'espion — élabore un message indiquant l'adresse IP du site concerné ainsi que la valeur hors limite.

- Le moniteur expédie des messages aux agents pour leur demander de réinitialiser le port d'un routeur ou d'ajuster les seuils d'alarme. La commande **set** sert, là aussi, à régler les paramètres ajustables, remettre les compteurs à zéro ou réinitialiser les interfaces.

Les exemples suivants montrent comment travaille SNMP.

On y fait appel à un utilitaire de diagnostic, snmputil, qui permet au maintenancier de se faire passer pour le moniteur. Il peut envoyer des commandes get, getnext et walk à un agent. Dans le cas présent, la machine sur laquelle travaille l'agent a pour adresse IP 195.59.66.200 et l'agent appartient à la communauté "publique". On remarquera le .0 qui termine les deux premières commandes, suffixe utilisé lorsqu'on veut lire des variables simples, comme le contenu d'un compteur. On remarquera aussi que la plupart des valeurs spécifiées par la commande walk concernent des contenus de compteurs.

```
D:\>snmputil get 192.59.66.200 public
.1.3.6.1.2.1.4.2.0

Variable = ip.ipDefaultTTL.0

Value    = INTEGER  -  128

D:\>snmputil getnext  192.59.66.200 public
.1.3.6.1.2.1.4.2.0

Variable = ip.ipInReceives.0

Value    = Counter  -  1189

D:\>snmputil get 192.59.66.200 public
.1.3.6.1.2.1.4.2.0

Variable = ip.ipForwarding.0
```

```
Value    = INTEGER  -  2
Variable = ip.ipDefaultTTL.0
Value    = INTEGER  -  128
Variable = ip.ipInReceives.0
Value    = Counter  -  11898
Variable = ip.ipInHdrErrors.0
Value    = Counter  -  0
Variable = ip.ipInAddrErrors.0
Value    = Counter  -  9746
Variable = ip.ipForwDatagrams.0
Value    = Counter  -  0
Variable = ip.ipInUnknownProtos.0
Value    = Counter  -  0
Variable = ip.ipInDiscards.0
Value    = Counter  -  0
Variable = ip.ipInDelivers.0
Value      Counter  -  11070
Variable = ip.ipOutRequests.0
Value    = Counter  -  5128
```

Cette réponse à la commande walk continue ainsi sur plusieurs pages.

SNMP est certes un bon outil d'administration de réseau, mais il est loin d'être parfait. Enumérons quelques-une de ses faiblesses :

- Il n'accède pas à certaines couches. SNMP réside au niveau application au-dessus de UDP. Il ne peut donc analyser ce qui se passe dans les couches inférieures du protocole, en particulier au niveau de la couche accès réseau.

- La liaison entre SNMP et son agent sous-entend que TCP/IP est en état de marche. Sinon le moniteur ne peut être utilisé pour poser un diagnostic, en cas de problème.

- SNMP engendre un trafic intense sur le réseau. Sa méthode de questions/réponses, indépendamment de l'émission spontanée d'avertissement par les agents, s'avère très lourde pour le réseau.

- Pas d'action préventive. SNMP reçoit des avertissements (*traps*) alors que la défaillance est "installée". SNMP n'offre aucun moyen de devancer les problèmes et d'en prévenir le moniteur pour qu'il puisse réagir avant qu'ils ne se manifestent.

- SNMP traite beaucoup de données qui ne contiennent que peu d'informations. Même en parcourant des milliers de "cases" de MIB, on n'obtient pas d'informations précises sur ce qui se passe, à moins de passer un temps considérable à la console pour dépouiller les messages pléthoriques des agents.

- Un contrôle des machines, mais pas du réseau. Les données échantillonnées par SNMP sur la structure MIB ne renseignent pas sur le segment de réseau proprement dit sur lequel travaillent les machines analysées

"Monitoring" à distance

Le *monitoring* à distance, *Remote MONitoring*, RMON, une extension du système d'adressage MIB, a été développé pour assurer l'entretien et la surveillance de réseaux locaux (LAN) à distance. A la différence de SNMP, qui fournit des informations relatives à une seule machine, RMON capture des datagrammes sur la ligne physique du réseau, analyse la totalité du datagramme, et peut ainsi voir de façon synthétique ce qui se passe sur le LAN.

Le MIB RMON commence à l'adresse .1.3.6.2.1.16 (voir Figure 22.1) et se compose de 20 groupes, par exemple .1.3.6.2.1.16.1 à .1.3.6.2.1.16.20. Les IETF ont développé RMON pour remédier aux lacunes de SNMP et permettre un meilleure visibilité sur l'exploitation d'un LAN.

Lorsqu'il travaille avec RMON, l'agent logiciel est appelé un *sonde*. Il joue un rôle d'espion.

Deux versions de cet utilitaire existent, RMON1 et RMON2.

- RMON1 gère dix groupes, du numéro 1 au numéro 10. Il s'intéresse à la surveillance des réseaux Internet et des anneaux à jeton. Tous les groupes gérés par RMON1 se chargent des deux couches à la base du protocole de communication, c'est-à-dire la couche Physique et la couche Liaison Réseau du modèle OSI (qui correspondent à la couche accès réseau du modèle TCP/IP). RMON est décrit dans la RFC 1757, une mise à jour de la RFC 1271, qui date de novembre 1991.

- RMON2 gère dix groupes, du numéro 11 au numéro 20. Il s'occupe des cinq couches supérieures du modèle OSI, c'est-à-dire les couches Réseau, Transport, Session, Présentation et Application (qui correspondent aux couches Internet, Transport et Application du modèle TCP/IP). Les spécifications de RMON2 sont listées dans les RFC 2021 et 2034, dont la dernière édition remonte à 1097.

- Comme ces spécifications sont récentes, les dix groupes de RMON2 ne sont pas encore largement exploités. Nous allons donc parler plutôt de RMON1.

RMON peut collecter des informations que SNMP ne fournit pas. RMON1 examine la couche Réseau des datagrammes qui circulent sur la ligne. Ce niveau est indépendant des protocoles de transport, ce qui permet donc à RMON1 d'examiner des datagrammes sous protocoles TCP/IP, IPX, NetBEUI, AppleTalk ou autres protocoles de haut niveau.

RMON1 contrôle les champs adresse physique source et destination du datagramme, identifie les datagrammes trop longs ou trop courts pour être traités par les protocoles de niveau supérieur à la couche réseau, et qui ont donc toute chance de disparaître dans les oubliettes du réseau.

Les logiciels de RMON décodent et analysent les datagrammes, puis ils activent les compteurs MIB appropriés. Ils ne mémorisent pas le datagramme, sauf s'il présente une malformation quelconque. Dans ce cas, le datagramme est stocké pour examen plus approfondi par l'administrateur du réseau.

Les informations que recueille RMON se classent en plusieurs groupes, selon leur type.

- **Statistiques.** Ce groupe présente sous forme de tableaux des statistiques d'exploitation du segment de réseau sous contrôle d'un agent. Les compteurs qui font partie de ce groupe totalisent les paquets de données transmis, les broadcasts, les collisions, les datagrammes de longueur hors norme, etc.

- **Historique.** Ce groupe permet de refaire l'historique des transactions réseau lors d'une compilation ultérieure, un "rejeu".

- **Alarme.** Ce groupe a des accointances avec le groupe Evénements que nous verrons un peu plus loin. Il échantillonne certaines valeurs des variables surveillées par la sonde et les compare aux seuils préalablement fixés. Si on est hors limite, un rapport d'anomalie est émis à l'intention de l'administrateur de réseau.

- **Hôte.** Ce groupe enregistre les statistiques relatives à chacun des hôtes du segment de réseau sous contrôle de l'agent, examinant, en particulier, l'origine et la destination des datagrammes échangés sur le réseau.

- **Hôte top n.** Ce groupe est un échantillon d'hôtes sur lequel on effectue une statistique particulière, par exemple la fréquence d'apparition dans les datagrammes, ou le nombre de datagrammes mal dimensionnés envoyés sur le réseau.

- **Matrice.** Ce groupe élabore un tableau qui contient l'adresse d'origine et l'adresse de destination des datagrammes qui circulent sur le réseau. Chaque paire identifie donc un échange entre deux sites.

- **Filtre.** Ce groupe élabore un masque binaire qui permet de sélectionner les datagrammes circulant sur le réseau.

- **Capture.** Ce groupe capture les datagrammes sélectionnés par filtrage pour examen ultérieur par l'administrateur du réseau.

- **Evénement.** Ce groupe opère en collaboration avec le groupe alerte pour émettre un avertissement à l'intention de l'administrateur, lui signalant qu'une valeur est sortie de son intervalle nominal.

- **Token ring.** Ce groupe rassemble les informations spécifiques de ce type de protocole.

Consoles d'administration réseau

L'administrateur dispose d'une console dédiée à la gestion du réseau. Opérant sur un site du réseau, ou parfois à distance, il collationne les informations que lui envoient les agents locaux SNMP, analyse les messages d'alerte et réinitialise les équipements, à distance, lorsque cela s'avère nécessaire, en cas de congestion du trafic ou "d'effondrement" des interfaces des routeurs.

La console de l'administrateur est généralement une station de travail de forte puissance sur laquelle fonctionne le logiciel de gestion du réseau, qui renseigne l'administrateur au moyen d'une interface graphique sur laquelle apparaissent toutes les analyses désirées des informations fournies par SNMP (niveaux d'activité, taux de charge, débit, etc.).

Résumé

Nous avons vu dans ce chapitre comment le protocole SNMP permet à l'administrateur de suivre à distance le fonctionnement de son réseau, c'est-à-dire d'être prévenu des avaries par les logiciels qui jouent le rôle d'agents sur les machines du réseau. Il peut ainsi réinitialiser les éléments du réseau défaillants, comme les ports d'un routeur et prendre toutes les mesures nécessaires à la prévention des pannes, sans arrêter le réseau.

Nous avons parlé de RMON, protocole plus évolué que SNMP, dont les versions RMON1 et la toute nouvelle version RMON2 aident l'administrateur dans son analyse, en lui offrant les moyens d'examiner ce qui se passe dans toutes les couches de la pile de protocoles TCP/IP. RMON engendre moins de trafic que SNMP et n'impose pas de disposer d'une console très évoluée pour l'analyse des informations MIB. RMON travaille sur les datagrammes qui transitent sur le réseau plutôt que sur les machines elles-mêmes, ce qui donne une vue d'ensemble de son fonctionnement.

Question-réponses

Q Que signifie MIB ?

R Management Information Basis.

Q Sous quel protocole transport et sur quel port travaille SNMP ?

R Le protocole UDP, le port 161.

Q Quelles sont les quatre commandes qu'offre SNMP ?

R get, getnext, walk et set.

Q Comment s'appelle le message qu'envoie un agent pour avertir l'administrateur d'une défaillance ?

R Il s'agit d'un message "trap".

Q Sur quelle couche travaille RMON ?

R La couche accès réseau.

Q Sur quelles couches travaille RMON2 ?

R Les couches Internet, Transport et Application.

Mots clés

- **Agent.** Un logiciel espion chargé sur les hôtes d'un réseau pour en lire la MIB et expédier les résultats d'analyse vers un moniteur. Ils envoient aussi de façon spontanée des avertissements en cas d'anomalie.

- **MIB.** Il s'agit de la Management Information Base, une base de données d'administration de structure hiérarchisée, dont disposent les logiciels moniteur et agents. Les cases de cette base de données sont accessibles en concaténant au moyen de points les noms des divers niveaux de cette base.

- **Moniteur.** Le nom généralement donné à la console d'administration du réseau.

- **Console d'administration réseau.** Le poste de configuration, de surveillance et de dépannage d'un réseau réparti d'une certaine importance.

- **Sonde.** Autre nom donné à un agent qui travaille avec RMON.

- **RMON.** *Remote MONitoring*, Une extension de la MIB qui offre des capacités améliorées par rapport à celles de SNMP. Les agents utilisent RMON pour charger la MIB.

Chapitre 23

Technologies récentes et émergentes

Au sommaire de ce chapitre

- Le passage à 128 bits du format d'adressage IP

- Les en-têtes d'extension IPv6

- La cohabitation de IPv6 avec IPv4

- Définition d'un réseau privé virtuel

- Mise en place pour PPTP de réseaux privés supportés par Internet

- L'adressage IP automatique sur réseau privé (APIPA, *Automatic Private IP Adressing*)

Internet évolue tous les jours et TCP/IP suit le mouvement. Nous explorerons dans ce chapitre les nouvelles technologies (ce mot a désormais cours en informatique...) qui préfigurent les réseaux de demain. Nous allons retrouver le PPTP, Point to Point Tunneling Protocol, et découvrir la configuration IP automatique. Nous nous intéresserons aussi aux nouveaux standards d'adressage IP qui annoncent une nouvelle génération de protocoles TCP/IP : IPv6.

IPv6

Le système d'adressage IP dont nous avons vu les détails au Chapitre 4, gère la communauté Internet depuis presque une génération ; ceux qui l'ont développé peuvent être fiers à maints égards des avancées de TCP/IP dans ce secteur. Un certain malaise se fait jour cependant : le monde commence à manquer d'adresses... Cette crise larvée peut paraître surprenante, puisque les 32 bits d'adressage IP autorisent plus de 3 milliards d'adresses ID d'hôtes distincts. Il faut cependant se souvenir qu'un certain déchet existe dans cette estimation, qui se répartit entre adresses interdites et adresses d'affectation spéciale. L'adresse ID d'un réseau est en général affectée à une organisation donnée, laquelle exerce un contrôle sur les ID des hôtes connectés sur son réseau.

Le Chapitre 4 nous a permis de voir que les adresses IP se classent en fonction de la valeur de leur premier octet. Les classes d'adresses et leur volume d'adressage sont rappelés sur le Tableau 23.1. Ce tableau indique aussi le nombre de réseaux adressables pour chaque classe ainsi que le nombre d'hôtes adressables pour chacun de ces réseaux. Une adresse de classe B peut "héberger" 65 534 hôtes. La plupart des organismes de classe B ne disposent pas de 65 534 nœuds, mais d'un nombre bien plus modeste, ce qui laisse un déchet considérable. Les 127 réseaux de classe A peuvent comporter 16 777 214 adresses dont une grande partie reste inutilisée. Notons au passage que les 16 510 réseaux possibles, classes A et B confondues, sont tous affectés. Les réseaux de classe C encore disponibles souffrent de la limitation à 254 adresses du nombre de machines qu'ils peuvent héberger (voir Chapitres 4 et 5 pour se remémorer l'anatomie d'une adresse IP).

Tableau 23.1 : Nombre de réseaux et d'adresses disponibles pour les classes A, B et C

classe	tranche du premier octet	nombre de réseaux	nombre d'adresses par réseau
A	0-126	127	16 777 214
B	128-191	16 383	65 534
C	192-223	2 097 151	254

Les philosophes d'Internet (ils existent) ont pensé pendant quelque temps qu'il faudrait un nouveau système d'adressage, sous forme d'un standard IP version 6, IPv6, que l'on appelle parfois *IPng*, *IP nouvelle génération*. La spécification d'IPv6 apparaît dans la RFC 1883, publiée en décembre 1995 (plusieurs RFC préliminaires ont ouvert la voie à la RFC 1883, et de nouvelles RFC sont émises qui traitent d'IPv6).

La RFC 1883 assigne les objectifs suivants à IPv6 :

- **Capacité d'adressage étendue.** IPv6 ne doit pas seulement fournir plus d'adresses, il doit améliorer le système d'adressage IP actuel. IPv6 supporte un plus grand nombre de niveaux hiérarchiques d'adressage. IPv6 améliore aussi les capacités d'auto-configuration et propose un nouveau type d'adresse appelé *anycast*, diffusion générale, qui vous permet d'envoyer un datagramme à un groupe complet de machines.

- **Format d'en-tête plus simple.** IPv6 rend optionnelles certaines informations qui ne paraîtront plus que dans des extensions d'en-têtes.

- **Support amélioré des extensions et des options.** Comme iPv6 place en option des informations en tant qu'extension des en-têtes, ces dernières sont utilisées de manière plus efficace. Comme les routeurs, en général, ne prennent pas le temps de lire les en-têtes, le réseau s'en trouve moins encombré.

- **Niveau de flux.** IPv6 établit des priorités de flux. C'est ainsi qu'il différenciera les datagrammes d'une application en temps réel de ceux qui acheminent du courrier.

- **Authentification et sécurité améliorées.** IPv6 exploite de nouvelles techniques d'authentification, de confidentialité et d'intégrité des données.

Examinons donc les caractéristiques de nouvelle génération d'IPv6.

Format d'en-tête IPv6

La Figure 23.1 montre la structure de cet en-tête. Elle est plus simple que l'en-tête IPv4. S'il est besoin d'informations complémentaires, elles sont placées dans une extension de caractère optionnel, qui fait suite à l'en-tête de base.

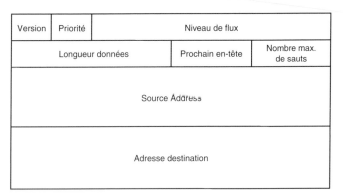

Version	Priorité	Niveau de flux		
Longueur données		Prochain en-tête	Nombre max. de sauts
Source Address				
Adresse destination				

Figure 23.1 : En-tête IPv6.

Les champs de cet en-tête sont les suivants :

- **Version (4 bits).** Identifie la version IP (dans ce cas, version 6).

- **Priorité (4 bits).** Définit la priorité du datagramme.

- **Niveau de flux.** Définit le degré d'urgence d'acheminement.

- **Longueur données (16 bits).** Annonce la longueur utile du datagramme, à partir de l'en-tête.

- **En-tête suivant (8 bits).** Définit le type de l'en-tête qui suit immédiatement un en-tête.

- **Nombre max. de sauts (8 bits).** Indique le nombre de sauts (passages de routeurs) autorisés au datagramme. Cette valeur est décrémentée d'une unité à chaque nouveau routage. Quand on atteint 0, le datagramme n'est plus acheminé.

- **Adresse source (128 bits).** C'est l'adresse IP de l'expéditeur.

- **Adresse de destination (128 bits).** C'est l'adresse du destinataire.

En ce qui concerne les extensions, elles peuvent contenir les renseignements additionnels suivants :

- option saut par saut ;

- options de destination ;

- routage ;

- fragmentation ;

- authentification ;

- cryptage.

A chaque en-tête est associé un identificateur de 8 bits. Le champ *en-tête suivant* dans l'en-tête de base ou l'extension d'en-tête définit le type de l'en-tête à venir (voir Figure 23.2).

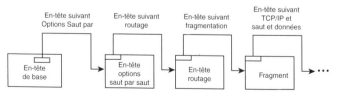

Figure 23.2 : Champ en-tête suivante.

Parmi les extensions d'en-têtes de cette liste, seuls les en-têtes d'option saut par saut et routage sont lus par les nœuds de passage intermédiaire. Les routeurs ne traitent pas les autres en-têtes, ils transmettent sans les lire.

Voyons donc plus en détail ces options d'extension.

Option saut par saut

L'option saut par saut a pour objet de renseigner les routeurs sur le datagramme qu'ils traitent.

Cet en-tête, comme l'en-tête destination (paragraphe suivant), a été introduit dans la spécification pour offrir au monde industriel un format spécifique adapté à de futures options. L'annexe à la RFC 1883 donne des indications sur ces nouvelles options.

La spécification donne les codes de ces nouvelles options, dont certaines concernent le remplissage des datagrammes (mise à longueur standard). L'option "jumbo" y est aussi définie, qui permet la transmission de paquets de données d'une longueur utile supérieure à 65 535 octets.

Options de destination

Cette extension comporte des informations optionnelles sur le destinataire. Comme la précédente, elle a été conçue en prévision de nouvelles options d'exploitation.

Routage

L'en-tête routage spécifie un ou plusieurs routeurs par lesquels on désire que transite le datagramme. Cet en-tête a l'aspect suivant (voir Figure 23.3).

Voici les champs qui constituent l'en-tête de routage :

- **En-tête suivant.** Identifie le type de l'en-tête qui suit.

- **Longueur en-tête (8 bits).** Indique la longueur de l'en-tête en octets (champ en-tête suivant exclus).

En-tête suivant	Longueur	Type de routage	Segments restants
Type de Données spécifiques			

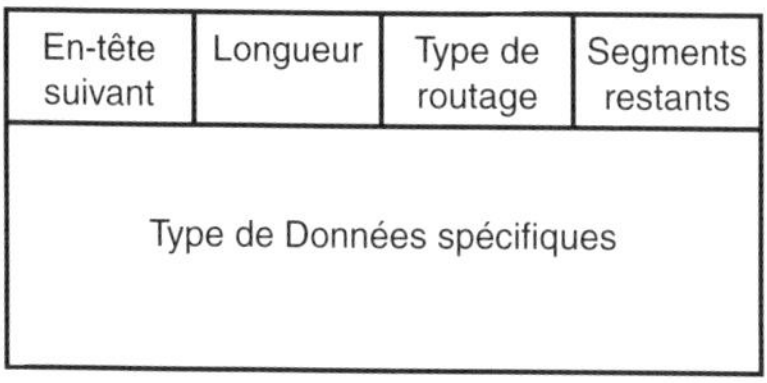

Figure 23.3 : L'en-tête de routage.

- **Type de routage (8 bits).** Identifie le type de l'en-tête de routage. Ces types diffèrent suivant la situation réseau.

- **Segments restants.** Indique le nombre de parcours restant à faire entre routeurs pour atteindre le destinataire.

- **Données spécifiques.** Identifie les champs de données pour les types de routages spécifiés dans le champ Type de routage.

Fragmentation

Chaque routeur, sur un parcours donné, se voit assigner un MTU, *Maximum Transmission Unit*, longueur maximale des datagrammes. Sous IPv6, le nœud d'origine sait quel sera le plus petit MTU, appellé MTU de parcours, qu'il faudra respecter lors du cheminement. Si le datagramme est de longueur supérieure à cette valeur, il doit être découpé en fragments avant d'être mis sur le réseau. L'en-tête fragmentation contient les informations nécessaires au réassemblage des datagrammes fragmentés.

Authentification

Cet en-tête s'occupe de l'authentification et de la sécurité. Le champ authentification permet de savoir si un datagramme a été altéré en chemin.

Cryptage des données

Ce champ, ESP (*Encryption Security Payload*), concerne le cryptage et la sécurité des données. IPv6 offre des possibilités de crypter tout ou partie d'un datagramme. En faisant appel au mode tunnel

369

ESP, un datagramme peut être crypté dans son intégralité et "emballé" dans un datagramme ordinaire. En mode ESP, les données d'identification et les informations de l'en-tête ESP sont encryptées.

 Le cryptage est un codage de l'information qui transite sur le réseau, la rendant illisible pour ceux qui ne possèdent pas la clé de codage.

Adressage IPv6

Comme vous l'avez vu au Chapitre 4, IPv4 utilise des adresses IP sur 32 bits, que l'on découpe en tranches décimales pour une lecture plus commode, par exemple 111.121.131.142, ce qui est plus facile à mémoriser (si l'on y est obligé) que les 32 bits correspondants. Avec une adresse sur 128 bits, le problème réapparaît avec acuité, car sous IPv6, une adresse en tranches décimales prend la forme suivante :

```
111.121.35.99.114.121.97.0.0.88.250.201.211.109.130
.117
```

Il est trop tôt pour savoir ce que les administrateurs vont penser de ce système. On peut, dès à présent, prévoir que les systèmes d'adressage automatique DNS et NetBIOS (voir Chapitres 16 et 17) auront un grand succès sous IPv6.

Les informaticiens utilisent la notation hexadécimale (base 16) pour exprimer les adresses en huit groupes de 4 digits hexadécimaux. Des virgules séparent les groupes. Cette représentation est plus maniable que le découpage en tranches décimales, mais guère plus mémorisable.

La spécification des adresses sous IPv6 conduit à regrouper les zéros consécutifs, sans les représenter autrement que par un deux-points (:). La suppression des suites de zéros en tête et en queue des adresses devrait aussi améliorer les choses.

Si vous "trafiquez" tous les jours en adresses 128 bits, pensez à DNS...

IPv6 avec IPv4

IPv6 prendra *progressivement* la relève, donc cohabitera pendant un certain temps avec IPv4.

IPv6 travaillera donc à côté d'IPv4 dans une configuration multiprotocole, tout comme IPv4 cohabite avec IPX/SPX, NetBEUI ou d'autres piles de protocoles. Les composants logiciels nécessaires au multiplexage IPv6/IPv4 devront opérer au niveau de la couche accès réseau (voir Figure 23.4).

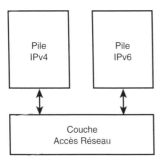

Figure 23.4 : Cohabitation d'IPv4 et IPv6.

Le système d'adressage prévoit cette compatibilité, ou du moins la convertiblité des adresses. On pense par exemple que les 32 bits d'adresse IPv4 seraient les 32 bits les plus à droite de l'adresse IPv6. Les 96 bits restants seraient une séquence standard de bits de remplissage.

Vous entendrez sûrement parler de ce sujet dans un proche avenir.

PPTP, Point-to-Point Tunneling Protocol

Vous aurez beau protéger votre machine personnelle, à votre domicile, avec une clé d'accès, un mot de passe, un pare-feu ou une isolation protocolaire, quand on se connecte à Internet, il faut bien que quelque chose circule sur le fil téléphonique... Et, sur Internet, tout ce qui circule est vulnérable, et risque d'être espionné, copié, détourné, altéré. Certains n'hésitent pas à voler les noms d'utilisateur, les mots de passe et autres données confidentielles, en se "mettant à l'écoute" quand il faut, là où il faut.

Ces dernières années, on s'est beaucoup préoccupé de la sécurité des transmissions sur réseau. La nouveauté la plus prometteuse vient du concept de réseau privé sur Internet, *Virtuel Private Network*, VPN. Il s'agit d'une technique de création d'un réseau privé *virtuel* sur un réseau public.

La plus populaire des protocoles VPN est PPTP, *Point to Point Tunneling Protocol*, protocole d'acheminement point à point protégé. PTPP crée des paquets sous protocole PPP qui sont encapsulés dans un datagramme IP.

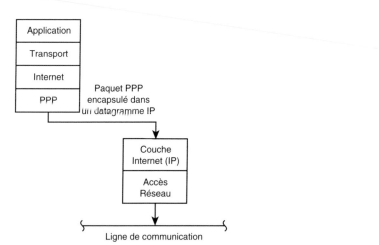

Figure 23.5 : Encapsulation PPTP.

La machine émettrice et la machine réceptrice peuvent ouvrir une connexion point à point (en faisant appel aux options d'authentification et de cryptage de PPP) et acheminer leurs datagrammes protégés sur Internet (voir Figure 23.5).

Sous PPTP, les détails de l'espace d'adressage du LAN sont masqués vis-à-vis d'Internet parce que l'en-tête réseau est enveloppé dans un paquet PPP, enveloppé à son tour dans un datagramme IP. En plus du cryptage, PPTP offre d'autres avantages.

En premier lieu, lorsque vous travaillez sous PPTP, l'espace d'adressage de votre réseau privé n'a nul besoin d'être compatible de la norme Internet. Les réseaux privés ont leurs propres systèmes d'adressage, qui n'ont rien à voir avec le standard Internet. Les caractéristiques d'adressages sont encapsulées dans un datagramme standard et sont donc inaccessibles aux composants logiciels qui supportent Internet (voir Figure 23.6).

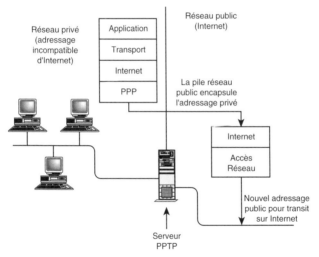

Figure 23.6 : Adressage privé et adressage public sous PPTP.

En second lieu, PPTP supporte aussi d'autres protocoles que TCP/IP. PPTP permet le transit de ces protocoles sur Internet. Vous êtes donc en mesure de transmettre sur Internet sans être sous TCP/IP et, par exemple, raccorder deux réseaux locaux NetWare fonctionnant sous IPX/SPX au moyen d'une liaison Internet sous PPTP.

APIPA, Automatic Private IP Adressing

Alors que TCP/IP devient "le" standard exploité sur les réseaux d'une certaine dimension et d'une certaine complexité, il s'infiltre aussi sur les réseaux bureautiques de taille modeste. Ce marché est très différent de celui sur lequel s'est placé TCP/IP jusqu'à présent. On n'y trouve pas d'administrateur de réseau et les utilisateurs n'ont pas vraiment envie de résoudre les problèmes de décodage d'adresses.

Microsoft a donc introduit une nouveauté dans Windows 98 : APIPA, un système automatique d'adressage IP privé. APIPA configure automatiquement les machines pour qu'elles fonctionnent sous TCP/IP. Il s'agit cependant d'une configuration de caractère très rudimentaire. APIPA, en effet, ne supporte ni DNS ni WINS. Microsoft ne conseille son utilisation que sur les réseaux de moins de dix machines. APIPA a pourtant une qualité essentielle, il permet de constituer des réseaux locaux sans avoir aucune connaissance sur l'adressage IP. APIPA offre aussi un moyen d'accéder au réseau aux machines habituellement "abonnées" à un adressage dynamique alors que leur serveur DHCP est en panne.

L'arrivée sur le marché de l'adressage IPv6 sur 128 bits, reléguant les protocoles propriétaires autoconfigurables d'un certain âge au rang de vétérans de l'informatique, va bientôt révolutionner le domaine de la configuration automatique sous TCP/IP.

Résumé

Ce chapitre nous a mis sur la voie des technologies nouvelles qui vont faire évoluer l'exploitation des réseaux. Nous avons parlé des innovations d'IPv6, en particulier des en-têtes extensibles, des datagrammes de taille "jumbo" et d'adressage "géant" sur 128 bits. Nous avons abordé les VPN sous PPTP (révisez ces acronymes), et découvert APIPA.

Questions-réponses

Q Pourquoi y a-t-il autant d'adresses IP qui restent inutilisées ?

R Une organisation à laquelle on a attribué une IP réseau n'utilise pas toujours la totalité des adresses ID associées à l'ID du réseau.

Q Quel intérêt y a-t-il à placer des informations dans une extension d'en-tête plutôt que dans l'en-tête lui-même ?

R L'en-tête ne contient plus alors que les informations indispensables. Les routeurs ne lisent pas les extensions d'en-tête, ce qui allège le trafic.

Q Comment PTPP permet-il de transmettre des datagrammes dont le système d'adressage est incompatible d'Internet ?

R Le système d'adressage du réseau local demeure masqué pour Internet, du fait que l'en-tête spécifique du réseau local est crypté dans un paquet PPP. L'en-tête de ce paquet sous PPP doit bien sûr être compatible du protocole d'adressage Internet.

Mots clés

- **APIPA,** *Automatic Private IP Adressing.* Technologie disponible sur Windows 98 qui permet aux machines d'un réseau de s'autoconfigurer sous TCP/IP sans avoir besoin d'adresse IP, de sous-masque de réseau ou de quoi que ce soit d'autre.

- **Tranche décimale.** Moyen de transcription en décimal d'une adresse binaire sur 32 bits (par exemple 111.121.131.144).

- **Extension d'en-tête.** Partie optionnelle permettant d'ajouter des informations à l'en-tête standard d'un datagramme.

- **Niveau de flux.** Indicateur de mode de traitement d'un datagramme qui permet de différencier la transmission en temps réel ou en temps fractionné d'un datagramme.

- **Nombre de sauts maximal.** Le nombre maximal de changement de routeur que peut subir un datagramme avant d'être définitivement arrêté dans son cheminement. Cette valeur est fixée dans l'en-tête IPv6 et décroît d'une unité à chaque passage de routeur.

- **IPv6.** Nouveau standard d'adressage IP sur 128 bits. IPv6 doit entrer progressivement en scène dans les années qui viennent en cohabitant avec IPv4.

- **Datagramme taille Jumbo.** Datagramme qui peut comporter plus de 65 535 octets de données utiles.

- **Longueur utile.** Longueur d'un datagramme amputé de son en-tête.

- **PPTP,** *Point to Point Tunneling Protocol.* Technologie de réseau privé virtuel qui encapsule les données dans des paquets PPP, eux-mêmes "ficelés" dans un datagramme IP acheminable sur Internet.

- **Réseau privé virtuel.** Réseau de dimension réduite dont le caractère privé est établi par l'utilisation d'un protocole particulier compatible du standard Internet.

Chapitre 24

Histoire d'un réseau... une semaine avec Maurice

Au sommaire de ce chapitre

- Présentation d'Hypothetical Inc.
- Comment les outils, les services et les protocoles de TCP/IP interagissent au sein d'un réseau

Les chapitres précédents vous ont donné une vue d'ensemble sur le rôle des divers composants d'un réseau fonctionnant sous TCP/IP. Il est temps de passer à la pratique et de voir dans un cas réel "comment ça marche".

Présentation d'Hypothetical Inc.

Hypothetical Inc. est une importante société partie de presque rien et que sa forte croissance a propulsée parmi les premières au monde. Elle est le plus gros employeur de la jolie ville de Morde-chai, au Kansas. Depuis sa création, en 1987, Hypothetical s'est spé-cialisée dans la fabrication et la distribution d'*hypotheticals*, ces fameux kits dont les performances sont parfois incertaines. Les objectifs de la société sont on ne peut plus simples : "fabriquer et vendre les meilleurs hypotheticals en toutes saisons et au prix que l'acheteur est prêt à payer".

Très soucieuse de suivre la tendance économique, Hypothetical Inc. a vécu une phase de transition, sa stratégie évoluant vers une redéfi-nition de son produit, un *hypothetical* étant désormais considéré comme un *service*, plutôt que comme un *produit*. Ce changement apparemment anodin a déclenché une véritable tempête dans l'entreprise, le moral des employés tombant au plus bas et les vols de fournitures de bureau atteignant des records.

Un comité de motivation fut donc formé, réunissant le président, le vice-président, le chef des opérations et le neveu du président (qui travaille au service courrier). Après avoir analysé le mécontente-ment général, on conclut qu'il fallait abandonner la politique "non informatique" menée jusqu'alors dans l'entreprise. Les membres du comité, qui avaient acquis leur expérience dans le secteur public, votèrent comme un seul homme l'achat d'un lot de 1 000 ordinateurs de toutes origines à un prix "discount", sans trop se soucier des pro-blèmes de disparité que l'on saurait résoudre plus tard.

Les 1 000 machines furent installées sur les bureaux, les comptoirs, dans les salles de réunion et autres endroits de la société, puis furent reliées un peu au hasard avec les fils qui passaient par là et les adap-tateurs idoines. Tout le monde fut très surpris du résultat, car le "réseau" était loin de fonctionner de façon acceptable, puisqu'il ne fonctionnait pas du tout. On cherchait déjà "le" coupable…

La semaine de Maurice

Maurice savait qu'il trouverait un job en sortant de l'université, mais il n'aurait jamais cru que ce soit aussi rapide. L'annonce parlait d'un administrateur de réseau. Jeune et audacieux, Maurice se voyait déjà chez Hypothetical Inc. même si son intuition lui soufflait que ce n'était pas le genre de maison où l'on pouvait monter très vite. Lorsqu'il dit, au cours de son entretien, qu'il n'avait aucune expérience, mais qu'il ne cherchait pas le gros salaire, au lieu de lui montrer la porte, le chef du personnel lui tendit un formulaire d'embauche et un stylo à bille.

Il avait gardé ses livres d'étudiant, dont bien sûr "TCP/IP en 24 heures", qui lui avait permis d'acquérir une excellente formation à TCP/IP.

Premier jour : le démarrage

Lorsque Maurice arriva pour sa première journée de travail, il savait au moins que son objectif était de mettre en réseau toutes les machines de la société. Un rapide inventaire lui permit de voir ici du DOS, du Windows, là quelques Macintosh, plusieurs machines UNIX et quelques autres modèles qu'il avait du mal à identifier. Le réseau devait être compatible Internet (plusieurs membres du comité avaient recommandé la mise sur le Web de sites ludiques). Cela voulait dire que TCP/IP s'imposait comme protocole. Il effectua quelques contrôles pour vérifier que TCP/IP était présent sur les machines. Par exemple, sur les machines Windows, il utilisa IPConfig pour examiner les paramètres TCP/IP, tandis qu'il se servit de IFCconfig sur les machines UNIX.

Il s'aperçut, à son grand étonnement, que TCP/IP tournait, mais que le plus grand désordre régnait dans l'adressage des machines. Les adresses avaient été affectées au hasard. Aucune d'entre elles n'avait de tranche de bit commune, susceptible de définir ainsi une ID d'appartenance à un réseau. Chaque machine "croyait" donc être sur un réseau différent, et, comme aucune passerelle par défaut n'avait été définie, les communications sur le réseau et avec l'extérieur étaient presque exceptionnelles. Maurice demanda donc à son supérieur hiérarchique (le neveu du président, au service courrier) si une ID réseau Internet avait été allouée au réseau de la société. Maurice pensait que c'était le cas, en raison de sa connexion permanente à Internet. Le neveu lui répondit qu'il n'avait jamais entendu parler de la moindre ID réseau.

Maurice lui demanda alors si les revendeurs à forte valeur ajoutée qui avaient fourgué le millier de babasses s'étaient préoccupés de leur configuration. Le neveu lui répondit qu'ils avaient configuré une seule machine, puis qu'ils avaient quitté les lieux après une très violente discussion au sujet du contrat. Il montra à Maurice la machine en question. Deux câbles en sortaient, l'un allant vers le soit-disant réseau et un autre vers Internet.

"Un système multihôte", dit Maurice. Le neveu écoutait sagement. "Cette machine peut servir de routeur vers Internet."

Un câble Ethernet reliait la machine passerelle au parc des 999 autres. Maurice activa IPConfig sur la passerelle (une machine sous Windows NT) obtenant ainsi l'adresse IP de l'adaptateur Ethernet. Il supposa que l'adresse ID réseau avait été correctement assignée sur cette machine. Cette adresse était : 198.100.145.1

La première tranche de l'adresse, 198, montre qu'il s'agit d'un réseau de classe C. L'identification ID de tous les réseaux de cette classe se fait sur les trois premiers octets des adresses affectées aux machines. "L'adresse ID du réseau est donc 198.100.145.0", dit Maurice au neveu.

Maurice réalisa que le réseau ne pouvait héberger que 254 hôtes, étant donné la dimension de l'espace d'adressage de classe C. Ce n'est pas très grave, pensa-t-il, parce qu'il avait appris que beaucoup d'employés n'avaient que faire d'un ordinateur. Il commença donc par configurer les adresses du comité de motivation en effectuant les attributions suivantes :

198.100.145.2	présidence
198.100.145.3	vice-présidence
198.100.145.4	chef des opérations
198.100.145.5	le neveu

Puis il assigna les adresses ID des autres hôtes du réseau. Il définit l'adresse de la machine jouant le rôle de passerelle : 198.100.145.1. Les messages et les requêtes pouvaient donc être transmises vers l'extérieur. Il introduisit le masque de sous-réseau habituel pour la classe C : 255.255.255.0.

380

Maurice utilisa l'utilitaire Ping pour tester le réseau. Pour chaque machine, il entra la commande `ping` au clavier, suivie de l'adresse d'une machine appartenant au réseau. Par exemple, depuis la machine d'adresse 198.100.145.155, il entra au clavier :

```
ping 198.100.145.5
```

pour s'assurer que la machine pouvait communiquer avec celle du neveu. Pour conclure, il entrait, sur chaque machine :

```
ping 198.100.145.1
```

pour s'assurer que la communication avec la passerelle était effective.

Maurice se dit que c'était suffisant pour le premier jour et que tout semblait bien se passer, jusqu'à ce que la dernière machine configurée s'avère incapable de "pinguer" les autres machines du réseau. Après quelques investigations soigneuses, il s'aperçut que cette machine faisait partie d'un anneau à jeton. Quelqu'un avait tenté de connecter l'anneau à jeton avec le reste du réseau au moyen d'un câble Ethernet 10Base-2 relié à l'un des ports du hub de l'anneau à jeton. Comme le câble était mal adapté, on avait confectionné un raccord avec un clou tellement scotché que cela ressemblait à un bricolage du genre Apollo 13.

"A demain !" dit-il au neveu.

Deuxième jour : les sous-réseaux

Maurice apportait avec lui ce qui manquait au réseau : des routeurs. Arrivé de bonne heure, il faisait l'objet de questions pressantes, dont la plus fréquente était : "Pourquoi ce réseau est-il si lent ?"

Maurice leur répondit que son travail ne faisait que commencer. Le réseau fonctionnait, certes, mais le grand nombre de machines connectées provoquait une concurrence au niveau des accès en grande partie responsable de la lenteur observée. D'autre part, quelques machines configurées pour d'autres architectures de réseau (tels les anneaux à jeton) ne pouvaient communiquer directement avec les machines Ethernet. Maurice installa quelques routeurs en des points stratégiques afin de réduire la densité du trafic et d'intégrer au réseau l'anneau à jeton.

Maurice n'oubliait pas le découpage en sous-réseaux. Il décida de fractionner les 8 bits de plus faible poids de l'adresse ID réseau en 3 bits de définition des sous-réseaux et 5 bits de définition des adresses ID hôtes de chaque sous-réseau.

La définition des masques de sous-réseaux au niveau de ces huit bits était simple : les trois bits de plus fort poids à 1 et les cinq autres à 0, ce qui donne : 11100000

Le dernier octet du masque de sous-réseau avait donc pour valeur (tranche décimale) 32 + 64 + 128, soit 224. Le masque de sous-réseau complet est donc : 255.255.255.224

Maurice entra donc le nouveau masque de sous-réseau de son réseau découpé en sous-réseaux et attribua les adresses IP en conséquence. Il modifia aussi l'adresse de la passerelle par défaut de plusieurs machines, parce que la passerelle initialement assignée ne faisait plus partie du sous-réseau.

Troisième jour : adressage dynamique

Le réseau fonctionnait vraiment bien, et la réputation de Maurice allait grandissante. Certains parlaient déjà de sa promotion au comité de motivation. Le neveu, quant à lui, ne l'entendait pas de cette oreille. Il n'était pas question pour Maurice d'intégrer le comité de motivation ou un comité quelconque, parce qu'il n'avait pas atteint les objectifs qu'on lui avait fixés. La comité avait en effet clairement exprimé son désir de mettre en réseau les 1 000 machines achetées alors qu'on en était, en tout et pour tout, à 254 machines. "Comment voulez-vous que la motivation du personnel s'améliore si les directives du comité de motivation ne sont pas appliquées !" ajouta-t-il.

Comment donc raccorder 1 000 machines si 254 adresses sont seulement disponibles ? Maurice savait qu'un serveur DHCP pourrait apporter la solution à ce problème. "Le principe de base de DHCP, c'est que les utilisateurs ne sont pas tous connectés au même instant,

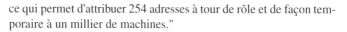
ce qui permet d'attribuer 254 adresses à tour de rôle et de façon temporaire à un millier de machines."

Maurice configura le serveur DHCP assez facilement, d'abord parce qu'il avait lu la documentation et parce que l'aide en ligne, disponible sur le Web, lui fut très utile (il lui fallait être sûr les routeurs étaient bien configurés pour accéder à cette aide en ligne). Le plus dur fut de configurer manuellement chacune des 1 000 machines afin qu'elles puissent dialoguer avec le serveur DHCP et en recevoir dynamiquement leur adresse. A raison de 125 machines par heure, soit un peu plus de deux par minutes, tout autre que Maurice ne s'en serait pas sorti. Après avoir renversé au cours de la journée plusieurs employés en courant dans les couloirs, il termina à temps pour attraper son bus de 18 heures.

Quatrième jour : installation de DNS

Maurice réalisa que, malgré sa diligence dans la configuration du réseau sous adressage dynamique, certains problèmes subsistaient, qui, dans une autre société que Hypothetical Inc., n'auraient pas existé.

Le président avait dit à Maurice que, en tant que numéro un de la société, il s'attendait à avoir l'adresse IP de valeur numérique la plus basse... Maurice ne comprenait pas comment on pouvait exprimer un tel souhait, et, d'ailleurs, la documentation restait muette sur ce sujet. Il informa cependant le président que cela ne présentait aucune difficulté. Il allait configurer sa machine avec l'adresse IP statique 198.100.145.2 et exclurait cette adresse de la tranche d'adresses susceptibles d'être allouées sous DHCP. Maurice attira l'attention du président sur la nécessité de ne pas bricoler la configuration de sa machine, qui jouait le rôle de passerelle vers Internet. Cette machine, la seule configurée par ces coquins de revendeurs, était aussi la seule à avoir l'adresse la plus basse : 198.100.145.1. (Maurice aurait pu affecter une adresse plus haute, mais il n'en avait pas envie). Le président lui signifia qu'il lui importait peu qu'une machine eût une adresse IP plus basse, pourvu que cette machine n'appartînt à aucun utilisateur... Il ne voulait pas qu'un *employé* disposât d'une adresse plus basse que la sienne...

L'arrangement conclu entre Maurice et le président n'aurait eu aucune conséquence sur le développement futur du réseau si ses collaborateurs n'avaient, eux aussi, exigé pour leur machine une adresse correspondant à leur rang dans la compagnie... S'il avait été assez facile de donner au vice-président l'adresse 198.100.145.3 et au chef des opérations l'adresse 198.100.145.4, lorsqu'on en arriva au niveau des petits chefs de service, il devint difficile de décider qui aurait la 198.100.145.33 et qui la 198.100.145.34. Ce petit monde décida de rejoindre le club de tennis le plus proche et de se départager à la loyale en un set.

Maurice avait élaboré, pendant ces matchs, une solution qui devait satisfaire tout le monde. Il mit en place un serveur DNS capable d'identifier chaque machine sous son nom au lieu de son adresse. Chacun donnerait un nom de baptême à sa machine. Le classement de ce petit peuple serait fait non plus par *rang d'adressage* de leur machine, mais selon un critère simple : par *rang d'astuce* dans le choix de ces noms de baptême. On rencontra dans la liste des noms assez divers, entre autres : .Gregor ; .Wempy ; .Righteous_babe ; .Raskolnikov...

L'utilisation d'un serveur DNS allait dans le sens d'un accès généralisé au réseau Internet, ce qui n'avait pu être fait jusqu'ici qu'au moyen des adresses IP. Le serveur DNS, grâce à ses relations avec d'autres serveurs DNS, offrait l'accès à tous les noms d'hôtes Internet, qui sont spécifiques de chaque URL disponible sur ce réseau.

Maurice passa aussi quelques minutes pour solliciter un nom de domaine de la part d'InterNIC pour que la société soit en mesure de vendre ses *hypotheticals via* une page sur le World Wide Web.

Cinquième jour : résolution de noms NetBIOS

Un groupe d'utilisateurs de stations de travail sous Windows NT, appartenant à l'un des sous-réseaux définis par Maurice, l'informa que certaines machines sous Windows auxquelles ils voulaient accéder n'apparaissaient pas dans le voisinage réseau. "Tout a très bien marché pendant une journée, mais le lendemain les machines de la comptabilité sont restées inaccessibles", lui dirent-ils.

Maurice savait bien que, ce jour-là, il avait installé les routeurs et les sous-réseaux. Il comprit brusquement que le découpage en sous-réseaux rendait impossible la résolution de noms NetBIOS sur diffusion générale (*broadcast* non transmis par les routeurs). Il y avait deux solutions pour généraliser la résolution de noms NetBIOS :

- LMHOSTS ;

- un serveur WINS (*Windows Internet Name Service*).

Il opta pour le serveur WINS. Comme les machines pouvaient se configurer automatiquement sur un serveur DHCP, il s'en servit pour configurer l'accès WINS des machines clientes.

Sixième jour : les pare-feux

En dépit de l'amélioration considérable de leur environnement réseau, la société n'avait pas recouvré son moral. Certains employés quittaient la compagnie, comme les spectateurs d'un mauvais film s'arrachent précipitamment du cinéma. D'autres, qui maîtrisaient désormais le fonctionnement du réseau, pouvaient se révéler dangereux sur le plan du vandalisme informatique. La direction demanda à Maurice de mettre en place des moyens de protection de certaines ressources, tout en donnant à l'utilisateur le plein accès à son segment local ainsi qu'à Internet. Maurice leur demanda s'ils avaient un budget pour cela, et on lui dit de prendre un peu de monnaie dans les tirelires dédiées au café auprès des divers secrétariats.

Maurice revendit une cinquantaine de machines du parc informatique, et put acheter un logiciel de pare-feu permettant de protéger le réseau des intrusions (Les 50 machines étaient totalement inutilisées, et encombraient le hall d'entrée de la société. Les gardiens avaient déjà essayé par six fois de s'en débarrasser.) Le pare-feu offrait de multiples protections, mais surtout la désactivation des ports TCP et UDP interdisant aux gens de l'extérieur d'accéder aux services réseau. Maurice désactiva tous les ports non indispensables. Il conserva le port 21, qui donne l'accès aux serveurs FTP, en raison de l'activité de Hypothetical Inc. qui fournit des documents papier très volumineux pour lesquels FTP est un moyen d'acheminement idéal.

Septième jour : PPTP

Le chef des opérations appela Maurice dans son bureau et lui demanda si la loi interdisait de parier de fortes sommes au Loto sportif sur Internet. Maurice lui répondit qu'il n'était pas docteur en droit et qu'il ignorait tout de la législation des jeux. Le chef lui demanda aussi s'il connaissait un moyen de conserver le caractère confidentiel du courrier de la société transitant sur Internet, qu'il s'agisse de la source, du destinataire ou du contenu de la correspondance. Maurice l'informa que le meilleur moyen, pour ce faire, est d'avoir recours à PPTP. Ce protocole, en effet, permet d'assurer sur Internet des connexions de caractère aussi confidentiel que sur un réseau privé. "La passerelle dont nous avons parlé le premier jour, lui dit Maurice, est un serveur NT 4.0 qui supporte la création d'un réseau privé virtuel PPTP sur Internet au moyen d'un serveur à accès distant (RAS) NT."

"Vous ne m'avez pas compris, répliqua le chef, RAS NT est un serveur sur appel téléphonique, je ne veux pas faire des dizaines d'appels tous les jours, je veux une liaison disponible en permanence dont le débit soit aussi permanent".

Maurice lui expliqua que PPTP encapsule des paquets PPP dans des datagrammes IP. PPP est, bien sûr, un protocole sur appel téléphonique qui joue un rôle dans PPTP sans que l'interface soit systématiquement activée sur appel téléphonique.

Résumé

Nous avons vu comment l'on met en place un réseau dans une entreprise et comment un administrateur le configure en mettant en place son adressage IP, sa découpe en sous-réseaux, sa configuration d'exploitation de DNS, WINS, DHCP et d'autres services.

Si la suite de l'histoire vous intéresse, apprenez que la police a débarqué chez Hypothetical Inc. quelque temps après pour arrêter le chef des opérations. Cela laissait un siège vide au comité de motivation, qui fut offert à Maurice par le président avec l'expression de la plus grande gratitude de la société.

Questions-réponses

Q Pourquoi Maurice a-t-il décidé de fractionner le réseau d'Hypothetical Inc. en sous-réseaux ?

R Cela présente deux avantages : la réduction du trafic et la possibilité de connecter l'anneau à jeton au reste du réseau.

Q Pourquoi Maurice a-t-il utilisé un serveur DNS au lieu de configurer des fichiers hôtes (comme décrit au Chapitre 15) ?

R Maurice aurait dû configurer chaque fichier hôte séparément, ce qui aurait demandé beaucoup de temps. Il aurait fallu ensuite tous les mettre à jour manuellement lors de la moindre modification du réseau.

Index

Achevé d'imprimer le 10 mars 1999
sur les presses de l'imprimerie «La Source d'Or»
63200 Marsat
Dépôt légal : 1er trimestre 1999
Imprimeur n° 7905